RAGHI DER SCHATTEN

BISHER ERSCHIENEN

Serie «Der Weg des Heilers»
Der verletzte Himmel
In den Tiefen der Ewigkeit
Bis das Eis bricht (Tantans Geschichte)
Die Nacht des Vergessens (Tantans Geschichte)

Serie «Die Treppen der Ewigkeit»
Wolf des Südens
Raghi der Schatten

Englischsprachige Bücher
Twice in her Lifetime — A Regency Romance
Wolf of the South («The Stairs of Eternity»)

RAGHI DER SCHATTEN

DIE TREPPEN DER EWIGKEIT

ISA DAY

PONGÜ

Bibliografische Information der Deutschen Nationalbibliothek:
Die Deutsche Nationalbibliothek verzeichnet diese Publikation in der Deutschen Nationalbibliografie; detaillierte bibliografische Daten sind im Internet über http://dnb.dnb.de abrufbar.

Umschlaggestaltung: Pongü Text & Design GmbH

Bildquellen: Refluo (Shutterstock) — agsandrew, yyanng, KeilaNeokow (Depositphotos) — Digital Curio (Etsy)

Herstellung und Verlag: BoD - Books on Demand, Norderstedt
ISBN 9783743181489

1

«Bist du hier, um mich zu töten?», fragte Raghi und lehnte sich an den Sarkophag, als kümmerte ihn nichts auf der Welt.

«Ja», sagte Faya.

Wütende Befriedigung raste durch seine Adern. Der Moment war endlich gekommen.

«Na los! Worauf wartest du? Komm her und bring es zu Ende!», forderte er sie zum Kampf heraus.

Er hatte schon lange gewusst, dass sie sich eines Tages so gegenüberstehen würden — Faya als Castelaltos Mörder für spezielle Aufgaben und er, der eigensinnige Lehrling.

Es war nach Mitternacht — die perfekte Zeit für Meuchelmorde. Der Ort war unerwartet, aber passend. Sie hatte ihn in einem abgelegenen Teil der Katakomben von Eterna aufgespürt, wohin sich selbst die Bedürftigen, die unter den Toten lebten, selten wagten. Es war eine Steinkammer voller Spinnweben und Schatten, die sich von selbst bewegten. Die Fackeln in ihren Wandhalterungen tanzten im ewigen Luftzug, der die meisten Tunnel und Kammern belüftete und die wohlhabenden Toten der Stadt zu Mumien trocknete. Ab und zu zischten die Flammen wie wütende Schlangen.

Es war ein angenehmes Versteck. Der Geruch von Staub und alten

Knochen war beruhigend, und weder die glühende Wüstensonne noch die eisige Kälte der Nächte reichte so tief in den Untergrund. Die Temperatur blieb das ganze Jahr über gleich, kühl und erfrischend wie an einem Frühlingstag in seiner Heimat. Raghi, der von den sturmumtosten Inseln des Eismeeres stammte, hatte sich nie an das brutale Wüstenklima Eternas gewöhnt.

Faya stemmte sich hoch, um sich auf den zweiten Sarkophag der Krypta zu setzen. In die ebene Steinplatte waren die Umrisse des Verstorbenen als flache Linien eingeritzt. Diese Gräber waren uralt, ihr einfacher Stil vor Jahrhunderten aus der Mode gekommen.

«Manchmal bist du so ein Idiot!», sagte Faya und rollte die Augen. Ihr Gesicht schien zu schweben, weil ihre schwarze Kleidung mit den Schatten verschmolz.

«Danke, dass du meine besseren Eigenschaften zu schätzen weißt», erwiderte Raghi und imitierte sie, indem er sich im Schneidersitz auf den Sarkophag hinter ihm setzte. Im Vergleich zu Faya wirkte er zerlumpt. Die wilden Strähnen seines Haares hatten schon lange keine Schere mehr gesehen, und er hatte sich nicht die Zeit genommen, sein verblasstes Mördergewand — bestehend aus einer langärmeligen Tunika, einer bequemen Hose und einem Umhang — neu einzufärben und die Löcher im Stoff zu stopfen.

Sie starrten sich an. Die Entfernung zwischen ihnen betrug etwa zwei lange Schritte, kurz genug, dass sie ihn sofort erreichen und töten konnte. Niemand hatte eine Chance gegen diese kleine Mörderin, außer …

«Wie geht es Emilio dem Wunderkind?», fragte Raghi.

Ihr Gesichtsausdruck wurde zu einem Lächeln. «Er ist wunschlos glücklich und fitter denn je.»

«Immer der Streber.» Er schnaubte. Ein Teil seines Spottes entsprang der Eifersucht. Die beiden teilten eine tiefe Verbundenheit, durch die er sich als Beobachter jeweils noch einsamer gefühlt hatte. Und dass Emilio aus dieser Hölle entkommen war, in der er und Faya immer noch lebten …

«Wozu das Vorspiel?», provozierte er sie.

«Glaubst du wirklich, ich würde dich töten?», feuerte sie zurück.

«Nun ja, deine Handlungen waren gelegentlich verdächtig.»

Etwas veränderte sich in ihrer Aura, und er fühlte, wie ein Schauer über seine Wirbelsäule lief. Faya war eine zierliche junge Frau — klein und schmächtig wie ein halb verhungertes Kätzchen. Mit ihrem langen rabenschwarzen Haar, ihren riesigen schwarzen Augen und ihrer olivfarbenen Haut hätte sie unschuldig wirken sollen.

Aber ein Feuer war in den Tiefen dieser Augen entfacht. Ihr Blick schien seine Seele zu durchdringen.

«Raghi, bitte streif die Kapuze runter.»

Er gehorchte mit einem verärgerten Seufzen.

«Du hast dich wieder ausgehungert.»

«Erstens geht dich das nichts an, und zweitens wird Essen überbewertet.»

Er wandte sein Gesicht ab, damit er sich nicht ihrer Musterung stellen musste. Im Gegensatz zu Emilio dem Wunderkind, dessen dunkles südländisches Aussehen den Frauen den Kopf verdrehte, wirkte er blass und schlicht. Sein Gesicht glich dem der kalten Marmorstatuen in den Tempeln: perfekte Haut, eine gerade Nase, volle Lippen, blass, ausdruckslos, eiskalt. Allein die dunklen Ringe unter seinen langweilig braunen Augen sorgten neben seinen mausbraunen Haaren für einen Hauch von Farbe.

«Raghi ...» Plötzlich stand sie vor ihm und nahm sanft seine Hände.

Er zuckte überrascht zusammen. Warum hatte er nicht wahrgenommen, wie sie sich bewegte?

«Versuchst du es auf die sanfte Tour, bevor du mir die Kehle durchschneidest?»

Sie ignorierte seine Provokation und wartete still, bis er sich zwang ihren Blick zu erwidern.

«Dieser Selbstmissbrauch muss endlich aufhören. Du glaubst es vielleicht nicht, aber du bist etwas Besonderes.»

«Weil ich der einzige Prinz bin, den der Meister nicht stehlen musste, weil meine Eltern mich verkauften? Ja, ich Glückspilz!» Er schnaubte.

Mitgefühl erfüllte ihre Miene. «Wenigstens weißt du, wo deine Wurzeln sind, egal wie furchtbar oder verdorben.»

Dagegen konnte er nicht argumentieren. Ihre Herkunft war unbekannt, obwohl die dunkle Färbung von Haut und Haar den Süden, wo die meisten dunkelhäutigen Menschen lebten, vermuten ließ. Es musste die Hölle sein, überhaupt nichts über seine Abstammung zu wissen und keinen Ort zu haben, von dem man träumen konnte. Zumindest das war ihm geblieben. Während er seinen Vater und seine Mutter hasste, erinnerte er sich gern an die atemberaubende Schönheit ihres wilden Inselreiches.

«Warum denkst du, dass ich etwas Besonderes bin, Namenlos?», fragte er.

Sie legte ihre Handfläche über sein Herz. «Wegen deiner Energie. Du bist wie ein Tornado — eine Naturgewalt, die alles wegfegt. Ich kenne niemanden wie dich.»

Ihre Worte erinnerten ihn an einige seiner verrückteren Eskapaden, und er grinste schief. «Ich glaube nicht, dass die Wirte der Gasse des Vergessens mich mit so freundlichen Worten beschreiben würden.»

«Du hast ihre Straße abgefackelt, nachdem du alle ihre Kunden dazu verleitet hattest, sich bis zur Besinnungslosigkeit zu betrinken.»

«Und bescherte ihnen so die lukrativste Nacht ihres Lebens. Aus meiner Sicht habe ich ihnen einen Gefallen getan. Sie wurden dadurch steinreich und mussten ihre von Ratten befallenen Absteigen nicht selbst niederreißen. Kein Reinigungsaufwand hätte den angesammelten Schmutz der Jahrhunderte entfernen können. Jetzt sieht alles schön und neu aus.»

Faya sandte ihm einen strengen Blick. «Vergessen wir nicht den Aufruhr, als du den Prostituierten in Eternas teuerstem Bordell zeigtest, wie man verführerischer denn je tanzt. Die Stadtwache musste eingreifen, als du deine Vorstellung auf den Balkon über dem Magistratsplatz verlegt hast.»

Raghi grinste böse. «Dieser Schelmenstreich generierte eine große Anzahl von schmeichelhaften Angeboten. Zu schade, dass Castelalto mir nicht erlauben wollte Tänzer zu werden.»

Etwas regte sich in ihm, etwas, das nicht erwachen durfte, solange Faya bei ihm war. Er musste seine Witze mit mehr Sorgfalt auswählen und die Erinnerungen begraben, die seine schwelende Wut auflodern ließen. Aber die junge Frau machte es leicht, ihr zu vertrauen. Sie wusste das meiste von dem, was ihm passiert war, und kannte die Konsequenzen für sein Selbstwertgefühl, da sie ihre eigene Art der Grausamkeit durch die Hand des Meisters erlitten hatte.

«Wenn du deine Karriere geändert hättest, dann hättest du vielleicht nicht dein neuestes Unheil angerichtet.»

Eisige Wut raste durch Raghis Adern. «Ich verstehe nicht, warum dies das Fass zum Überlaufen brachte.»

Faya seufzte, während er sich erinnerte. Castelalto hatte ihm vor fast drei Jahren das Schlimmste angetan. Heutzutage bestrafte ihn der Meister, indem er ihn reichen Sadisten als Sex-Sklave gab. Als ob er damit nicht umgehen könnte! Als ob der Schmerz für ihn von Bedeutung wäre!

«Du hast einen hohen Beamten terrorisiert. Er wollte sich an deiner Unterwerfung aufgeilen, aber du drehtest den Spieß um und erschrecktest ihn zu Tode. Damit verlor der Meister seine Macht über den Mann. Misstrauen zerstörte ihre Gemeinschaft des Bösen und kostete den Meister einen beträchtlichen Teil seines Einflusses.»

Raghi grinste. «Dann hat es sich gelohnt. Worauf wartest du noch? Töte mich!» Und alles würde endlich, endlich vorbei sein!

«Das werde ich ganz sicher nicht. Ich will, dass du mich niederstreckst und dann fliehst.»

«Wohin?» Er öffnete seine Arme weit. «Castelalto terrorisiert den gesamten Kontinent und die abgelegenen Inseln. Es gibt kein Versteck!»

«Doch. Die Vergangenheit.»

Er starrte in ihre Augen, seine Tirade vergessen. «Das ist der Weg, den Emilio nahm. Aber er steht nur verurteilten Verbrechern offen, denen eine zweite Chance gewährt wird!»

Sie grinste. «Das denkst du.»

Er wurde nachdenklich. War das eine Falle? «Was hast du davon?»

Plötzlich wirkte sie blass und müde. «Das Wissen, dass ein weiterer meiner Freunde die Chance hat, dieser Hölle zu entkommen und sein Glück zu finden.»

«Da Glück keine Option ist, konzentrieren wir uns auf die Flucht. Wie soll die vonstattengehen?»

«Indem du die Treppen hinunterschleichst und dich irgendwo und irgendwann in der Vergangenheit versteckst. Du wirst aufhören zu altern, aber zumindest …» Sie brach ab.

Ihr Gesichtsausdruck gab ihm zu denken. «Du verheimlichst mir etwas. Etwas Großes. Was ist es?» Er rutschte vom Sarkophag und packte ihre Schultern, viel zu grob vor Aufregung. Als sie zusammenzuckte, verringerte er sogleich den Druck seiner Finger. Er mochte ihr nicht vertrauen, aber sie war seine Freundin und zerbrechlich, nur Vogelknochen und samtige Haut.

«Nach allem, was ich über dich weiß, gibt es auf der ganzen Welt eine Person, die du liebst. Die Nachricht erreichte mich sehr spät. Deshalb kann ich nicht sicher sein, aber möglicherweise kannst du ihr noch das Leben retten.»

Das Blut sackte ihm in die Füße, und er schwankte. «Nana! Was haben diese Teufel, die sich meine Eltern nennen, mit ihr gemacht?»

«Mir wurde berichtet, dass deine Mutter ein Mädchen wie dich zur Welt gebracht hat. Sie warfen das Neugeborene in den Kerker, wo es verhungern sollte. Als deine Amme sich für die Kleine einsetzte, landete auch sie im Kerker.»

Mordlust erfüllte sein Bewusstsein und behinderte sein Denken. Mit eiserner Entschlossenheit zwang Raghi sie nieder. Aber etwas regte sich in ihm, jener fremde Teil, den er nicht kontrollieren konnte. Als sich der Schatten von seinem Körper löste, schloss er die Augen. «Es tut mir leid, Faya.»

Er hörte sie schlucken.

«Was tut es?» Raghi konnte nicht hinsehen. Wenn es Faya angriff und sie tötete, dann war diese Jauchegrube, die er sein Leben nannte, wirklich vorbei.

«Es starrt mich an und scheint zuzuhören.»

Raghi öffnete die Augen und schaute über seine Schulter. Ja, da stand es, und sie hatte recht. Es sah wütend aus. Seine schrecklichen Augen brannten wie Höllenfeuer, aber die Wut war nicht auf Faya gerichtet.

«Gib mir die nötigen Informationen! Was müssen wir tun?», verlangte er zu wissen.

«Du hast mir einmal ein Medaillon mit einer Haarlocke deiner Nana gezeigt. Trägst du es jetzt?»

«Ja.»

«Dann hast du alles, was du brauchst. Die Zeit steht still, wenn du die Treppen der Ewigkeit betrittst. Wenn deine Nana dann noch am Leben ist, wird sie nicht sterben. Hast du verstanden? Auf den Treppen kannst du dir alle Zeit der Welt nehmen, um einen Platz zu finden, der zu dir passt.»

«Die Zeit steht still. Ich kann mir so viel Zeit nehmen, wie ich brauche», wiederholte er als Beweis, dass er zuhörte. Da er die Worte anderer oft aus Spaß ignorierte, war es wichtig, dass Faya ihm glaubte.

Ihr Blick wurde stechend. Ihre schwarzen Augen schienen zu brennen. «Wenn du in diese Zeit und an diesen Ort zurückkehrst, beginnt deine ursprüngliche Zeitlinie wieder genau in dem Moment, als du sie verlassen hast, und deine Nana blickt erneut dem Tod ins Auge. Wenn du gehst, darfst du nicht hierher zurückkehren — niemals. Verstanden?»

Sie schien die Wahrheit zu sprechen, aber er vermutete, dass sie die Fakten auf ihre Absichten zuschnitt. War das wichtig?

Lodernde Wut beantwortete seine Frage. In seiner schrecklichen Jugend war seine Nana das einzige Leuchtfeuer aus Licht und Liebe gewesen. Nur sie war wichtig.

«Ja, ich verstehe, dass ich nie wieder zurückkehren kann!», zischte er. Das Ding hinter ihm knurrte.

«Alles an deinem Körper wird mit dir in die Vergangenheit reisen. Ein einzelnes Haar kann ausreichen. Sobald du in eine Zeitlinie eintauchst, wird das, was du bei dir trägst, an deiner Seite erscheinen, und zwar in dem Zustand, den es hatte, als du die Treppen betratst.»

Sein Herz stockte. «Dann finde ich mich vielleicht neben der Leiche meiner Nana wieder?»

Sie nickte ernst. «Diese Möglichkeit besteht leider.»

«Was ist mit meiner Chimäre? Ich trage ihre Federn bei mir, um Pfeile zu machen.» Er öffnete seinen Beutel, um sie Faya zu zeigen.

«Sie ist größer als ein Pferd, für das man zehn Haare von der Mähne des Tieres braucht, damit die Reise problemlos funktioniert. Mit dieser Anzahl von Federn wird sie dir folgen.»

Er traf seine Entscheidung. «Dann werde ich jetzt gehen. Zeig uns den Eingang zu den Treppen.»

Sie blickte über seine Schulter und verengte ihre Augen. «Dir ist klar, dass du gerade ‹uns› gesagt hast?»

Er grinste sie verwegen an. «Es gibt so viel von mir, dass ich als mehr als einer zähle.»

Sie schnaubte. «Was dein Ego betrifft? Bestimmt!»

2

Raghi hatte die Stadt der Toten schon immer jener der Lebenden vorgezogen. Über der Erde war Eterna hektisch, laut und verwirrend. In der Halbwelt der Katakomben wurden die Massen weniger.

Die künstlichen Höhlen boten guten Schutz, aber dort zu leben bedeutete auch, dass man die unterste Stufe der Gesellschaft erreicht und alle Hoffnungen aufgegeben hatte.

Die Armen, die sich noch an einen Schatten der Hoffnung klammerten, drängten sich in den überfüllten Hütten, die gegen die Stadtmauern lehnten. Diese Hütten stanken, wurden nachts eisig kalt und verwandelten sich unter der unerbittlichen Wüstensonne in Öfen. Aber sie lagen oberirdisch und gehörten damit zur respektablen Welt.

Faya führte ihn durch einen weiteren ihm unbekannten Tunnel. Wie waren sie hierher gekommen? In den Monaten und Jahren nach seiner Ankunft in Eterna hatte Raghi aus Langeweile und weil er eines Tages würde verschwinden müssen, die Katakomben sorgfältig katalogisiert.

Noch nie zuvor hatte er einen Fuß in diese Gänge gesetzt. Sein Verdacht wuchs. Führte Faya ihn in den Tod? Das war in Ordnung, aber wenn ja, wollte er es wissen.

«Bist du sicher, dass das der richtige Weg ist?», fragte er und griff nach dem Messer an seinem Gürtel.

Sie fuhr herum und bemerkte seine Kampfbereitschaft. «Ernsthaft? Du hast das Ding da an deiner Seite und fürchtest dich vor mir?» Sie zeigte auf seinen Schatten, der ihnen folgte.

Raghi starrte sie an. «Von allen Mördern bist du der gefährlichste. Sogar Emilio das Wunderkind hatte Angriffspunkte und ein Gewissen. Bei dir bin ich mir nicht so sicher.»

Sie seufzte vor Ärger. «Wir sind fast unter dem Magistratspalast. Dies sind die ältesten Katakomben und vom Rest abgeschottet, um Unterminierungen zu verhindern. In deiner Geistesabwesenheit hast du es nicht bemerkt, aber vor einiger Zeit sind wir durch eine Geheimtür getreten und eine Treppe hinuntergegangen. Frag dein Ding, wenn du mir nicht glaubst. Es hat aufgepasst.»

Unbehaglich schaute Raghi zu seinem Schatten. Dessen abgrundtiefe, brennende Augen fokussierten ihn.

«Ist das wahr?» Er hasste es, mit dem Ding zu sprechen, aber er musste es wissen.

Es blinzelte, was Ja bedeutete.

Raghi knurrte. «Dieser Ort ist ekelhaft», beschwerte er sich beim Universum.

Ansammlungen von Schmutz und Staub bedeckten jede Oberfläche dieser Höhlen und Tunnel, und verhedderte Vorhänge aus Spinnweben hingen von der unregelmäßigen steinernen Decke. Die Luft war muffig, bewegungslos und roch nach Moder. Und dann die Leichen! In der Antike wurden die Toten offenbar Seite an Seite an die Wände gehängt. In ihre Nacken getriebene Haken hielten sie aufrecht und ließen sie wie ausgetrocknete Stoffpuppen wirken. Die meisten ihrer Kiefer hingen offen.

«Warum fallen sie nicht runter?», fragte er und stupste gegen eine skelettierte Brust.

Die Mumie fiel auf den Steinboden und verwandelte sich in ein Bündel aus Knochen und ledriger Haut. «Äh …»

Faya rollte die Augen und eilte weiter.

Sie öffnete eine kleine Tür und ging hindurch. Raghi folgte ihr, ohne zu denken, und erstarrte.

«Ich wusste es. Du versuchst mich zu töten», schrie er, seine Augen weit aufgerissen vor Schreck. Er stand auf leerer Luft über einem bodenlosen schwarzen Abgrund. Hoch über seinem Kopf wirbelte grauer Nebel. Und in der Mitte des höhlenartigen Raumes, in dem sie sich befanden …

Faya packte seinen Arm und zog ihn mit sich. «Sei kein Baby! Komm schon. Du kannst so viel starren, wie du willst, sobald wir auf den Treppen stehen und die Zeit anhält.»

Verdammt, der kleine Teufel hatte Kraft! Raghi war von mittlerer Größe, groß genug, dass er zu wenigen Männern aufschauen musste. Sie sollte ihn nicht so mühelos mit sich ziehen können, wo er nicht hinwollte.

Die Treppen der Ewigkeit waren eine Wendeltreppe, die unbefestigt in der Leere rotierte. Sie wirkte, als wäre sie einst von einem unglaublich hohen Turm umhüllt gewesen und einfach stehen geblieben, während die schützende Gebäudehülle um sie herum verfiel.

Faya schubste ihn auf eine der geisterhaften, orange leuchtenden Stufen. Diese verwandelte sich unter seinen Füßen zu Stein. «Jetzt kannst du Fragen stellen. Wir haben den Fluss der Zeit verlassen.»

Raghi sah nach unten. Die Stufe unter ihren Füßen schien die gleiche zu bleiben, während sich die geisterhaft-transparenten Stufen von oben herabwanden und unter ihnen als Steinstufen in der Dunkelheit verschwanden. Auf einmal fand er seine Fragen irrelevant. «Sie sind wunderschön», sagte er voller Ehrfurcht.

«Ja, das sind sie. Legenden erzählen, dass ein magiebegabter König sie erbaute, damit er durch die Zeit wandern und sicherstellen konnte, dass sein Volk immer glücklich und gesund blieb. Nach seinem Tod erkannten seine Nachfolger, dass die Treppen zum Guten wie auch zum Bösen dienen konnten, und verbargen ihre Existenz, indem sie einen Palast darum herum erstellten. Da Städte auf Städten erbaut sind, versanken die Treppen über Äonen hinweg im Untergrund, vergessen von den Menschen von Eterna, während der Magistratspalast immer höher in den Himmel wuchs. Heute wissen nur noch die Wächter der Ewigkeit von ihrer Existenz. Alle anderen halten sie für einen Mythos.»

«Glaubst du, dass an dieser Geschichte etwas Wahres dran ist?»

Sie zuckte die Schultern. «Spielt das eine Rolle? Träume können wichtiger sein als die Wahrheit.»

Raghi nahm ihre Hand. Sie war kühl, die dunkle Haut auf ihrem

Rücken weich und die Fläche rau von Schwielen. «Ich verspreche zu tun, was du sagst, Faya, aber jetzt ist es an der Zeit, mir die Wahrheit zu sagen. Ist meine Nana in Gefahr und hast du den Befehl des Meisters erhalten, mich zu töten?»

Ihre Augen füllten sich mit Tränen.

Schockiert packte er ihre Hand härter. «Faya?»

«Deine Nana ist in Lebensgefahr und die Möglichkeit besteht, dass sie bereits an den erlittenen Misshandlungen gestorben ist. Was den Befehl dich zu töten betrifft, so wurde er gegeben, aber nicht mir. Der Meister beauftragte einen der Altvorderen.»

Raghis Herz stoppte schier. «Hoppla! Mir war nicht klar, dass ich es wieder einmal geschafft habe, ihm so auf die Nerven zu gehen!»

«Mach keine Witze darüber, Raghi.»

Wenn er keine Witze machte, drehte er durch. Die Geschichte der Mördergilde von Eterna war vage. Sie hatte schon immer in der einen oder anderen Form existiert. Dann, vor etwa drei Jahrzehnten, hatte Castelalto die Macht ergriffen und sich mit Hilfe einer Gruppe von Anhängern zum Zunftmeister gemacht. Diese Mörder, die man «die Altvorderen» nannte, waren jetzt zwischen fünfzig und sechzig Jahre alt.

Und im Gegensatz zu den jüngeren Generationen, die sich als Spezialisten oder Auftragnehmer betrachteten und keine Freude am Töten fanden, schienen die Altvorderen für das Blutvergießen und Morden zu leben.

Raghi war ihnen allen begegnet, und die Erinnerungen machten ihm das Atmen schwer. Ein wütendes Knurren seines Schattens beruhigte ihn.

«Wie dem auch sei. Wenn meine Nana tot ist, werde ich zurückkehren und mich an meinen Eltern rächen. Sie haben es schon lange verdient», fluchte er.

Faya hob die Hand, um ihm eine Träne von der Wange zu wischen. Ihre Berührung war sanft.

«Hör auf, sonst ertrinkst du in meinen Tränen», warnte er sie.

Sie lächelte. «Ich werde dich jetzt verlassen, mein Freund, denn du musst dein Schicksal ohne meine Hilfe schmieden. Geh die Treppen hinunter in die Vergangenheit. Jeder Ausgang führt in eine andere Zeit und Welt. Warte, bis du die Tür erreichst, die sich richtig anfühlt. Du wirst es wissen, wenn das passiert. Und bitte versprich mir, dass du gut auf dich aufpasst. Kein Aushungern mehr und keine Selbstmisshandlung.»

«Kein Tanz auf dem Vulkan mehr?», scherzte er. Seine Tränen begannen zu fließen.

«Darum kann ich dich nicht bitten. Du wirst immer der sein, der du bist, und jede mögliche Katastrophe heraufbeschwören. Erinnere dich einfach ab und zu daran, dass du es wert bist, geliebt zu werden. Und dass, selbst wenn du sonst niemanden finden kannst — was ich bezweifle —, ich dich immer lieben werde.»

«Oh, Faya, hör auf damit!» Er zog sie in seine Arme und schaute instinktiv über ihre Schulter, um Emilios Zustimmung zu prüfen. Aber Emilio war nicht mehr da. Raghi wurde etwas bewusst. «Wer wird dich jetzt beschützen? Mit Emilios Fortgang und meinem Verschwinden wirst du verletzlicher sein denn je. Warum kommst du nicht mit mir?»

Ihre Umarmung wurde fester. «Ich kann nicht, Raghi. Jeder von uns hat ein anderes Schicksal zu erfüllen. Geht jetzt!» Sie löste sich von ihm und wandte sich ab, um zu verbergen, dass sie weinte. «Kein Außenstehender kann nachvollziehen, wie es war, in der Gilde aufzuwachsen. Die Bande, die wir während unserer Ausbildung knüpften, sind stärker als die Bande einer liebenden Familie. Niemand von uns wird jemals wirklich allein sein.»

Sie trat von der Treppe auf die Leere über dem Abgrund.

«Wenn du das glaubst, bist du eine Närrin!», schrie er ihr nach. «In all dem sind wir ganz allein und waren es immer schon.»

Sie entfernte sich bereits. «Wie auch immer!», schrie sie zurück und winkte, ohne sich umzudrehen.

Als ihre Umrisse in den Schatten um die Treppen verschwanden, rief Raghi: «Ich liebe dich, Namenlos!»

Er hörte sie lachen. Dann war sie weg. «Ich weiß», driftete ihre schöne Stimme zu ihm.

Allein mit seinem Schatten versuchte Raghi, seine Umgebung zu analysieren, während er über seine nächsten Schritte nachdachte.

«Dieser Ort macht mir eine Scheißangst!», sagte er schaudernd. Als er erkannte, was er gerade getan hatte, spottete er. «Was ich gerade bewiesen habe, indem ich mit dir sprach!»

Das Ding knurrte ihn an.

«Oh, halt die Klappe!», schimpfte er. «Faya hat uns — mir! — gesagt, dass ich nach unten gehen soll. Also gehen wir nach oben.»

Er setzte den Fuß auf die erste transparente Stufe, die in die Zukunft hinaufführte. Auf einmal verschwand ihr sanftes orangefarbenes Leuchten. Grobe Mauern verfestigten sich um ihn herum, und die Sohle seines Stiefels traf auf eine gewöhnliche Steinstufe.

Raghi fuhr herum. Eine kleine, offen stehende Holztür markierte die Stelle, an der er die Treppen der Ewigkeit betreten hatte. Durch sie hindurch sah er den bodenlosen Abgrund, den er überquert hatte.

Er schauderte erneut. «Rauch und Schatten. Als ob wir davon in der Gilde nicht genug hätten! Und was ist real? Das?» Er hieb mit der Faust gegen die Wand — und zuckte, als die rauen Steine seine Haut zerkratzten. «Oder was wir vorher sahen? Und jetzt höre ich auf zu reden, bevor ich völlig verrückt werde!»

Ein seltsames Gefühl drückte ihm auf die Brust. Es nahm mit jeder weiteren Stufe zu, die er erklomm. So viel zu unheilvollen Vorahnungen! Was er tat fühlte sich falsch an. Seine Entschlossenheit nahm zu, und seine Neugier auf das, was ihn erwartete, wuchs.

Raghi erreichte die erste Tür und schaute hindurch. Sein Atem stockte, und ihm blieb fast das Herz stehen.

Er blickte auf Eterna hinab wie ein Wüstenfalke, der auf den Winden segelte. Der Magistratspalast und der weitläufige Platz davor waren unverwechselbar. Aber diese Vision der Stadt unterschied sich von allem, was er kannte. Die Flagge auf dem höchsten Turm des Palastes erklärte, warum. Sie trug das Wappen des Meisters.

Raghi starrte voller Entsetzen auf das Schreckensbild hinab. Das Eterna seiner Zeit war eine vergoldete Jauchegrube — ein gefährlicher, verdorbener Ort, der sein hässliches Gesicht hinter einer schönen Maske versteckte wie eine alte Hexe. Dennoch schafften es viele Menschen, innerhalb der Stadtmauern ihr Glück zu finden und ein gutes Leben zu führen. An der Universität florierten die Wissenschaften und führten jedes Jahr zu neuen Entdeckungen. Selbst diejenigen, die auf der Suche nach Musik und Heiterkeit waren, konnten die Nächte durchfeiern, ohne ausgeraubt zu werden, es sei denn, sie wurden unvorsichtig.

Aber dieses Eterna … Ein totes Schwarz überzog den einst goldenen Stein der Gebäude und Mauern. Ganze Viertel befanden sich in einem schrecklichen Zustand der Verwahrlosung, ihre Häuser einsturzgefährdet. Und auf den Wüstenebenen rund um die Stadt wuchs ein Wald aus Galgen und Kreuzen. Von jedem einzelnen hing etwas, das einst ein Mensch gewesen war.

«Ich glaube mich zu erinnern, dass deine Freundin dir befohlen hat, in die Vergangenheit zu gehen», bemerkte jemand milde an seiner Seite.

Raghi fuhr entsetzt zusammen.

«Ich würde es begrüßen, wenn du die Spitze deines Dolches von meiner Kehle entfernen würdest», fuhr die Stimme fort. «Ich habe nichts getan, um dich zu bedrohen, und du verletzt meine Haut.»

Raghi blinzelte. Es dauerte lange, bis er die Umrisse der Person neben sich erkannte. Allmählich wurde ihm klar, dass der alte Mann — dies schloss er aus tiefen und ein wenig brüchigen Stimme — einen langen Kapuzenmantel trug. Dessen schwarze Farbe verschmolz mit den Schatten, welche die Treppe hinauf- und hinunterzuwandern schienen, erzeugt vom unregelmäßigen Licht der wenigen Fackeln.

«Wer zum Teufel bist du?», schimpfte Raghi und steckte den Dolch zurück in die Scheide. Er gab sich aggressiv, konnte sich aber nicht dazu durchringen, dem Mann mit seiner üblichen Respektlosigkeit zu begegnen.

«Manchmal ein Richter und manchmal ein Berater.»

«Und auch ein Wächter?»

«Über die Wächter der Treppen ist wenig bekannt. Sie existieren schon ewig, während ich genauso sterblich bin wie du. Nur ein bisschen klüger.» Diese letzte Bemerkung enthielt keinen Vorwurf, nur unendliche Geduld.

«Dann kannst du mir nicht erklären, was das ist?» Raghi nickte zu der Abscheulichkeit hin, die sich unter ihnen erstreckte.

«Diese Zukunft entsteht, wenn du einen Fuß durch diese Tür setzt. Sie besteht aus allem, was du fürchtest, hasst und verachtest.»

Raghi schnaubte ungläubig. «Willst du damit sagen, dass ich dieses Grauen erschaffe?»

Die Kapuze bewegte sich, als der Mann nickte. «Ja. Jeder kann in die Vergangenheit gehen, aber nur wenige sind in der Lage, in die Zukunft zu gehen, ohne sie in einen Albtraum zu verwandeln. Fragte ich dich, ob deine Ängste oder Hoffnungen stärker sind, würdest du wahrscheinlich sagen, dass sie sich im Gleichgewicht befinden. Aber das ist nicht wahr. Der Mensch wird von seinen Ängsten geprägt. Sie halten unsere Seelen gefangen, und sie sind auch der Grund, warum so wenige Menschen ihr Schicksal erfüllen. Angst macht unser vertrautes Elend zu einem Ort des Wohlbefindens.»

Raghi dachte über diese Behauptung nach. «Und wo passe ich da rein? Wo andere Leute sich abwenden, gehe ich bis zum Ende. Ich kann nie etwas sein lassen. Und bevor ich nicht ein komplettes Chaos angerichtet habe, bin ich nicht zufrieden.»

Der alte Mann gluckste. «Wenn du die Treppen hinuntersteigst, wirst du es vielleicht herausfinden.»

Was für ein kompletter Unsinn! «Du warnst mich davor, die Zukunft zu verändern, aber was ist, wenn ich die Vergangenheit umgestalte und die Gegenwart in das verwandle?» Raghi zeigte auf die einstigen Felder des Todes. Die Feuer brannten höher denn je, aber anstatt die Körper der ärmeren Toten zu verbrennen, warfen Dämonen lebende Menschen — Männer, Frauen und Kinder — in die Flammen. Der Wind trug ihre schrecklichen Schreie und den Gestank von brennendem Fleisch in den Himmel zu Raghi und seinem Begleiter.

«Die Vergangenheit zu verändern ist nichts als ein Traum. Was wir als Geschichte kennen ist bereits geschehen. Sie wurde in Hunderten von Chroniken, Büchern und sogar in den Briefen, die wir über die alltäglichsten Themen schreiben, festgehalten. Aber wie bei jedem Wandteppich, an dem über eine lange Zeit hinweg gearbeitet wird, entstehen Fehler, Unvollkommenheiten oder Stellen, an denen das Gewebe verrottet. Zu diesen Orten reisen die Bittsteller, die ihr Schicksal den Treppen anvertrauen. Dort schaffen sie sich ihr neues Leben.»

Bosheit regte sich in Raghis Seele. «Zu schade, und ich hoffte, die Vergangenheit mit meinen Nachkommen zu überschwemmen, damit sie die Herrschaft über die bekannte Welt übernehmen können.»

«Tu dir keinen Zwang an.» Der Richter schob seine Hände in die gegenüberliegenden Ärmel seines Gewandes. Er schien überhaupt nicht beunruhigt zu sein.

Mit solchen Bemerkungen löste Raghi normalerweise eine hitzige Erwiderung aus. Er war enttäuscht, fühlte sich aber auch sicher in der Gegenwart des anderen Mannes. «Du weißt, dass ich kein Bittsteller bin. Ich bin dabei, mir wie ein Dieb ein neues Schicksal zu stehlen», gab er zu.

«Das ist richtig. Aber in ihrer langen Existenz haben die Menschen die Treppen aus verschiedenen Gründen benutzt. Es gab diejenigen, die wie du verschwinden mussten. Andere wurden wie dein Freund Emilio verurteilt.»

«Nun, ich würde ihn nicht als Freund bezeichnen», unterbrach Raghi. «Er war mehr wie ein nerviger großer Bruder.»

«Des Weiteren gab es diejenigen, die versuchten, die Treppen zur persönlichen Bereicherung zu missbrauchen, und miterleben mussten, wie sich das Schicksal gegen sie wandte», nahm der Richter die Kontrolle über das Gespräch wieder an sich. «Und dann die Schlimmsten von allen — diejenigen, die versuchten, geschehenes Unrecht wiedergutzumachen. Unsere Kultur wird ebenso sehr durch unsere Leistungen wie durch unsere Fehler geprägt. Ohne unsere Fehler sind wir nichts.»

Das erregte Raghis Aufmerksamkeit. Er drehte den Kopf, um den Richter zu betrachten. Im diffusen Licht sah er nur einen Umriss. «Würdest du deine Kapuze für mich abnehmen?»

Der Mann kam dem Wunsch nach.

Raghi starrte ihn an. Er würde nie das Gesicht des Richters vergessen. Gleichzeitig konnte er nicht beschreiben, was er sah. Es wirkte zugleich alt und jung, weise und schelmisch, engelsgleich schön und hässlich wie die Hölle.

Wenn das Universum ein Gesicht hätte, dann wäre es dieses hier.

«Wie alt bist du?», fragte Raghi.

«Älter als jeder Mensch, den du kennst. Wie alt bist du?»

«Einundzwanzig. Fast zweiundzwanzig. Du musst mich für einen Idioten halten.»

«Ich weiß es nicht. Bist du einer?», spielte der Richter seine Bemerkung direkt zurück.

«Manchmal fühle ich mich wie einer», gestand Raghi seine tiefste Angst. «Faya erzählte mir, wie Emilio sich ein neues Schicksal erkämpfte. Ich bin nicht überrascht. Obwohl er als Auftragsmörder arbeitete, erschien er mir eher wie ein perfekter Märchenprinz. Er hatte immer einen Plan, wusste, was richtig und falsch war. Mir fehlt sein moralischer Kompass. Ich kann mein Temperament nicht kontrollieren. Anstatt ein Problem zu lösen, laufe ich lieber weg. Was ist, wenn ich die Vergangenheit kaputt mache?»

Sein Begleiter lächelte. Es war ein wohlwollendes, liebevolles Lächeln — die Art von Lächeln, das sich Raghi von seinen Eltern immer gewünscht hatte. «Ich verstehe deine Sorgen, aber deine Ängste sind unbegründet. Wie ich bereits erklärte, kann die Vergangenheit nicht kaputt gemacht werden. Und was deine Gefühle betrifft nicht dazuzugehören: Hast du jemals in Betracht gezogen, dass es eine Zeit und einen Ort geben könnte, die besser zu dir und deinen einzigartigen Fähigkeiten passen als die Gegenwart, die du bald hinter dir lässt?»

Das war ein interessanter Gedanke!

Der Richter sandte Raghi ein weiteres Lächeln und legte eine sanfte Hand auf seine Schulter. Wärme erfüllte Raghis Brust.

«Tu, was deine Freundin dir gesagt hat, und steig hinab in die Vergangenheit, junger Mörder. Hier gibt es nichts zu gewinnen für dich, dafür umso mehr dort, wo du hingehst. Und zweifle nicht an dir. Du wirst wissen, welches die richtige Tür ist. Du wirst es in deinem Herzen spüren.»

Raghi nickte gehorsam und versuchte sich zu bewegen. Seine Füße rührten sich nicht.

«Ich lasse dich jetzt allein. Sonst gehst du nie. Hab Vertrauen und gib nicht auf — niemals.» Die Gestalt des Mannes verblasste und war verschwunden.

Raghi blinzelte und schüttelte den Kopf. Hatte er halluziniert? Und wo war sein Schatten?

Er sah sich um, begegnete aber keinen brennenden Augen. Unbehaglich hob er den Halsausschnitt seiner Tunika an und versuchte seinen Rücken hinabzuschauen. Da sein Hals nicht flexibel genug war, sah er nur einen kleinen Teil seines Schulterblattes und einen orangen Schimmer, den die Innenseite des Stoffes reflektierte.

Also war das Ding wieder mit ihm verschmolzen. Er atmete erleichtert auf.

«Dann werde ich jetzt gehen. Ich werde nie bereiter sein», nahm er seinen Mut zusammen. «Emilio das Wunderkind hat es geschafft. Ich kann das auch. Einen Schritt nach dem anderen.»

Er passierte die Tür, durch die er die Treppen betreten hatte. Ihr massives Schloss war nun verriegelt.

«Kein Grund zur Panik!», munterte sich Raghi auf. Mit seinem breiten und falschen Grinsen musste er für einen versteckten Beobachter wie ein Wahnsinniger aussehen.

Nachdem er ein paar Stufen in die Vergangenheit hinabgestiegen war, erschien unter seinen Füßen eine Spur aus Lichtern. Zuerst dachte er, dass er sich täuschte. Dann wurde das Schimmern zu einem Leuchten, und er erkannte, dass jede Stufe mittig eine Lampe enthielt. Als er sich bückte, um sie zu berühren, fühlte sich der helle Teil jedoch gleich an wie seine dunkle Umgebung. Der Stein selbst schien zu leuchten.

«Meinen Dank an den Verantwortlichen dieses Wunders», sagte er laut genug, damit seine Stimme über mehrere Windungen der Wendeltreppe nach oben und unten trug. Dämmerung und Schatten waren kein Problem. Dunkelheit verursachte ihm Todesangst.

Die Zeit verging, während er hinabstieg. Er schien der einzige Reisende auf den Treppen zu sein. Irgendwie hatte er erwartet, dass sie geschäftiger wären.

Die Spur der Lichter führte immer weiter hinab. Seine Oberschenkelmuskeln begannen zu protestieren.

Zweifel erfüllten seinen Verstand. Was, wenn er seinen Ausgang verpasst hatte? Weil er sich auf die Lichter konzentrierte, hatte er nicht jede einzelne Türöffnung untersucht.

Die Spur aus Licht lockte, ihr Funkeln warm und einladend.

Raghi stieg tiefer, einmal im Kreis, und erstarrte.

Die Lichter stoppten vor einem kunstvoll verzierten Portal, hinter dem heftiger Regen auf eine Winterwiese niederprasselte. Schwarze Wolken hingen tief am Himmel, und er konnte nur wenige Schritte weit sehen. Dahinter erhob sich eine Wand aus Finsternis.

Er rückte näher und versuchte, die Steinschnitzereien am Türrahmen zu verstehen. Sie sahen aus wie das Gekritzel von Alchemisten — geheimnisvoll wirkende Symbole, die leichtgläubige Opfer beeindrucken sollten.

Egal!

Er spähte durch das Portal. Ein kalter Windstoß traf sein Gesicht. Er kannte und liebte dieses Wetter von den Inseln seiner Geburt. Der heftige Regen erfüllte seine Ohren mit einem Brüllen, und die Luft roch frisch und grün.

Eine Wahl war so gut wie die andere.

Raghi atmete tief durch und stellte sich seinem Schicksal.

3

Raghi trat durch das Portal auf das Gras. Der abrupte Wandel fühlte sich an, als ob ihm jemand eine ganze Welt ins Gesicht geworfen hätte. Innerhalb weniger Augenblicke durchtränkte ihn der starke Regen bis auf die Haut.

Er blickte über die Schulter. Das Portal zu den Treppen verblasste.

Ein schwerer Klumpen formte sich in seinem Magen.

Ein erster Hinweis, dass Faya die Wahrheit gesprochen hatte: Neben ihm nahm eine vertraute Form Gestalt an.

Desert Rose schüttelte sich mit einem Schrei, dann starrte sie empört um sich, wobei ihre beiden Köpfe auf ihren langen, getrennten Hälsen in verschiedene Richtungen gingen. Ein Kopf sah aus wie der eines Drachens, der andere wie der eines Adlers. Sie schlug mit ihrem langen Drachenschwanz, schüttelte ihren bernsteinfarbenen Löwenkörper und schlug mit ihren weiß gefiederten Schwingen. Die Chimäre hasste es, nass zu werden.

«Oh, sei nicht so ein Baby», schimpfte Raghi und war erleichtert, sie an seiner Seite zu wissen. «Au! Hör auf damit!»

Ihr Drachenkopf hatte einen Feuerstoß in seine Richtung geschickt.

Fast hätte er sie zum Scheinkampf herausgefordert, ihre persönliche Methode, um Anspannung abzubauen. Da bemerkte er, dass zu seinen Füßen ein weiterer Körper Gestalt annahm — der einer Frau.

Raghi wartete, während sein Herzschlag sich beschleunigte, bis er kaum noch atmen konnte.

Sie lag auf der Seite, einen Arm eng vor der Brust, den anderen ausgestreckt. Ein schmutziger Kapuzenumhang bedeckte ihren Kopf und den größten Teil ihres Körpers. So sahen Leichen aus.

Raghi kniete neben ihr nieder. «Nana?»

Sanft streifte er die Kapuze von ihrer Wange, um ihr Gesicht zu sehen. Sie war ausgemergelt. Ihre Miene wirkte gequält, und ihre Augen waren geschlossen. Als er seine Hand zu ihrer Nase bewegte, streichelte Wärme seine Haut. Sie atmete noch.

«Nana? Bitte wach auf.» Er beugte sich über sie, so dass sein Oberkörper sie vor dem Regen schützte und drehte sie auf den Rücken. Seine Hand traf auf hervorstehende Knochen, und sie fühlte sich viel zu leicht an. Faya hatte die Wahrheit gesagt. Seine Eltern hatten sie ausgehungert.

Was war das für eine Beule auf ihrer Brust?

Als Raghi den Stoff zur Seite strich, erklang ein Jammern. Wütende dunkle Augen erwiderten seinen Blick.

Verblüfft starrte er das Baby an.

«Raghi? Bist du es wirklich?», hörte er die Stimme, die er auf der Welt am meisten liebte. Sie klang so schrecklich schwach und wie im Delirium. Etwas berührte seine Finger.

«Nana!» Er nahm ihre Hand zwischen seine beiden.

Ihre Lavendelaugen flossen mit Tränen über, als ihr Blick ihn fand. «Du musst es sein. Du bist jetzt ein erwachsener Mann, aber du hast immer noch die Augen des Jungen, den ich liebte. Ich betete, dass das Schicksal mir erlauben würde, dich vor meinem Tod ein letztes Mal zu sehen, obwohl ich mir nie vorstellen konnte, wie das möglich sein könnte. Ich träume nicht? Du bist hier? Warte! Das bedeutet …» Sie blickte verzweifelt umher und schnappte heftig nach Luft.

«Du befindest dich nicht mehr im Verlies meiner Eltern, Nana. Ich habe dich befreit. Das ist alles, was du im Moment wissen musst.» Er streckte die Hand aus, um ihre Wange zu streicheln, und weinte schier. Nur Knochen und pergamentartige Haut. Sie war einmal so schön gewesen.

«Wir haben nur wenig Zeit, Kind. Der Tod streckt die Hand nach mir aus.»

«Nein, tut er nicht!», zischte Raghi. «Wir werden ihm in den Arsch treten und ihn vertreiben!»

Sie lächelte, versuchte, sich auf sein Gesicht zu konzentrieren, und scheiterte. «Hier bei dir zu sein, wo immer wir sind, nimmt mir eine große Last vom Herzen. Das ist Mallika, deine kleine Schwester. Ich vertraue sie deiner Obhut an. Versprich mir, sie zu beschützen.» Mit jedem neuen Wort wurde ihre Stimme schwächer.

Entsetzt sah Raghi auf das Baby. «Hör auf zu reden, Nana. Du wirst nicht sterben. Ich werde es nicht zulassen. Und auch Mallika nicht. Jetzt sei still und lass mich nachdenken. Wir müssen Zuflucht und die Hilfe eines Heilers finden.»

Obwohl er keine Ahnung hatte, wie er das bewerkstelligen sollte. Er wusste nicht, wo sie waren — welches Zeitalter, Jahrhundert, Land, was auch immer! Er hatte keine Ahnung, wo er einen Heiler finden konnte. Er wusste nicht, welches Ende eines Babys oben war. Das Wohlergehen anderer Menschen konnte ihm nicht anvertraut werden. Er …

Die Finger seiner Nana pressten stärker. «Raghi, du musst dich auf deine Atmung konzentrieren, sonst erleidest du einen Erstickungsanfall. Lass mich nicht sterben, während du an meiner Seite nach Atem ringst.»

«Hör auf, so zu reden. Du wirst nicht sterben!», schrie er sie an und fühlte sich schrecklich.

Ein Lächeln erschien auf ihren Lippen.

Glücklicherweise ergriff Rose Maßnahmen, bevor er etwas noch Dümmeres sagen oder tun konnte. Sie kauerte sich neben ihn und öffnete ihre Flügel, um ein Zelt über ihnen allen zu bilden. Dann atmete sie zärtliches Feuer auf Nana und das Baby. Dieses Feuer fühlte sich warm an, nicht heiß, und verlieh dem Empfänger eine Illusion von neuer Kraft.

Raghi wusste plötzlich, was zu tun war. «Du und Mallika bleibt hier bei Rose, Nana. Sie wird dich beschützen. Ich werde nach Hilfe suchen.»

«Bitte nicht. Bitte bleib bei mir, damit ich nicht allein sterben muss», bettelte sie schwach.

«Ich kann nicht, Nana. Du warst immer so tapfer. Bitte sei jetzt tapfer!»

Mit Tränen in den Augen wich Raghi zurück. Desert Rose hob einen Flügel, damit er aufstehen konnte.

Der Regen war nicht mehr so stark wie zuvor, und die Dunkelheit hob sich. Raghi schaute sich nach Orientierungspunkten um — und erstarrte.

Was er sah machte wenig Sinn. Er schien sich mitten in einem kreisrunden und aus Fragmenten bestehenden Mondbogen zu befinden. Wie sonst sollte er die diffusen Kleckse aus fröhlichen Farben erklären, die ihn umgaben?

Momente vergingen. Das Licht wurde stärker, und er erkannte, dass die Treppen einen seltsamen Sinn für Humor hatten.

Sie hatten ihn auf einer Winterwiese mitten in einem Lager von Fahrenden ausgespuckt. Ihre kunstvoll bemalten Wagen formten eine weitläufige Wagenburg um ihn herum, und alle Anwesenden waren in ihren Aktivitäten erstarrt, um in seine Richtung zu starren.

Vielleicht zehn Schritte entfernt standen zwei Personen. Eine davon war ein rehgleicher junger Mann mit dunkler Haut und schulterlangem schwarzem Haar, extravagant gekleidet in Schattierungen von Smaragdgrün. Bei der zweiten handelte es sich um eine würdevolle ältere Frau mit langen grauen Haaren, die einen schönen Kontrast zu ihrem fließenden türkisfarbenen Gewand bildeten. Beide trugen viel Goldschmuck und wirkten sehr attraktiv.

Das Seltsamste war, dass ihre Kleidung und ihr Haar trocken zu sein schienen, während er und Rose durchnässt waren und vom Regen tropften.

«Wir haben dich und deine Familie die Treppen der Ewigkeit hinabsteigen sehen und sind hier, um dir unsere Hilfe anzubieten», sagte die majestätische Frau in der alten Sprache, die Raghi fließend sprach. Ihre Stimme war kräftig und trug weit, wahrscheinlich bis zu den Wagen.

«Lügnerin! Bei diesem heftigen Regen kannst du unmöglich etwas gesehen haben!», fuhr er sie an. Wie immer reagierten sein Verfolgungswahn und Mund schneller als sein Hirn.

Der junge Mann reagierte überrascht auf die Anschuldigung. Die Frau verengte nur die Augen.

«Es gibt verschiedene Arten zu sehen, Kind. Einige davon brauchen die Augen nicht.» Ihre Stimme klang jetzt härter, aber immer noch freundlich.

Raghis Temperament beruhigte sich. Er hatte keine Wahl. «Wenn ihr einen Heiler habt, bitte lass ihn meiner Nana und meiner kleinen Schwester helfen», bat er. «Sie sind halb verhungert, und ich konnte sie gerade befreien.»

Die Frau hob ihren Arm und gab jemandem bei der Wagenburg ein Zeichen. «Ich möchte die beiden untersuchen. Kannst du deine Chimäre bitten, dass sie mich lässt?»

Raghi sah Rose an. Sie reckte den Adlerkopf, um die Vorgänge zu beobachten. Unter ihren Flügeln hörte er das leise Zischen von zärtlichem Feuer.

Mit einem stechenden Blick zu ihm hob die Chimäre die Flügel. Ihr Drachenkopf befand sich Nase an Nase mit Nana und versuchte ihr Lebenskraft einzuhauchen. Da eine Chimäre nur einen kleinen Anteil an Drachenblut hatte, besaß sie nicht die Magie dieser Tiere, aber manchmal reichte die bloße Absicht.

«Rose wird dir nichts tun», versprach Raghi.

Die Frau ging zu Nana und kniete ohne Rücksicht auf ihr schönes Kleid. «Mach weiter mit dem, was du tust», sagte sie zu Rose und berührte deren Drachenschnauze.

Raghi konnte nur starren. Jeder fürchtete sich vor Desert Rose, egal wie oft er den Menschen sagte, dass sie freundlich war, solange auch sie sich freundlich verhielten. Er kniete an der Seite der Frau.

Sie nahm die Hand seiner Nana. «Wie ist dein Name, Liebes?»

«Violet. Raghi nennt mich Nana. Ich war seine Amme.» Das Sprechen schien sie ihre letzte Kraft zu kosten. Ihre zögernden Worte wurden undeutlich.

«Mein Name ist Kaea. Ich bin die Königin der Ghitains. Der junge Mann bei mir ist Naveen, mein Sohn. Unsere Heilerin wird dir helfen, aber dafür musst du noch ein wenig länger stark sein. Kannst du das?»

«… so müde.»

Eine Klammer legte sich um Raghis Herz.

«Ich weiß, Violet. Aber als Frauen müssen wir bis zum letzten

Atemzug stark sein für diejenigen, die wir lieben. Du würdest alles für Raghi und die Kleine tun, auch wenn du sie nicht geboren hast.»

Violets Augen öffneten sich und ihr Blick wurde klar. «Ja.»

«Dann klammere dich mit aller Kraft ans Leben. Gib denen, die dir das angetan haben, nicht die Genugtuung des Sieges. Erlaube ihnen nicht, dich von denen zu trennen, die du liebst.»

Neue Entschlossenheit schien in den ausgemergelten Körper zu fahren. «Werde ich nicht.»

Eine junge Frau mit langen braunen Haaren und leuchtend blauen Augen schloss sich ihnen an. Ihr schönes Gesicht schien mit einem inneren Licht zu leuchten. Sie trug ein rosafarbenes Kleid, das kühner geschnitten war als Kaeas, einen bunten Schal und viel Silberschmuck.

Ihre Hände hielten einen silbernen Kelch, der mit Edelsteinen besetzt war. Wie die Königin zögerte sie nicht, sich in das nasse Gras zu knien. «Ich bin Chandana, die Heilerin dieses Clans. Ich bringe dir diesen Trank, um deine Schmerzen zu lindern. Darf ich ihn dir geben?»

Violets Nicken war kaum mehr als ein Blinzeln.

«Würdest du Violets Kopf heben?», wandte sich Kaea an Raghi. «Dabei musst du sehr vorsichtig sein. Hast du verstanden?»

Raghi nickte und schluckte hörbar. Seine Hände zitterten, als er sie ausstreckte. Das Haar seiner Nana fühlte sich trocken und brüchig an. Er erinnerte sich, wie weich und glänzend es einst gewesen war.

«Ich liebe dich, Nana», sagte er. Wen kümmerte es, dass Tränen über sein Gesicht liefen! Es war ihm egal, wenn sie ihn für schwach hielten.

Die junge Heilerin war sehr geschickt. Nach ein paar Minuten hatte Violet den Kelch geleert, einen kleinen Schluck nach dem anderen. Ihre Augen schlossen und ihr Atem vertiefte sich.

Die Ghitains um Raghi atmeten erleichtert auf.

«Du darfst jetzt hoffen, junger Mann», sagte die Königin. «Ihre Seele war bereits mit der Ewigkeit eins geworden. Nur ein letzter, dünner Faden verband sie noch mit ihrem Körper. Durch den Trank ist der Faden zu einem Seil geworden. Mit viel Fürsorge und etwas Glück wird ihre Seele zurückkehren.»

«Ich danke dir!», sagte Raghi. Die Worte fühlten sich schrecklich unzureichend an.

Die Frau erhob sich, und die Wasser- und Grasflecken auf ihrem Kleid verschwanden. Wer waren diese Leute?

«Du wirst eine Weile bei uns bleiben müssen. Was auch immer deine Pläne waren, sie müssen warten, bis Violet sich erholt hat. Wie geht es der Kleinen, Chandana?»

Die Heilerin hatte Mallika aus Violets Umklammerung befreit und sie untersucht. «Sie ist wütend und hungrig, aber es geht ihr überraschend gut. Violet muss ihr das letzte bisschen Kraft gegeben haben.» Unerwartet zuckte sie zusammen. «Die Kleine ist ein Tiger. Sie beißt und kämpft. Mal sehen, ob sie kitzlig ist.» Ihr Finger ging in eine winzige Achselhöhle.

Das Baby quietschte. Desert Roses Augen, alle vier, weiteten sich bei dem Klang.

«Sieh nur, wie sie mich wütend anstarrt», sagte die Heilerin, ihr Gesicht erfüllt von Liebe. «Nichts wird sie jemals brechen. Ihr Geist ist frei wie ein Vogel.»

Kaea wandte sich an Raghi. «Folge mir. Wir müssen Vorkehrungen für deinen Aufenthalt bei uns treffen.»

«Ich werde meine Nana nicht verlassen», fauchte er.

Die Königin fesselte ihn mit der Kraft ihres Blicks. Raghi hatte noch nie Augen wie die ihren gesehen. Um die Pupillen herum strahlten Sterne in Blau und Grün, die in Braun übergingen und durch einen schwarzen Rand vom Weiß getrennt waren. Er hatte den Eindruck, dass sie gleichzeitig in die Vergangenheit, Gegenwart und Zukunft sehen konnte.

«Die Treppen hinunterzugehen ist keine leichte Aufgabe, junger Mann. Es gibt viele Lektionen, und deine erste ist zu lernen, wie man vertraut. Jetzt folge mir. Ich werde mich nicht wiederholen.»

Raghi zögerte.

«Bitte vertrau Mama. Bei uns bist du sicher», sagte der Sohn der Königin — Naveen. Er versuchte seine Hand auf Raghis Schulter zu legen.

Raghi schreckte vor seiner Berührung zurück. «Hände weg!», knurrte er. Eine Welle von Energie lief über seinen Rücken.

Nicht jetzt! Mit eiserner Entschlossenheit zwang er sich zur Entspannung.

Er folgte der Königin der Ghitains zu einem lavendelfarbenen, mit kunstvollen Schnitzereien verzierten Wagen.

Zwei Zugpferde mit goldenem Fell und weißen Mähnen grasten in der Nähe. Mandala-ähnliche dunkle Muster bedeckten ihre Kuppen. Entweder verbrachte jemand viel Zeit beim Scheren, oder diese Tiere besaßen die ungewöhnlichsten Zeichnungen, die Raghi je gesehen hatte.

«Das ist Baz, mein Ehemann und Naveens Vater», stellte Kaea den Mann vor, der eines der Pferde am Striegeln war.

Er nickte Raghi zu. Vater und Sohn waren sich sehr ähnlich. Beide hatten leuchtende braune Augen, attraktive Gesichter und federiges schwarzes Haar, wobei Baz seins kurz trug und seine Schläfen mit dem Alter grau geworden waren.

«Wie bist du an eine Chimäre gekommen?», fragte er, seine Augen auf Rose, die Raghi auf den Fersen folgte.

«Indem ich sie in der Wüste fand, als sie noch ein Jungtier war, und sie aufzog. Ihr Name ist Desert Rose.»

Baz legte den Striegel auf einen Hocker und trat neben Raghi, den Blick auf die Chimäre gerichtet. Langsam streckte er eine Hand aus, die Handfläche nach oben. Nach einem Moment des Zögerns berührte Rose sie mit ihrer Drachenschnauze, während ihr Adlerkopf die Situation überwachte.

Baz hob die andere Hand, um die Schuppen ihrer Stirn und Wangen zu streicheln. Rose schloss die Augen und genoss seine Berührung. «Du hast großes Glück. Sie ist außergewöhnlich.»

So wie dieser Mann. Er und Kaea behandelten die Chimäre, als wäre sie ein Haustier.

«Was passiert jetzt, Liebste?», fragte Baz seine Frau.

«Raghi, seine Amme Violet und seine kleine Schwester Mallika werden für eine Weile bei uns bleiben. Chandana wird Violet und Mallika aufnehmen. Damit bleibt die Frage, wo wir Raghi unterbringen.»

«Es gibt keine Frage», protestierte Raghi. «Ich brauche deine Almosen nicht. Ich kann im Gras neben dem Feuer oder bei schlechtem Wetter unter einem Wagen schlafen — es sei denn, du verbietest mir das. Aber ich will meine Nana und meine Schwester besuchen. Du kannst mich nicht fernhalten. Wie kannst du es wagen, sie mir wegzunehmen ...!»

Eine Hand legte sich über seinen Mund, bevor er den vollen Wutanfall ausleben konnte. «Hör auf damit, Junge», sagte Baz freundlich. «Es besteht kein Grund, dein eigenes Grab zu schaufeln. Niemand hält dich von deiner Familie fern. Wir versuchen nur die Frage zu beantworten, wo du schlafen wirst. Und das wird nicht unter einem Vardo sein.»

Raghi wand sich vor Scham. Was für ein perfekter Narr er war! Bislang hatten ihm diese Leute nichts als Freundlichkeit erwiesen. Warum konnte er sich nicht darauf konzentrieren?

Baz klopfte ihm auf den Rücken. «Jetzt warte einfach, bis wir das geklärt haben.»

«Wir haben einen leeren Vardo», bemerkte Naveen. Er bemühte sich seine Stimme neutral klingen zu lassen, aber Raghi bemerkte einen Hauch von Hoffnung darin.

Die Königin seufzte. «Den wir gemäß unseren Bräuchen verbrennen müssen, nun da sein Besitzer tot ist.»

Baz wackelte mit dem Kopf von Seite zu Seite, eine Geste, die Raghi noch nie zuvor gesehen hatte. Sie erinnerte ihn an eine Puppe, deren Hals gebrochen war, und schien Unentschlossenheit oder höfliche Konfrontation auszudrücken. «Palash war ein Künstler. Ich denke, er wäre traurig, wenn wir sein schönstes Werk zerstören.»

«Können wir eine Séance halten und ihn fragen, Mutter, bitte?», flehte Naveen.

Tiefe Traurigkeit erfüllte die Miene der Königin. Wer auch immer Palash gewesen war, er war ihr lieb, und sie vermisste ihn sehr.

«Vielleicht ist eine Séance unnötig, Sohn. Vielleicht kann Raghi ihn fragen.»

Raghi fuhr herum und starrte Baz an. «Was willst du damit sagen?»

Der ältere Mann beobachtete ihn scharfsinnig. «Seit wir den Vardo erwähnten — ein Vardo ist ein Wagen, falls du das noch nicht erkannt hast — starrst du auf die leere Luft neben der Königin. Du versuchst deinen Blick abzuwenden, aber etwas zieht ihn immer wieder hin. Ich glaube, Palashs Geist steht da und heischt um deine Aufmerksamkeit. Er war der Bruder der Königin, und sie standen sich nahe.»

«Ich sehe keine Geister!», zischte Raghi und wandte sich ab, als der Geist sich ihm näherte.

Selbst in seinem transparenten Zustand sah Palash genauso beeindruckend und königlich aus wie seine Schwester. Er war ein großer, schlanker Mann mit einer Löwenmähne aus weißem Haar, und seine Augen schienen direkt in Raghis verletzte Seele zu sehen.

«Stopp!», quiekte er und hob seine Handfläche in einer Abwehrbewegung.

Der Geist gehorchte. «Wenn du mit Geistern vertraut bist, warum deine Angst?», fragte er. Seine Stimme klang wie ein Flüstern, das der Wind aus der Ferne herbeitrug.

«Das ist keine Angst, sondern Ekel», erwiderte Raghi. Er akzeptierte sein Schicksal als Verhandlungsführer und fragte: «Wie lautetet deine Antwort für deine Schwester?»

«Sag ihr, dass ich sie liebe und dass ich meinen Vardo und meine Pferde Naveen schenke. Sie sollten mein Hochzeitsgeschenk an ihn sein. Nun werden sie, so hoffe ich, ihm die Freiheit geben, die er sich wünscht und verdient.»

Raghi wiederholte Palashs Erwiderung wortgetreu.

Das königliche Paar tauschte einen langen Blick. Dann konzentrierte sich Kaea auf die Stelle, wo der Geist stand. «Ich liebe dich auch, Bruder. Und als Königin der Ghitains bestätige ich dein großzügiges Geschenk an Naveen und werde mein Volk entsprechend informieren. Gibt es etwas, das wir für dich tun können? Hast du deinen Frieden gefunden?»

Tränen erschienen in Palashs Augen. Er glitt auf sie zu. Seine Energie änderte sich.

«Er nähert sich dir», sagte Raghi. «Lass dich nicht von ihm berühren. Es fühlt sich eklig an.»

Die Königin schloss nur die Augen und wartete. Als Palash sie umarmte, lächelte sie. «Ich kann dich spüren, Bruder», sagte sie unter Tränen.

Nach einer Weile verblasste der Geist.

Die Königin rang um ihre Fassung. «Es scheint, dass du jetzt einen Vardo besitzt, Naveen», wandte sie sich an ihren Sohn.

Naveen wirkte wie vom Donner gerührt. «Ich weiß nicht, was ich fühlen soll. Mein Herz bricht und will sich gleichzeitig freuen. Hast du wirklich mit Onkel Palash gesprochen, Raghi? Kannst du mir beibringen, wie man mit Geistern spricht?»

«Glaub mir! Das ist nicht etwas, das du lernen willst. Ich wollte es ganz sicher nicht, aber diese Bastarde ließen mir keine Wahl.»

«Oh, du wirst mich davon überzeugen müssen. Jetzt komm schon, Raghi! Du kannst bei mir bleiben, während du mit uns reist. Wir müssen die Pferde holen und Onkel Palashs Vardo zurück ins Lager bringen. Es gibt so viel zu tun. Und ich kann es immer noch nicht glauben. Wow! Ich hätte nie gedacht …»

Naveen rannte davon und ließ Raghi keine Wahl, als ihm zu folgen.

4

Was auch immer Raghi von seinem Gang über die Treppen der Ewigkeit erwartet hatte, *das* war es nicht. Er hatte die verrückteste Reise seines Lebens unternommen und fand an ihrem Ende — was? Keine Flucht, keinen Kampf ums Überleben, keine Gefahr. Nur langweilige und triste Alltagsschinderei. Und Pflichten!

Während er hinter Naveen her eilte, überprüfte Raghi seine Umgebung. Basierend auf seinen Beobachtungen schienen die Ghitains ein fahrendes Volk zu sein, das Abwehrmaßnahmen gegen Feinde ergreifen musste. Er zählte einunddreißig Vardos. Ihre Besitzer hatten sie in zwei konzentrischen Kreisen angeordnet — einem äußeren, in dem die einzelnen Wagen dicht hintereinanderstanden, und einem versetzten inneren Kreis, der die Lücken des äußeren Verteidigungsringes schloss.

Auf der Wiese innerhalb der Wagenburg, deren Durchmesser etwa dreißig Schritte betrug, fand das Leben des Clans statt. Kochfeuer brannten. Die Menschen saßen in angeregten Gesprächen zusammen. Einige machten Musik, ihre Melodien so zart, dass sie nur im Lager zu hören waren. Andere kümmerten sich um kleine Herden von Rindern, Ziegen und Pferden.

Die Ghitains erinnerten Raghi an die Händler, die aus dem fernen Südosten des Kontinents nach Eterna kamen — Männer und Frauen, die mit ihren wallenden Gewändern und exotischem Make-up geheimnisvoll und attraktiv wirkten. Ihre Kamele trugen Schätze wie seltene Düfte und Gewürze, Kosmetika, detailreich gearbeiteten Schmuck und kostbare Stoffe, die ihren Weg in die reichsten Familien Eternas fanden — und in die Bordelle.

Kaeas Clan wirkte noch exotischer als jene Händler. Alle lächelten viel, bis auf die königliche Familie, die um Palash trauerte, und zwei oder drei andere, deren verbitterte Gesichter nicht zur fröhlichen Stimmung passten.

Frauen wie Männer kleideten sich in knallbunte Farben und hätten billig wirken sollen, taten es aber nicht. Raghi brauchte einen Moment, um den Grund dafür herauszufinden. Dann erkannte er ihn. Fast jeder beschränkte sich auf die verschiedenen Schattierungen einer Farbe und kombinierte reine mit abgetönten und aufgehellten Nuancen. Silberne oder goldene Stickereien dienten als Verzierung.

Naveen, der vor ihm auf die Pferdeherde zueilte, war ein ausgezeichnetes Beispiel dafür. Seine Tunika zeigte ein leuchtendes Smaragdgrün mit goldenen Stickereien. Für die Hose und das Cape hatte der Färber den grellen Farbton schattiert, was zu einem dunklen, grünlichen Grau führte. Die Muster des Schals vereinten all die verschiedenen Farbtöne, die Naveen trug.

Egal, wie sehr er sich bemühte, Raghi würde nie so fesch aussehen.

Naveen blieb am Rand der Herde stehen und sah Raghi an. Sein Gesichtsausdruck änderte sich von überschwenglich zu sorgenvoll. «Oh je, ich vergaß, dass du ganz nass bist. Du wirst dir den Tod holen, wenn du dir keine trockene Kleidung anziehst.»

Raghi schnaubte. «Vergiss es. Ich bin im eisigen Norden geboren. Wenn mich Nässe und Kälte stören würden, wäre ich schon längst gestorben.»

Der Prinz musterte ihn. «Du scheinst die Wahrheit zu sagen. Wie seltsam! Ich hasse es, nass zu sein. So wie deine Chimäre.»

Ein bekanntes Flattern erklang hinter Raghi. Er blickte über die Schulter und sah Desert Roses absurden Trocknungstanz. Dieser beinhaltete das Schütteln jedes Körperteils, während ihre Gesichter tiefsten Ekel zeigten.

Raghi streckte die Hand aus, um ihren Adlerschnabel zu berühren.

«Rose, warum hast du Nana allein gelassen?» Er blickte zurück zu der Stelle, wo Violet gelegen hatte, und sah, dass sie verschwunden war.

«Sie trugen Violet und das Baby in Chandanas Vardo», erklärte Naveen. «Das ist der türkisfarbene Vardo mit den goldenen Sternen direkt neben dem meiner Mutter. Vertrau mir, wenn ich dir sage, dass sie die beste Pflege erhält.»

Vertrauen — ein kurzes Wort mit schwerwiegender Bedeutung und so vielen Konsequenzen. Das herausforderndste Gefühl von allen. Raghi seufzte.

«Hilfst du mir, die beiden großen Schecken einzufangen?», fragte Naveen. «Sie gehörten Palash, und nun scheinen sie mir zu gehören.»

Raghi betrachtete die Pferde, die ihm am nächsten standen. Er erkannte ihre Rasse nicht. Die Unterschiede in Größe und Körperbau ließen ihn vermuten, dass es sich um Mischlinge handelte, aber jedes Einzelne war von atemberaubender Schönheit.

«Was ist der Zweck dieser Herde?», fragte Raghi. «Wie ich beobachtet habe, bleiben die Zugpferde bei ihrem Vardo.»

«Einige davon sind Freunde, mit anderen züchten wir. Unsere Pferde sind bei anderen Sippen und sesshaften Menschen gleichermaßen geschätzt und begehrt.»

Angesichts ihrer Schönheit kam das nicht überraschend. Raghi hatte inzwischen die Pferde entdeckt, die Naveen einfangen wollte. Er mischte sich unter die Herde, schlüpfte zwischen den großen Körpern hindurch und ergriff das Halfter des näheren Schecken.

«Komm mit mir, großer Junge», sagte er, streichelte die Stirn des Tieres und schaute in seine hellblauen Augen. «Meine Güte, bist du schön!»

Der schwarz-weiße Hengst folgte ihm willig, während die anderen Pferde sich zickig verhielten. Er musste neugierige Nasen wegschieben und Klapse auf stämmige Kuppen verteilen, um sich Platz zu verschaffen.

Als er vor Naveen stehen blieb, starrte der junge Prinz ihn an, als hätte er sich in einen Troll verwandelt.

«Was?», fragte Raghi.

«Du bist einfach in die Herde gegangen und hast ihn dir geschnappt?» Naveens Stimme klang deutlich höher als normal.

«Ja. Was ist dein Problem?»

«Dass du dir die Individuen, die diese Herde bilden, genauer ansehen solltest.»

Raghi drehte sich um und tat wie geheißen. «Oh!»

Und die Leute hielten seine Chimäre für ungewöhnlich!

Unter den gewöhnlichen Hengsten und Stuten, Eseln und Ponys bemerkte er mehrere Einhörner und geflügelte Pferde. Und nicht jedes Tier trug Fell. Einige besaßen Schuppen wie Drachen, Schlitzpupillen und atmeten Flammen aus ihren Nüstern.

«Das sind Drachenpferde», erklärte Naveen.

Raghi wandte sich wieder dem jungen Ghitain zu. «Ich verstehe immer noch nicht, worauf du hinauswillst. Halt ihn fest, und ich hole dein anderes Pferd.»

Dieses Mal passte er besser auf, als er sich unter die Tiere mischte. Die Drachenpferde umkreisten ihn wie Raubtiere.

«Kommt, wenn ihr Ärger wollt», forderte er sie heraus und behielt das Leittier der Herde im Auge, das eine Stute zu sein schien. Er wusste, dass er in Schwierigkeiten steckte.

Das Tier griff in absoluter Stille, ohne Vorwarnung und mit erschreckender Wucht an. Raghi verankerte seine Füße. Als das Drachenpferd ihn erreicht hatte, packte er die Stirnstacheln mit einer Hand und die Nase mit der anderen und riss den Kopf hart nach unten, so dass ihre Augen sich auf gleicher Höhe befanden. Die Dynamik des Angriffs trieb ihn mehrere Schritte weit zurück, bis sie zum Stillstand kamen.

«Tu mir weh, und ich werde dir wehtun!» Er starrte in die gelbgrünen Tiefen ihrer Augen, in denen ein unheimliches rotes Licht glomm.

Die Leitstute bockte und warf den Kopf zurück, um seinen Griff zu brechen. Trotz ihrer Größe und Kraft gelang es ihr nicht, Raghi höher als ein oder zwei Fuß zu heben. Er klammerte sich eisern fest, obwohl sie ihn schmerzhaft herumschleuderte.

Mit einem ohrenbetäubenden Schrei gab das Tier auf und starrte ihn an.

Raghi ließ los. «Respekt für Respekt. Krieg für Krieg», knurrte er und ging den zweiten Schecken holen.

Die Herde hatte die Kampfzone geräumt, erschien aber ansonsten unbeeindruckt. Beim zweiten Schecken handelte es sich um eine Stute. Sie begrüßte Raghi, indem sie sein Gesicht beschnüffelte.

Er nahm ihr Halfter und küsste ihre samtig weichen Nüstern. «Komm schon, Süße. Es gibt Arbeit für dich.»

Eine Gruppe von Ghitains stand neben Naveen und starrte. Raghi prüfte ihre Stimmung, während er sich näherte, obwohl ihre Meinung ihn nicht kümmerte. Sie wirkten besorgt, nicht feindselig.

«Falls sich jemand fragt, ich habe das Pferd nicht verletzt. Ich weigerte mich nur, von ihm herumgeschubst zu werden.»

«Wir haben es gesehen. Kein Fremder hat das jemals zuvor getan», sagte ein großer Mann, der eine starke Ähnlichkeit mit Baz aufwies.

«Dann war es höchste Zeit», antwortete Raghi trotzig und wandte sich an Naveen. «Wir haben die Schecken. Was nun?»

Der junge Mann strahlte. Trotz seiner Traurigkeit schien er ein sonniges Gemüt zu haben. «Wir holen den Vardo meines Onkels. Er steht auf der Wiese hinter der Wagenburg. Solange er einem Toten gehörte, musste er separat stehen.»

Das Flüstern der Ghitains verklang hinter ihnen, während sie die Wiese überquerten und Wagenburg durch einen Eingang verließen, der gerade breit genug für einen Vardo war. Aus strategischer Sicht war seine Lage optimal gewählt. Verstreute Felsbrocken verhinderten, dass ein Feind direkt hineinreiten konnte. Gleichzeitig behinderten sie nicht den Blick über die grasbewachsenen Ebenen, die das Lager umgaben.

Raghi versuchte sich zu orientieren. Die starken Regenfälle hatten sich in einen düsteren, nebligen Tag mit schlechter Weitsicht verwandelt. Hochnebel verbarg den Himmel und die Sonne.

Das Grasland bot nur wenige Hinweise hinsichtlich seines Aufenthaltsorts. Es erinnerte ihn an die Tundra, aber der Pflanzenwuchs unterschied sich. Er bemerkte auch einzelne Bäume und kleine Gehölze, wie sie im Norden kaum vorkamen.

Raghi zuckte geistig die Schultern. Er würde früh genug erfahren, wo sie sich befanden. Kein Grund, sich darüber Sorgen zu machen. Ein Ort war so gut wie der andere.

Er folgte Naveen zu einem nahegelegenen Wäldchen und blieb überrascht stehen, als er ihr Ziel erblickte.

«Wow!», hauchte er. «Das Ding gehört jetzt dir?» Jeder einzelne

Vardo, den er bisher gesehen hatte, war ein Kunstwerk, aber dieser hier …

Naveen lächelte traurig. «Mein Onkel war Schreiner und Schnitzer. Als ich klein war, sah sein Vardo aus wie alle anderen. Immer wenn er ein geeignetes Stück Holz fand, fügte er eine neue Verzierung hinzu und bemalte sie. Meine Seele weinte, wenn ich an unsere Pflicht dachte, den Wagen zu verbrennen. Wir hätten es schon vor Wochen tun sollen, aber meine Mutter fand nie die Kraft dazu. So fuhr ich den Wagen seit dem Tod meines Onkels und folgte der Sippe mit der vorgeschriebenen Distanz.»

Sie stoppten vor dem Gefährt.

Raghi betrachtete die detailreichen Verzierungen und Malereien. Der Vardo leuchtete gelb, orange und purpurrot mit weißen Lichtern. Er strahlte wie die Sonne und entzündete eine Flamme des Wohlgefühls im Herzen jedes Betrachters.

Wie konnte jemand die Geduld finden, so etwas zu erschaffen?

Raghi schaffte es kaum, eine ganze Mahlzeit lang still zu sitzen — oder seine Waffen in perfektem Zustand zu halten.

«Ich hole ihr Geschirr», sagte Naveen. Er ließ das Halfter seines Schecken los und ging zur Rückseite des Wagens, wo er eine Box öffnete. Der Hengst wartete geduldig.

«Kannst du die Deichsel für mich anheben, während ich die Pferde anschirre?», fragte Naveen. Das Geschirr war mit silbernen Glöckchen behängt, die bei jeder Bewegung klingelten.

Raghi gehorchte.

Es gab keinen Kutschbock. Als sie fertig waren, setzte sich Naveen auf ein Brett, das an der Wand neben der Eingangstür befestigt war, während Raghi sich auf die Plattform setzte, die auch als Boden des Wagens diente.

Die Pferde setzten sich in Bewegung. Begeisterung flutete Raghis Körper. Freiheit und Abenteuer schienen auf sie zu warten, und sein Herz erfreute sich am Klingeln der Glöckchen, das jeden Schritt der Pferde begleitete.

War er krank?

Naveen auf dem Fahrersitz stieß einen Freudenschrei aus.

Zurück im Lager wartete die Königin auf sie. Naveen lenkte den

Vardo geschickt um die Hindernisse und brennenden Feuer herum und parkte neben ihrem.

«Mama, bitte sag mir, dass dies kein Traum ist», bat er, sprang auf den Boden und ließ die Zügel fallen.

Sie nahm seine Hände. «Es ist kein Traum. Palash hat dir seinen Vardo geschenkt, und jeder weiß das. Vor ein paar Stunden warst du noch ein Kind. Jetzt bist du ein erwachsener Mann.»

Beide brachen in Tränen aus und umarmten sich.

Raghi rollte die Augen. *Was für ein Drama!*

Jemand klopfte ihm auf die Schulter. Baz.

«Chandana wartet auf dich. Du musst dich um deine kleine Schwester kümmern.»

«Das wird nicht passieren! Ich wollte das Leben meiner Nana retten. Der kleine Wurm kam auf eigene Gefahr mit!»

Als wäre er taub, nahm der ältere Mann Raghis Arm und führte ihn zu dem türkisfarbenen Vardo, der mit goldenen Symbolen von Sonne, Mond und Sternen verziert war.

«Hallo? Ich sagte, dass das nicht passieren wird!», schrie Raghi und zappelte, kämpfte aber nicht ernsthaft. Er wagte es nicht, den Griff des Ghitains zu brechen.

«Da ist er, Chandana», sagte Baz zur Heilerin, die sie beobachtet hatte. «Es ist wahrscheinlich am besten, wenn du ihm zuerst zeigst, wie man eine Ziege melkt. Ich glaube nicht, dass er weiß, wie man das macht.»

«Wieso melken?», quiekte Raghi. «Und was erwartet ihr als Nächstes von mir? Dass ich einen Stall ausmiste?»

Sein Trotzanfall erzeugte nicht die gewünschte Reaktion. Während Baz ihn festhielt, pfiff Chandana leise. Etwas blökte, und eine weiße Ziege trottete um die Ecke des Vardos.

«Das ist Snowy. Sie ist eine Ziege», sagte Chandana mit unbewegter Miene und massierte das Fell zwischen den Hörnern des Tieres.

Raghi stöhnte. «Und ich dachte, sie wäre ein Elefant.»

Wieder wurde er ignoriert.

«Wenn du sie melkst, musst du sich hinknien», erklärte Baz und zog Raghi mit sich ins Gras. «Du nimmst einen Behälter.» Er griff nach einem kleinen Metalleimer, der in seiner Reichweite stand.

«Diesen Behälter stellst du unter die Ziege, dort wo das Euter ist. Das Euter ist das Ding mit den Zitzen, das zwischen ihren Hinterbeinen hängt.»

Raghi atmete zischend ein. Das wurde jetzt wirklich lächerlich, und es war höchste Zeit sich mit einem Wutanfall durchzusetzen. Natürlich wusste er, wo und was ein Euter war. Er war kein Idiot, bloß ein verantwortungsloser Bastard.

Ein Glucksen erklang hinter ihm. Er drehte den Kopf. Desert Rose, die Naveen und ihm aus dem Lager und zurück gefolgt war, beobachtete ihn mit einem schadenfreudigen Ausdruck auf ihren beiden Gesichtern. Sie schien sich zu amüsieren.

Snowy blökte.

Raghi machte den Fehler, in die seelenvollen blauen Augen der Ziege zu schauen. Sie schien ihn anzuflehen sie zu melken, was Sinn machte. Er hatte bereits bemerkt, dass ihr Euter geschwollen war.

Mit einem wütenden Zischen gab er nach. Er rieb die Hände aneinander, so dass sich ihre Flächen erwärmten, nahm die Zitzen und streifte die Milch heraus, wie es ihm seine Nana beigebracht hatte.

«Als Prinz bist du für das Wohlergehen aller Seelen in deinem Königreich verantwortlich, Raghi. Deshalb ist es wichtig, dass du so viel über das Leben deiner Bauern und ihrer Tiere weißt wie über die Geschichte und Kriegsführung», hörte er ihre Stimme in seinem Kopf.

Als der Eimer voll war, hielt er inne.

«Nimm den Eimer und folge mir», befahl Chandana. Eine gewölbte Treppe mit vier Stufen führte hinauf in ihren Vardo.

Im Inneren wusste Raghi nicht, wo er zuerst hinschauen sollte. Eine Explosion von Farben und Sinneseindrücken bedrängte ihn. Jede stark verzierte Oberfläche diente einem Zweck, meist der Aufbewahrung. Der Gesamteindruck wie auch der Duft der Heilkräuter und Substanzen war überwältigend — beruhigte ihn aber auch. Er bemerkte würzige Noten, ähnlich Zimt oder Nelken, und blumige Düfte wie Lavendel.

«Raghi?»

Sein Name war kaum mehr als ein Seufzen.

Ein sanftes Licht erleuchtete den hinteren Teil des Wagens. Chandana ging zu einer Plattform, die den Raum in der Höhe halbierte.

Als Raghi neben sie trat, erkannte er, dass dies das Bett der Heilerin sein musste und darin …

«Nana», flüsterte er. Er gab Chandana den Eimer, um ihre skelettartigen Hände zu greifen.

Die Heilerin beschäftigte sich mit etwas. Raghi beachtete sie nicht. Seine Aufmerksamkeit galt Violet, und er flehte sie schweigend an, um ihr Leben zu kämpfen. Sie starrte mit gleicher Intensität zurück und drängte ihn — was zu tun?

«Flöß ihr das ein», unterbrach Chandana ihr stilles Gespräch und reichte ihm einen Becher.

Raghi betrachtete die Milch, dann die Heilerin. «Ich weiß nicht …»

«Ich zeige es dir», erwiderte sie sanft.

Er folgte ihren Erklärungen, bis Violets Kopf an seine Schulter lehnte und er ihr die Milch einflößen konnte, einen winzigen Schluck nach dem anderen. Etwas Unbekanntes brannte in seiner Brust, komplexe Gefühle, die sich kaum entwirren ließen. Da war die übliche Wut auf seine Eltern, vermischt mit lähmender Hilflosigkeit und Hass. Daneben gewann eine zweite, genauso intensive Energie an Kraft. Er kannte sie aus der Zeit, als Desert Rose ein Welpe war. Beschützerinstinkt.

Verdammt! Diese Komplikation war des letzte, was er in seinem verfickten Leben brauchen konnte.

Violet versuchte, den Kopf abzuwenden. Als er den Inhalt des Bechers überprüfte, stellte er fest, dass sie nur ein Viertel der Flüssigkeit aufgenommen hatte.

«Sie muss mehr trinken», flüsterte Chandana ihm ins Ohr. Die langen Strähnen ihres Haares kitzelten seinen Hals.

Er nickte und gab ihr den Becher zurück. «Halt das kurz.»

Er wusste genau, was zu tun war. Er schob seine Hand unter die Decke und legte sie auf Violets Bauch. In seiner Kindheit hatte er sein Gesicht dort vergraben, um ihre weiche Wärme und ihren mütterlichen Geruch zu genießen. Jetzt fühlte sich der Bereich hohl und hart an.

Fast ohne Druck massierte er ihre Haut. Desert Rose großzuziehen hatte bedeutet mit einer Kolik nach der anderen umzugehen, bis sie alt genug war, um selbst zu jagen.

Nach einer Weile nahm er den Becher von Chandana zurück und versuchte es erneut.

Es schien ewig zu dauern, bis die Milch weg war. Sanft bettete Raghi Violet zurück in die Kissen und versuchte, die Steife in seinem Nacken und seinen Schultern zu locken.

«Du beweist unerwartete Fähigkeiten», bemerkte Chandana.

«Verlass dich nicht darauf!», gab er zurück, seine Augen noch immer auf Violets Gesicht gerichtet.

Seine Nana schlief. Sogar in der Entspannung wirkte sie erschöpft, und eine scharfe Falte zeigte sich in der spröden Haut zwischen ihren Augenbrauen. Raghi streckte die Hand aus und glättete sie. Violets Atmung vertiefte sich und wurde regelmäßiger.

Die Heilerin schnaubte. «Wie ich schon sagte — unerwartete Fähigkeiten. Jetzt komm! Du musst dich immer noch um deine kleine Schwester kümmern.»

Raghi wartete, bis sie ihn aus dem Vardo gezogen hatte, dann befreite er sich aus ihrem Griff. «Das werde ich ganz bestimmt nicht. Du bist die Heilerin. Du kümmerst dich um den kleinen Wurm», forderte er sie heraus.

Wie zuvor gelang es ihm nicht, sie zu provozieren. Warum scheiterten seine bewährten Vermeidungsstrategien bei diesen Menschen? Alle wurden wütend, wenn er ihnen so kam. Nicht aber die Ghitains. Sie sahen ihn nur mit unendlicher Geduld an und fuhren fort, als wäre nichts geschehen.

«Ich bin für das Wohlergehen von einhundertachtzehn Menschen verantwortlich. Nun, da deine Nana, Mallika und du mit uns reisen, sind es einhunderteinundzwanzig. Ich werde die Kleine heute Nacht nehmen, weil ich nicht glaube, dass du aufwachst, wenn sie dich braucht. Aber von nun an ist sie tagsüber deine Verantwortung.»

«Die Dämmerung bricht bereits herein», sagte Raghi und zeigte zum Himmel. «Also bist du dran.»

Als er Chandanas Blick nach oben folgte, bemerkte er, dass seine als Bluff gedachte Behauptung zutraf. Die ersten Sterne funkelten bereits am Nachthimmel. Wo war die Zeit geblieben?

«Wann bin ich hier angekommen? Und was ist die Jahreszeit?», fragte er und sog prüfend die Luft ein. Die Temperatur war am Sinken.

«Wir befinden uns am Ende des Winters. Und wir fanden dich am frühen Nachmittag.»

Raghi stieß die Luft aus. Er fühlte sich desorientiert. Von nach Mitternacht zum späten Nachmittag und vom Sommer zum Ende des Winters. Eine Zeitreise beinhaltete Herausforderungen, an die er nicht einmal gedacht hatte.

«Ich werde nicht mit dir verhandeln.» Chandana griff in ihren Umhang und das Tragtuch, das sie darunter trug, und übergab ihm seine kleine Schwester. «Setz dich auf die Treppe des Vardos. Ich bringe dir die Ziegenmilch, die ich für sie warm gehalten habe.»

Raghi gehorchte mit einem sinkenden Gefühl in seiner Magengrube. Als er das Baby packte, hatte er mit seinen Händen einen Ring geformt, so dass seine Daumen auf ihrer Brust und der Rest seiner Finger auf ihrem Rücken lagen, was den unteren Teil ihres Körpers baumeln ließ. Es fühlte sich an, als wäre ihre Haut zu groß für ihre winzige Größe, und sie schien durch seinen Griff zu gleiten.

Als er ihr ins Gesicht sah, schmatzte sie und starrte wie ein wütender Tiger zurück. Hat sie vor, ihn zu fressen?

«Hier, das ist eine Babyflasche. Gib ihr dieses Ende zum Saugen, dann klappt das Füttern. Und lass sie nicht so baumeln. Sie ist kein Hund», wies Chandana ihn zurecht, ging an ihm vorbei die Treppe hinab und stellte die Babyflasche auf die oberste Stufe.

«Ich sage dir, das ist eine schreckliche Idee!», warnte sie Raghi.

«Ich weiß, dass es eine ausgezeichnete Idee ist.» Chandana wickelte einen großen Schal um ihre Schultern, ordnete seine Falten und wandte sich ab, um zu gehen.

Wollte sie ihn wirklich mit diesem Mini-Raubtier allein lassen? «Ich weiß nicht mal, welche Seite des Babys oben ist!», quiekte Raghi in Panik.

Chandanas kristallklares Lachen kitzelte seine Ohren. «Ich bin überzeugt, dass du es herausfinden wirst.»

5

Raghi klopfte gegen die Außenwand von Naveens Vardo. Die Nacht war hereingebrochen, und das Lager wirkte wunderschön durch die offenen Feuer auf der Wiese und die Lampen, die das Innere jedes Wagens erleuchteten.

Das künstliche Licht ließ die Unterschiede in ihrer Konstruktion hervortreten.

Die etwas größeren Vardos wie jener der Königin oder Chandanas waren vollständig aus Holz erbaut, ihr Flachdach mit Blech gedeckt. Andere Fahrzeuge verfügten über ein gewölbtes Dach aus geöltem Segeltuch. Es spannte sich über hölzerne Bögen, die an den kniehohen Simsen des Wagens befestigt waren. Für einen Beobachter auf der Vorder- oder Rückseite erschienen sie pilzförmig mit einer schmaleren Basis und einem runden Hut. Und da der Stoff durchscheinend wie ein Lampenschirm war, schienen die Hüte zu leuchten.

Alle Fahrzeuge hatten mindestens ein verglastes Fenster — die mit gewölbtem Dach entweder in der Tür oder der Rückwand, die massiveren zudem an den Seiten und versehen mit Läden. Raghi bemerkte sogar einen besonders aufwendigen Vardo mit einem zweistufigen Dach und einer Reihe von schmalen verglasten Fenstern, welche die beiden Dachebenen trennte. Am Tag hatte er ihn kaum beachtet, weil er alt und etwas heruntergekommen aussah. Nachts und von innen beleuchtet, verwandelte er sich in eine zauberhafte exotische Laterne.

Raghi hatte nicht die Geduld, den malerischen Anblick zu bewundern. Er kochte vor Ärger und knirschte mit den Zähnen.

Sein neuer Freund öffnete die Tür, ein breites Grinsen auf dem Gesicht.

«Das Baby hat gewonnen, nicht wahr?»

«Nein, hat sie nicht», verteidigte sich Raghi. «Was in dieser verdammten Babyflasche war, ist jetzt im Magen des Babys.»

Die Handhabung der tönernen Babyflasche hatte sich als schwierig erwiesen. Sie glich einer kleinen, unförmigen Teekanne mit einem kurzen Mundstück auf einer Seite und einem steilen Belüftungsrohr auf der anderen. Dies ermöglichte es dem Baby zu trinken, ohne Luft zu schlucken.

Theoretisch.

Mit Mallika hatte sich die Fütterung zu einem Ringkampf entwickelt. Ihre winzigen Arme besaßen bereits erstaunliche Kraft.

Naveen hob eine Braue. «Deine Kleidung zeugt von Spucken, Sabbern und Schlimmerem.»

«Tu sie nicht!», versuchte Raghi seine Ehre zu verteidigen, obwohl der schreckliche Geruch ihn verriet.

Desert Rose, die an ihm geschnüffelt hatte, schnaubte ihm ins Haar. Er schob den Drachenkopf weg. «Wenn du mir nicht so auf die Pelle gerückt wärst, wäre alles glatt gelaufen. Wer kann sich schon konzentrieren, wenn er von zwei altklugen Gesichtern beobachtet wird?»

Naveen lachte. «Ich wusste, dass du in Schwierigkeiten steckst, als du das Baby fragtest, weshalb ihr Gesicht so rot würde.»

Der letzte Rest von Raghis Selbstbeherrschung verflog. «Das hier ist eine geschlossene Gemeinschaft. Alle geschlossenen Gemeinschaften haben Tabus und Regeln in Bezug auf Hygiene und Anstand. Darf ich mich hier ausziehen, mich waschen und meine Kleidung reinigen? Und wo kann ich sie zum Trocknen aufhängen?» Er klang wie eine jener durch Zauberei wiederauferstandenen Leichen, die ein Hexer zum Sprechen brachte.

Naveen wurde ernst. «Wenn du das da draußen machst, erfrierst du.»

Raghi atmete mit einem Knurren aus. «Werde ich nicht. Wie bereits erwähnt, bin ich im Norden aufgewachsen. Auf den Inseln des Eismeeres gelten diese Temperaturen nicht einmal als kühl.»

«Warte einen Moment.» Naveen verschwand im Inneren. Er kehrte mit einer Holzwanne zurück. «Vorsichtig, ich habe heißes Wasser und ein paar Seifennüsse reingetan. Unter dem Vardo sollten zwei Eimer mit kaltem Wasser stehen. Du kannst beide verwenden. Wir können morgen mehr holen. Wenn du fertig bist, bring alles rein. Wir hängen deine Kleider zum Trocknen über den Ofen.»

Als Raghi eine Weile später den Vardo berat, trug er einen frischen Lendenschurz. Sein Beutel enthielt immer mehrere davon, da Auftragsmörder dazu erzogen wurden, ihren Körper und ihre Kleidung unter allen Umständen sauber zu halten. Und in Notfällen konnte er mit ihnen Werkzeuge herstellen oder Wunden verbinden.

«Du bist fast so verhungert wie deine Amme», bemerkte Naveen voller Sorge. «Meine Mama hat uns Igel-Eintopf mitgebracht. Ich werde eine Schüssel für dich füllen.»

«Ich bin nicht hungrig», sagte Raghi. «Aber ich würde mich freuen, wenn du ein Hemd oder so hättest, das ich ausleihen könnte. Sonst muss ich meine nasse Tunika anziehen.»

Auf keinen Fall würde er dem jungen Ghitain erlauben, das Ding auf seinem Rücken zu sehen.

«Wie wäre es mit einem Nachthemd für den Moment? Es wird dich in der Nacht wärmer halten als ein Hemd.»

Als ob das in dem überheizten Vardo nötig wäre! Bei laufendem Ofen war die Luft darin heißer als im Hochsommer in Eterna. Dennoch nahm Raghi das angebotene Kleidungsstück an. Sein Stoff war alt, sehr weich und roch nach sauberer Baumwolle.

Während Raghi sich anzog, nahm Naveen die nassen Kleider aus der nun trockenen Wanne und streifte sie auf Kleiderbügel, die er von Deckenhaken über dem Ofen hängte.

«Sie sollten innerhalb weniger Stunden trocknen. Nun zum Igel-Eintopf. Und bevor du dich wieder weigerst, stell dir vor, wie meine Mutter reagiert, wenn sie davon hört.»

Naveen ging zum Bettpodest des Vardos, das sich an der gleichen Stelle wie Chandanas befand, und zog an einem Ornament. Eine Tischplatte erschien, die offenbar unter der Matratze versteckt war. Von ihrer Unterseite schwang er ein geschnitztes Brett hinab, das als Bein für den Tisch diente.

Nun machten die rätselhaften Bänke entlang den Wänden vor dem Bettpodest Sinn. Einer von ihnen war Raghi bei Violets Pflege in die Quere gekommen.

«Setz dich hin.» Naveen ging zum Ofen und füllte zwei Schalen aus dem Topf darauf. Aus einem eisernen Krug füllte er zwei Tassen mit Wasser. Er trug alles zum Tisch und gab Raghi einen der Löffel, die er aus einer Schublade nahm.

Wann hatte er zuletzt an einem Tisch gegessen?

Raghi versuchte, Naveens Grinsen zu ignorieren, und probierte den Eintopf. Er war köstlich.

Sie aßen schweigend. Die Atmosphäre im kleinen Wagen war gemütlich und beruhigend. Wohlbefinden durchströmte Raghis Körper, und zum ersten Mal seit Ewigkeiten konnte er frei atmen.

Während er die bemalten Schnitzereien betrachtete, die das Innere schmückten, fragte er sich erneut, wie ein Mann in einem einzigen Leben etwas so Schönes erschaffen konnte. Alle Motive stellten Elemente aus der Natur dar — Blätter, Blumen und Eicheln. Die vorherrschenden Farben waren Grün und Braun, ergänzt durch Gelb- und Orangetöne als Hintergrundfarben und Lichter in Rot und Weiß. Die Bilder schienen einen unbekannten Hunger in Raghis Seele zu stillen.

Ich könnte mich an diese Schönheit gewöhnen.

Er unterdrückte den Gedanken sofort.

Etwas kratzte an der Eingangstür.

«Die kleinen Biester sind schnell», kommentierte Naveen und stand auf, um die Tür zu öffnen.

Sechs winzige Drachen trotteten durch die Öffnung, einer nach dem anderen. Sie waren so groß wie Schoßhunde, aber nicht annähernd so hübsch. Ihre Schuppen zeigten eine matte schlammbraune Farbe, und ihre Körper wirkten krumm.

Ohne einen Blick auf Raghi zu werfen, legten sie sich neben den Ofen, rollten sich zusammen und begannen zu schnarchen.

«Was sind das für Tiere?», fragte Raghi.

Naveen setzte sich wieder hin. «Stinkdrachen. Ghitains halten viele verschiedene Tierrassen. Einige leben im Freien wie die Drachenpferde, andere sind Haustiere wie diese kleinen Viecher, während wiederum andere ihren eigenen Wagen haben.»

«Warum werden sie Stinkdrachen genannt?» Raghi hoffte, dass seine Vermutung falsch war.

«Ärgere sie, und du wirst es merken.»

Sie beendeten ihr Essen, verstauten den Tisch und spülten das Geschirr.

«Würde es dir etwas ausmachen, wenn wir früh schlafen gehen?», fragte Naveen.

Nach den Ereignissen des Tages fühlte sich Raghi wie erschlagen. «Nein.» Er machte Anstalten, den Vardo zu verlassen.

Naveen packte seinen Oberarm. «Was glaubst du, wo du hingehst?»

Raghi versuchte sich zu befreien. «Unter den Vardo, um zu schlafen — wenn ich darf.» Selbst in seiner völligen Erschöpfung musste er noch immer alles und jeden herausfordern.

Mit einem Seufzen öffnete Naveen die hüfthohen Flügeltüren unter dem Bettpodest. Dahinter verbarg sich eine weitere Matratze. «Du wirst hier schlafen, wo du sicher bist und es warm hast und nichts dich fressen kann. Wenn du nachts nach draußen gehen musst, denk daran, die Tür nach deiner Rückkehr zu schließen. Und keine Sorge: Ein Ghitainlager ist nie unbewacht.»

Das war die geringste von Raghis Sorgen.

«Willst du wirklich, dass ich bei dir bleibe?», fragte er. Wenn Naveen nur wüsste, wen und was er in sein Heim einlud.

«Ja.»

Und damit war die Angelegenheit abgehakt.

Sie putzten die Zähne, dann imitierte Raghi das Bettritual des jungen Ghitains, indem er Gesicht, Hände und Füße wusch.

«Können wir ein Licht brennen lassen?», wagte er die Frage zu stellen, die ihm auf dem Herzen lag.

Naveen versuchte in seinem Gesicht zu lesen. «Hast du Angst vor der Dunkelheit?»

Raghi nickte nur. Tatsächlich versetzte sie ihn in Todesangst dank der sadistischen Vorliebe seines Vaters, ihn in Truhen und Schränken einzuschließen.

«Ich lasse auch gern ein Licht brennen. Ich zeige dir, was ich tun würde, und wenn das nicht genug für dich ist, experimentieren wir mit den anderen Lampen, bis du dich wohlfühlst.»

Naveens Lösung erfüllte das Innere des Wagens mit einem weichen orangefarbenen Schimmer. Das Licht war unauffällig und verschwand, wenn Raghi die Augen schloss, aber er konnte sich orientieren, falls er aus seinen Albträumen aufschreckte. «Ich denke, das funktioniert.»

Er kroch in den Bettschrank und legte sich beklommen hin.

Oben hörte er, wie Naveen die Bettwäsche zu seiner Zufriedenheit arrangierte. Plötzlich schaute er kopfüber durch die Öffnung und grinste. «Was für ein toller Tag das war! Schlaf gut, neuer Freund.»

Raghi erwiderte den Wunsch und fühlte sich wie der Lügner, der er war. Er war niemandes Freund und war es nie gewesen.

Es dauerte nicht lange, bis Naveen sich eingerichtet hatte. Seine Atmung wurde regelmäßig.

Raghis Augen wanderten über das Innere des Bettschranks. Er vermutete, dass hier die Kinder einer Familie schliefen. Der Raum fühlte sich sehr gemütlich an. Er berührte die Holzwand hinter seinem Kopf.

Als ob die Erdmutter mich liebevoll umarmte.

Raghi schnaubte. Wo kam denn dieser Unsinn her?

Der Vardo zerstörte seine zynische Distanz. Gegen seinen Willen entspannte sich Raghi und schlief ein.

ER TRÄUMTE, dass er rannte. Sein Herzschlag raste, und Furcht erfüllte seine Seele.

Warum der Kraftakt? Er wusste, dass er nie entkommen würde. Der Meister hatte ihn sicher im Griff. Es gab keinen Ort, wo er sich verstecken oder wohin er fliehen konnte. Wie der legendäre Krake des Eismeeres, dessen Tentakel Fjorde und Ozeane überspannten, kontrollierte der Meister Zeit und Raum. Wo seine Strategien versagten, nutzte er Magie. Wo Intrigen nicht funktionierten, Drohungen.

Raghi fühlte sich so müde. Es gab nirgendwo Hilfe oder Zuflucht. Die Hoffnung hatte ihn schon lange verlassen, und Freiheit war nur eine vergängliche Illusion.

In der fernen Vergangenheit waren seine Träume gestorben. Seine Kraft ging vor Ewigkeiten zu Ende. Nur bloße Hartnäckigkeit hielt ihn aufrecht.

Er sehnte sich nur noch nach dem endgültigen Vergessen.

Aber was war das? Nach all seiner Zeit allein in der erstickenden Dunkelheit entdeckte er eine fremde Präsenz. Das Licht ihrer Seele war schwach, tatsächlich gab es überhaupt kein Licht. Nur die Abwesenheit von absoluter Finsternis. Eine Seele in der Farbe von Kohle.

Aber konnte das wirklich sein? Einsamkeit schuf herzzerreißende Illusionen.

Moment mal. Das sah nicht aus wie eine einzelne Seele. Sie hatte einen deutlichen Schatten. Konnte es sein, dass sich eine zweite Seele hinter der ersten versteckte? Ihr Schwarz noch lichtloser?

Es spielte keine Rolle. Nach seiner langen Zeit allein im bodenlosen Abgrund erschien ihm der schwache Schimmer der beiden Seelen so hell wie ein Leuchtfeuer. Etwas längst Vergessenes rührte sich in seinem Herzen.

Gegen seinen Willen bewegte er sich auf sie zu.

RAGHI SCHRECKTE mit rasendem Herzschlag aus dem Schlaf hoch. War dieses Klicken gerade die Tür des Vardos gewesen? Nein, er hörte keine Schritte, weder draußen noch drinnen, und spürte auch nicht die Gegenwart eines Eindringlings.

Naveen im Bett über ihm atmete regelmäßig. Die Stinkdrachen beim Ofen schienen zu träumen. Sie schnieften und grunzten, während sich ihre verzogenen Körper neu arrangierten. Raghi erkannte, dass das Klicken wahrscheinlich beim Abkühlen des Ofens entstanden war — oder als eines der Tiere etwas berührte.

Er driftete wieder weg, sein Schlaf ungewöhnlich tief und ungestört.

• • •

Es war morgen, als Raghi die Augen zum nächsten Mal öffnete. Das sanfte Schnarchen der Stinkdrachen erfüllte den Vardo. Naveen war weg, aber ein Feuer knisterte im Ofen und erhitzte eine Kanne Tee. Also konnte er nicht weit sein.

Raghi war gerade mit dem Anziehen fertig, als Naveen zurückkam. Der junge Ghitain balancierte zwei Schalen in seinen Händen.

«Mama hat Haferschleim für uns gemacht. Da ich erst beim nächsten Bauern oder in der nächsten Stadt Lebensmittel eintauschen kann, wird sie mir alles geben, was wir brauchen. Hier, der Brei ist noch warm, und sie hat etwas Schlehenmarmelade hinzugefügt.»

Sie zogen den Tisch heraus und setzten sich zum Essen auf die Bänke.

Raghi erkannte, dass er Fragen stellen musste — wenn er sich nicht wie ein kompletter Arsch verhalten wollte. «Ich kann mir mein eigenes Essen und das von Desert Rose erjagen, damit wir dich nicht belasten. Aber wie kann ich euch für eure Hilfe für Nana und meine Schwester danken?»

Naveen betrachtete ihn ernst. Da er gleichzeitig mit der Rückseite des Löffels gegen seine Lippen schlug, wirkte er dümmlich.

Raghi war versucht zu lachen, hielt sich aber zurück. Wie üblich schienen die Augen des jungen Ghitains viel zu viel zu sehen, sogar bis tief in Raghis verdorbene Seele.

«Das ist verhandelbar. Welche Fähigkeiten hast du?»

«Ich bin ein Mörder von Beruf.»

Kaum hatte er diese Bombe platzen lassen, wünschte sich Raghi, er könnte die Worte zurücknehmen. Sein üblicher Widerspruchsgeist hatte gesprochen. Er versuchte immer, die Leute zu schockieren, um das Schlimmste in ihnen hervorzubringen. Wenn sie die Fassung verloren, bestätigten sie mit ihrer Panik, Wut oder Verachtung seine Erwartungen.

Und deine Abscheu vor dir selbst.

Raghi erstickte diesen unerwünschten Gedanken. Er erkannte, dass der Prinz nicht beeindruckt war.

«Da wir nicht an Gewalt glauben, musst du dir etwas anderes einfallen lassen», sagte Naveen. «Also, was kannst du sonst noch?»

Raghi musste darüber nachdenken. «Ich weiß es nicht», gab er zu.

Naveen machte ein seltsames Geräusch, halb seufzend, halb schnaubend. «Was machst du denn gerne?»

Diesmal musste Raghi nicht überlegen. «Mit Desert Rose spielen, allein durch die Wildnis streunen, unter freiem Himmel schlafen.»

Zu seiner Überraschung lächelte Naveen. «Das klingt, als wurdest du mit der Seele eines Ghitains geboren. Aber im Ernst: Du und deine kleine Familie seid herzlich eingeladen, als Gäste bei uns zu bleiben, so lange ihr wollt. Allerdings würden wir uns freuen, wenn ihr einen Beitrag zu unserem täglichen Leben leisten würdet. Als Fahrende setzen wir auf die Gemeinschaft und gemeinsame Werte.»

Raghi seufzte. «Ich bezweifle, dass es einen einzigen Wert gibt, den wir teilen.»

Naveen wurde ernst. «Natürlich gibt es den. Jeder kann sehen, wie sehr du Violet und Desert Rose liebst. Das bedeutet, dass du familienorientiert und tierfreundlich bist.»

«Ich? Familienorientiert?», fragte Raghi, unfähig, die Bitterkeit in seinem Herzen zu verbergen. «Meine Eltern verkauften mich an den Meister der Mördergilde, als ich sieben Jahre alt war. Jeden anderen Lehrling musste er stehlen, aber nicht mich! Sie haben ihn wahrscheinlich sogar dafür bezahlt, damit er mich nahm.»

Naveen griff über den Tisch, um seine Hand zu nehmen. Als Raghi sie zurückzuziehen wollte, ließ er nicht los, sein Griff stark für einen untrainierten jungen Mann.

«Nicht jeder hat das Glück in eine liebevolle Familie geboren zu werden, Raghi. Einige von uns müssen lange und sehr intensiv suchen.»

Raghi wandte sein Gesicht ab, um dem Blick der sanften braunen Augen auszuweichen. «Du weißt nicht, wovon du redest. Du hast deine Mutter und deinen Vater. Es ist klar, dass beide dich sehr lieben.»

«Ja, das ist wahr. Aber Baz ist nicht mein leiblicher Vater. Der Mann, der mich gezeugt hat, misshandelte Mama und mich. Wir waren damals sehr arm und lebten in einem altersschwachen Vardo. Es gab nie genug zu essen, und wir hatten keinen Ofen. Im Winter sind wir fast erfroren. Mama kämpfte sich aus dieser Situation heraus und wurde mit der Zeit sogar Königin der Ghitains. Sie baute diesen Clan auf. Baz gehörte zu den Ersten, die sich ihr anschlossen. Er verliebte sich auf den ersten

Blick in sie, aber sie weigerte sich, einen anderen Mann in ihrem Leben zu haben — neben mir, meine ich. Also übernahm Baz meine Erziehung. Er lehrte mich alles über die Lebensweise der Ghitains und die erforderlichen Fähigkeiten. Mit der Zeit wurde das Herz meiner Mutter weicher, und vor einigen Jahren akzeptierte sie ihn als ihren Partner. Also schau mich an und sag mir noch einmal, dass ich nicht weiß, wovon du sprichst.»

Seinem neuen Freund war es todernst.

Raghi nickte und fühlte sich ungewöhnlich zerknirscht. «Ich bitte um Entschuldigung. Jetzt lass mich los.»

Naveen zog seine Hand zurück. «Warum hilfst du mir nicht bei meinen Pflichten? Zusammen mit anderen jungen Männern kümmere ich mich um die Tiere unseres Clans, was Spaß macht.»

Dieser Vorschlag klang nicht schlecht. «Ich bin dabei», gab Raghi seine Zustimmung, mit der er nie gerechnet hatte.

BIN ICH VERRÜCKT GEWORDEN?, fragte sich Raghi kurze Zeit später, als er wie ein zum Galgen verurteilter Verbrecher zu Chandanas Vardo ging. Was war in ihn gefahren, sich in einer Gemeinschaft zu engagieren? Ausgerechnet er!

Es war ein kalter, nebliger Morgen. Die Luft roch nach verrottendem Laub, und frostige Nadeln schienen bei jedem Schritt seine Haut zu stechen.

Raghi atmete tief ein. Wie sehr hatte er dieses Klima vermisst! Eterna, sein ungeliebtes Zuhause seit mehr als einem Jahrzehnt, war eine Wüstenstadt, tagsüber heiß, nachts eiskalt — und fast immer staubig. Sein Lungenleiden war nicht allzu schlimm. Trotzdem hatte ihm jeder Atemzug Wüstenluft neues Elend verursacht und ihn schier erstickt.

Der frostige Morgen erneuerte auch seine Faszination für das Lager der Ghitains. Die tanzenden Nebelschwaden verwandelten die farbenfrohen Vardos scheinbar in Blumenfelder, die im Mondlicht badeten. Eiskristalle betonten die Konturen und Kanten der Fahrzeuge. Glöckchen klingelten leise im Wind.

Der Anblick war magisch. An Orten wie diesem fiel es leicht, an die

Existenz einer wohlwollenden höheren Macht zu glauben. Leider hatte das Leben Raghi in einen bitteren Zyniker verwandelt.

Hätte er nur den Tag damit verbringen können, mit Desert Rose zu spielen. Stattdessen musste er sich *damit* auseinandersetzen.

Mallikas wütendes Heulen war mit jedem seiner Schritte lauter geworden. Als er den türkisfarbenen Vardo die Heilerin erreichte, schmerzten seine Ohren.

Chandana erwartete ihn vor dem Eingang, das wütende Baby auf ihrer Hüfte. Mallikas Gesicht war röter als eine Tomate und zerknittert wie ein alter Apfel. Sie schien die Heilerin mit ihren winzigen Fäusten zu schlagen.

«Hier ist deine Schwester. Und das ist ihre Milch, bereits zubereitet. Baz war so freundlich, die Ziege zu melken.»

«Fahr zur Hölle!», schien unter diesen Umständen nicht die richtige Antwort zu sein, obwohl Raghi kaum widerstehen konnte, sie zu geben.

«Danke?», versuchte er. Er rang mit dem Baby, das gerade dann entschied, dass Chandana ihre absolute Lieblingsperson war, und sich weigerte, ihr Kleid loszulassen. Glücklicherweise konnte jeder manipuliert werden. Raghi nahm der Heilerin die tönerne Babyflasche ab.

«Schau her, Milchi-Milch», lockte er und zeigte Mallika die Flasche.

Die Augen des Babys wurden groß, und sie stürzte sich auf ihn. Zumindest sah es so aus. In Anbetracht ihrer Jugend verlor sie wahrscheinlich nur das Gleichgewicht in ihrer Gier.

Bevor er wusste, wie ihm geschah, saß der kleine Affe auf seinem Arm. Der Nuckel der Babyflasche steckte in ihrem Mund, und die Milch verschwand mit alarmierender Geschwindigkeit.

«Hast du vergessen, sie nachts zu füttern?», quiekte Raghi. «Sie ist schlimmer als ein Raubtier.» Was würde sie tun, wenn sie die Milch ausgetrunken hatte? Das Fleisch von seinen Fingern nagen?

Unter Chandanas Augen lagen dunkle Ringe. «Ich habe sie alle zwei Stunden gefüttert. Ich weiß nicht, wohin sie es packt.»

Zufällig traf Raghis Blick den seiner kleinen Schwester. Er fühlte sich, als hätte ihm jemand gegen die Brust geschlagen. Er sah Wut, ja, eine Menge davon. Aber unter all dem Zorn verbarg sich ein weiteres Gefühl — Angst.

Als Mallika die Flasche ausgetrunken hatte, gab er diese an

Chandana zurück und lehnte das Baby aufrecht gegen seine Schulter. Sie rülpste wie ein Säufer nach seinem x-ten Krug Bier.

Raghi musste laut lachen. Das Leben war so lächerlich!

Als er sich an die Angst in Mallikas Augen erinnerte, wiegte er sie und küsste ihren Scheitel.

«Wo kam das her?», fragte die Heilerin.

Raghi streichelte den Rücken des Babys. Ihre winzigen Arme schlichen sich um seinen Hals. Hoffentlich wollte sie ihn nicht erwürgen. Er würde es ihr zutrauen.

«Sie ist verängstigt. Ich bin dort aufgewachsen, wo sie die ersten Monate ihres Lebens verbrachte, und erinnere ich mich an diese Angst. Sie sickert in deine Knochen und schmerzt schlimmer als alles, was du dir vorstellen kannst, bis du an einem Punkt ankommst, an dem du entweder stirbst oder kämpfst. Aber selbst wenn du kämpfst, verlässt dich die Angst nie. Es tut mir leid, dass sie das erleben musste.»

Chandana schüttelte mit einem erschöpften Lächeln den Kopf. «Warum setzt du dich nicht eine Weile auf die Stufen meines Vardos und gehst auf sie ein? Ich weigere mich zu glauben, dass diese Angst nicht vertrieben werden kann.»

Raghi gehorchte und beobachtete, wie die Heilerin über einem offenen Feuer kochte. Sie summte und tanzte zu ihrer eigenen Melodie. Ihre farbenfrohen Kleider und ihr Schmuck tanzten mit ihr. Er fühlte einen Stich des Neides. Sie war nicht nur schön, sondern wirkte auch glücklich und frei.

Nach einer Weile schloss sich Naveen ihm an. Mallika drehte den Kopf, um den Prinzen anzustarren.

«Und ich dachte, du bist verloren gegangen oder versuchst dich deinen Pflichten zu entziehen», scherzte er und setzte sich neben Raghi auf die Stufe. Zärtlich berührte er Mallikas Wange. «Darf ich sie halten?»

Raghi übergab ihm Mallika. Naveens Griff war erfahren, als hätte er sich bereits um viele Babys gekümmert.

Der Prinz stellte seine Füße auf eine tiefere Stufe und legte das Baby auf seine schrägen Oberschenkel. Er lächelte, kitzelte sie sanft und machte lustige Geräusche.

Innerhalb weniger Augenblicke gluckste sie vor Freude und griff nach den langen Strähnen seiner Haare.

«Wow, das ist Magie!», staunte Raghi.

«Keine Magie, nur Liebe.» Naveen lächelte. «Wie geht es Violet?»

Raghi fuhr zusammen. «Die Kleine machte so einen Lärm, dass ich vergaß zu fragen. Wie konnte ich nur?»

Sein Freund packte seinen Unterarm, bevor er zur Heilerin rennen konnte. «Shh! Keine Sorge. Lass sie kochen. Chandana hätte es dir gesagt, wenn es deiner Nana schlechter ginge. Keine Nachricht ist immer eine gute Nachricht.»

Raghi entzog Naveen seinen Arm und zwang sich zu entspannen. Nach nur wenigen Atemzügen sprang er fluchend von der Treppe.

«Was ist jetzt wieder?» Naveen rollte die Augen. «Kannst du nicht einen Moment still sitzen?»

«Nicht, wenn dein Onkel direkt vor uns Gestalt annimmt!» Raghi starrte den Geist an.

Naveens Gesicht war voller Hoffnung. «Palash ist hier? Ist er gekommen, um mit mir zu reden? Sag mir, wo er ist!»

«Er hat seine Hand auf deine Wange gelegt. Jetzt umarmt er dich und küsst deine Stirn. Ich glaube, er ist gekommen, um sich zu verabschieden.» Ein weiterer Stich des Neides. Was war mit diesen Leuten los? Mussten sie ihre Zuneigung so offen zeigen?

Naveens Augen füllten sich mit Tränen. «Onkel, bitte! Geh nicht. Kannst du nicht noch ein wenig bleiben? Ich vermisse dich so sehr!»

Der Mann zögerte und schaute über seine Schulter. Jemand näherte sich dem Vardo der Heilerin. Durch den Körper des Geistes betrachtet, verwischten sich die Umrisse der Frau. Raghi vermutete, dass es Kaea war.

Mit einem Seufzen verschwand der Geist.

«Dein Onkel scheint deinem Wunsch zu entsprechen. Ich glaube nicht, dass er in die Ewigkeit ging», kommentierte Raghi für seinen Freund.

Naveen nickte nur. «Mutter sieht besorgt aus. Mama? Stimmt etwas nicht?», fragte er, als die Königin sie erreichte.

Wie ihr Sohn war sie so knallbunt gekleidet und trug so viel

Schmuck wie am Tag zuvor, aber ihre Miene war ernst. «Vielleicht. Raghi, mein Sohn hat mir gesagt, dass du ein Mörder bist.»

Ihre Frage fühlte sich an wie ein Schlag in den Magen. Raghi stählte sich. Ihre Eröffnung konnte nur eines bedeuten: Sie warf ihn aus ihrem Lager und den Rest seiner Familie mit ihm. Warum hatte er nicht schweigen können!

«… etwas Seltsames?»

In seiner Sorge hatte er ihre Frage verpasst. «Was?»

«Ich sagte, dass etwas die Aura des Lagers gestört hat. Hast du mit deinen beruflichen Fähigkeiten etwas Seltsames gefühlt? Oder etwas, das fehl am Platz scheint?»

Sie wollte seine professionelle Meinung?

Raghi lauschte mit allen Sinnen zu und erkannte, dass sie recht hatte. Etwas war anders. Aber was?

«Gib mir einen Moment», sagte er und schloss die Augen, um seine Reise die Treppen hinunter zu diesem Ort und dieser Zeit nachzuvollziehen. «Es kam nicht mit mir, Desert Rose oder Violet. Jeder von uns reiste und kam allein hier an. Es war nicht da, als ich einschlief, aber es ist jetzt hier … seit ich aufgewacht bin. Was auch immer die Energie stört, es kam während der Nacht. Du musst die Wachen fragen, die du erwähnt hast, meine Königin.»

Sie schüttelte den Kopf. «Die Drachenpferde hielten es nicht für ungewöhnlich, als es eintraf. Nur wir Menschen tun das. Ich habe auch in meine Kristallkugel geschaut, aber es taucht in keiner Weise darin auf.»

«Eine verlorene Erinnerung?», fragte Naveen. «Oder könnte es dieser Ort sein? Ich erinnere mich nicht, dass wir hier schon mal gelagert haben.»

Raghi testete die Energie, die sie umgab. In einem Moment war der Eindruck da, im nächsten verschwand er und erinnerte ihn an etwas. «Ich glaube nicht, dass ein Tier, egal wie intelligent, das fühlen kann. Das ist reiner, unverfälschter Schmerz. Ich weiß das, weil …» Er schluckte. «Lasst es uns einfach dabei belassen, dass ich es weiß. Aber das bedeutet, dass doch ich es sein könnte.»

Er erschrak, als er eine sanfte Hand auf seiner Schulter spürte. Die Königin. Wann war er so unaufmerksam geworden? Normalerweise fühlte er die Absicht anderer, bevor sie sich bewegten. Und warum mussten die Ghitains ihren Fokus durch Berührungen verstärken? Wenn er dem nicht bald Einhalt gebot, musste er Umarmungen und, noch schlimmer, Küsse erdulden.

«Du bist es nicht, Kind», sagte Kaea. «Deine Energie ist einzigartig. Sie unterscheidet dich von jedem Ghitain und jedem anderen Menschen, den ich je getroffen habe. Deine Essenz, jeder winzige Strang deiner Energie, fühlt sich an wie eine geballte Faust aus Dunkelheit. Deine Seele ist wie ein Schatten umhüllt von Schatten, leicht zu erkennen. Du kannst es nicht sein.»

«Was machen wir nun, Mama?», fragte Naveen.

«Wenn ich mich nicht in Dinge einmische, die besser unangetastet bleiben, können wir nur warten. Die Energie ist nicht böse, also sollte sie keine Bedrohung für unseren Clan oder unser Lager darstellen. Hoffnung ist jedoch keine Entschuldigung für Dummheit. Würdest du wachsam bleiben, Raghi?»

«Bist du verrückt? Du willst, dass ich die Verantwortung übernehme für …?»

Der stählerne, aber fast amüsierte Blick der Königin stoppte ihn mitten im Satz. Er erwiderte ihren Blick und nagte an seiner Unterlippe.

«Natürlich, meine Königin», gab er nach, als die Stille erdrückend wurde.

«Danke, Raghi.» Sie drehte sich um und ging zurück zu ihrem Vardo.

Naveen schnaubte und verbarg seine Belustigung, indem er sein Spiel mit Mallika wieder aufnahm. Er kreiste mit dem Zeigefinger über der Nase der Kleinen und summte, während sie versuchte danach zu greifen.

Raghi setzte sich mit einem Stöhnen neben ihn. «Wie explosiv ist das Temperament deiner Mutter?»

«Bete einfach, dass du es nie herausfindest.»

6

Nachdem Mallika eingeschlafen war, trug Naveen sie hinein. Raghi folgte ihnen.

Im Bett der Heilerin schlief seine Nana. Sie sah immer noch schwach und krank aus, aber es gab auch Anzeichen der Besserung. Ihre Haut schien weniger spröde, und sie wirkte weniger blass.

«Glaubst du, sie wird sich erholen?», flüsterte Raghi und legte seine Hand über Violets, die auf ihrem Bauch lag.

Sein Freund bettete Mallika in den Korb neben Violets Füßen und bedeckte sie mit einer winzigen Flickendecke.

«Ihre Chancen stehen besser, aber sie ist immer noch in Gefahr. Wie ich im Lauf der Jahre von Chandana gelernt habe, schädigt das Aushungern deine Organe, insbesondere die Nieren. Wenn sie ihre Funktion nicht wieder aufnehmen können, stirbst du.»

Es dauerte eine Weile, bis Raghi diese Informationen mit seinem Fachwissen, insbesondere über Gifte, verknüpft hatte. Er beugte sich über Violet.

«Warum riechst du an ihr?», fragte Naveen.

Raghi richtete sich auf, um Naveen anzusehen. «Wegen dem, was du mir gesagt hast. Auftragsmörder töten nicht durch Verhungern. Der Prozess ist zu fehleranfällig, chaotisch und dauert zu lange. Deshalb weiß ich wenig darüber. Aber ich habe profunde Kenntnisse über Gifte, welche die gleichen Auswirkungen haben können. Nana riecht sauber unter dem abgestandenen Schweiß der Krankheit. Das bedeutet, dass ihre Organe funktionieren. Ich denke …» Er wagte es nicht, seine Hoffnung zu äußern.

Naveen grinste. «Belassen wir es dabei und kümmern uns um die Tiere.»

Raghi war verwirrt, als Naveen ihn zu einem lila Vardo mit weißen und silbernen Ornamenten führte. Auf der anderen Seite des Lagers sah er die Herde und die Ghitains, die sie um sie kümmerten, darunter einen großen und dünnen jungen Mann, der ihn mit tiefer Neugier beobachtete. Wo also wollten sie hin?

Der Vardo sah nicht aus wie die, in denen Menschen lebten. Stattdessen zeigte seine Seitenwand größere und kleinere Luken auf unterschiedlichen Höhen. Aus Brettern gezimmerte Rampen führten zu ihnen hinauf.

«Warte genau da!», befahl Naveen und ging zu einer der unteren Türen.

Raghi bemerkte, dass der Prinz sich so weit als möglich von der Rampe fernhielt. Und war gerade ein schelmisches Grinsen über sein Gesicht gehuscht?

Naveen wandte sich ihm zu. «Mein gefährlicher Freund, ich präsentiere die Doggycorns.» Er öffnete die Luke.

Eine pelzige Lawine fegte die Rampe herunter. Raghi wusste nicht, wie ihm geschah. Er fand sich flach auf dem Rücken wieder, während Hundert von Zungen alle verfügbaren Stellen seiner Haut ableckten. Und zerrte da jemand knurrend an seinem Hosenbein?

«Arrrg! Was sind das für Geschöpfe?» Er versuchte sie wegzustoßen. Für jeden winzigen Körper, den er auf Armlänge fortschob, fielen zehn neue Tiere über ihn her.

Aus der Ferne hörte er Naveens amüsiertes Lachen.

Nichts dauert ewig.

Raghi ergab sich und ertrug die schlabberigen Küsse und kalten Nasen. Nach einer Weile hielt nur ein einziges Tier seine Bemühungen aufrecht. Er packte den sich windenden kleinen Körper und setzte sich auf.

Als er seinen Blick über das Rudel schweifen ließ, wedelten Schwänze im Gras und riesige Hundeaugen schauten ihn an.

Oh je, ich bin verloren!

Er hob das Tier, das er noch hielt, auf Gesichtshöhe und erhielt dafür einen Nasenschlabber.

Wie ihr Name besagte, sahen die Doggycorns aus wie eine winzige Mischung zwischen einem Einhorn und einem Hund. Raghi versuchte festzustellen, wo der Hund endete und das Einhorn begann, aber sein Bedürfnis, das kleine Tier zu herzen, überstieg seine Konzentrationsfähigkeit. Er drückte den kleinen Körper an seine Brust, vergrub seine Nase im Fell und atmete ein. Er hatte das kurze Horn auf ihrer Stirn und ihre Hufe gesehen, aber alles an dem Doggycorn fühlte sich weich an. Es roch warm und genau so, wie es riechen sollte.

«Sind sie echt oder verzauberte Plüschtiere?», krächzte er um den Klumpen in seinem Hals.

Naveen setzte sich neben ihn ins Gras, schnappte sich ein Doggycorn und umarmte es. «Sie sind echt, aber sie fühlen, was du am dringendsten brauchst, und ändern ihr Aussehen und ihre Farbe entsprechend. Ich komme nicht umhin festzustellen, dass deins rosa geworden ist.»

Sein Freund hatte recht. Raghi war es egal. Der glückliche Nebel in seinem Kopf war so dicht, dass er kaum Worte aneinanderreihen konnte. «Wie kümmerst du dich um sie? Alles, was ich tun will, ist hier sitzen und das Tier knuddeln.»

Naveen schwieg.

Raghi hob den Kopf, und Wut gab ihm die Kraft, seine Aufmerksamkeit auf Naveen zu richten. «Was?!»

Der junge Ghitain seufzte. «Deine Seele ist verhungert, Raghi, und das Doggycorn füttert sie mit dem, was du brauchst. Sobald es dir besser geht, wirst du ihre Aufmerksamkeit immer noch genießen, aber dich nicht so verzweifelt danach sehnen.»

Raghi erwiderte den vertrauensseligen Blick des Tieres. Wie Naveen gesagt hatte, war sein Fell rosa, fast lila, während die Haare seiner Mähne und seines Schweifs silbrigweiß glitzerten, und es hatte hellgrüne Augen. «Tue ich ihm weh?»

Naveen berührte beruhigend seine Schulter. «Nein, du kannst genießen, was es dir gibt. Hier, halt dieses auch. Ich werde dir den Rest unserer Tiere vorstellen.»

Naveen ging, um die restlichen Luken des Tiervardos nacheinander zu öffnen, und Raghi konnte nur noch staunen.

Es gab einen Luchs mit weißen Flügeln, einen kleinen weißen Elefanten, der Seifenblasen aus seinem Rüssel blies, und eine Ratte, die alle paar Minuten wie ein Phönix in Flammen aufging. Was wie eine gewöhnliche Katze aussah wurde beim geringsten Geräusch zu einem riesigen Panther. Eine Eule trug Stacheln wie ein Igel, die sie wahrscheinlich am Fliegen hinderten, und Fell bedeckte den Körper einer riesigen Heuschrecke.

Jedes Tier schlich oder hüpfte zu Raghi, um an ihm zu schnüffeln und ihn mit Schnauze, Schnabel, Rüssel oder Fühlern anzustupsen. Die meisten blieben danach dicht bei ihm und legten sich hin.

Jemand schnaubte auf Raghis Nacken.

Er nahm beide Doggycorns unter einen Arm, um die Köpfe der Chimäre von ihnen wegzuschieben. «Desert Rose, benimm dich!»

Als er zu ihr aufblickte, betrachtete sie die verschiedenen Tiere mit tiefer Faszination. Der geflügelte Luchs stand auf, um seinen geschmeidigen Körper an ihren Beinen zu reiben. Ihr Drachenkopf umhüllte ihn mit zärtlichem Feuer.

«Sie liebt sie», staunte Naveen.

Raghi griff nach oben, um den Adlerkopf herunterzuziehen. Er küsste den Schnabel und streichelte die Federn, die ihren langen Hals bedeckten. «Wir werden es nie sicher wissen, aber ich vermute, ihre Mutter verstieß sie, weil sie nur zwei Köpfe hat. Eine Wüstenchimäre sollte drei haben — einen wie ein Adler, einen wie ein Drachen und einen wie ein Löwe oder ein Wildschwein. Für mich ist sie perfekt. Ihresgleichen verabscheut sie.»

Als ob sie seine Worte verstanden hätte, liebkoste Desert Rose ihn mit ihrem Feuer. Die Doggycorns in seinem Arm winselten vor Begeisterung.

«Warum gibst du ihnen nicht die Zeit für ein Kennenlernen, während wir ihr Quartier aufräumen», schlug Naveen vor.

Raghi brauchte seine ganze Willenskraft, um die Doggycorns loszulassen, aber er schaffte es und stand auf.

«Wie können wir ihr Quartier aufräumen? Müssen wir reinkriechen?»

«Nein.»

Naveen führte ihn zur Vorderseite des Vardos, welche die üblichen Stufen und Eingangstür zeigte. Als er seinem Freund hinein folgte, blieb er wie versteinert stehen und starrte.

Das Innere war riesig.

Raghi schüttelte seine Erstarrung ab und trat hinaus, um seine Wahrnehmung zu überprüfen. Nein, von außen sah der Vardo aus wie die von Menschen bewohnten. Warum also gab es im Inneren einen riesigen Saal — noch geräumiger als der Festsaal des Magistratspalastes von Eterna?

Aber während der Festsaal immer aufgeräumt und makellos in seiner Pracht erstrahlte, war dieser Ort ein einziges Durcheinander.

Naveen bückte sich, um die verstreuten Kissen einzusammeln. Raghi schloss sich ihm an.

«Normalerweise lege ich sie in diese Ecke, die am weitesten vom Brunnen entfernt ist. Die Doggycorns tragen sie gerne herum und zerren daran.» Eine Wolke aus Federn wirbelte aus einem Kissen auf, als Naveen es aufhob. Er nieste. «Und sie lieben es, sie zu zerstören. Ich sehe, sie waren letzte Nacht umtriebig. Sortier die Ladung auf deinen Armen und wirf die guten auf den Stapel. Ich werde den Rest überprüfen und dir alle zerrissenen geben. Wir müssen sie zu meinem Vardo tragen und nähen.»

Raghi gehorchte. Als die Last der zerrissenen Kissen zu umfangreich wurde, legte er sie neben den Eingang.

Als er zu Naveen zurückkehrte, erschrak er. «Ist es meine Fantasie oder ist der Saal plötzlich viel kleiner?»

«Nein, du hast recht. Der Innenraum erweitert sich nach den Bedürfnissen der Tiere. Sobald wir aufgeräumt haben, wird er etwa so groß sein wie fünf Vardos.» Naveen klang zerstreut.

Raghi sah sich um und stich über seinen Hinterkopf. Was zum Teufel machten sie hier? Er sah kein Futter und keine Exkremente. Und wenn er sich nicht sehr täuschte, war die schillernde Flüssigkeit in der Brunnenschale kein Wasser.

Naveen schien tief in Gedanken versunken, sein Gesicht traurig.

Es war ein Ausdruck, den Raghi bereits mehrmals bemerkt hatte, wenn sie aufhörten zu reden und sich auf eine Aufgabe konzentrierten wie das Abwaschen von Geschirr oder eben das Aufräumen hinter den Tieren. Der junge Ghitain war nicht so glücklich und gelassen, wie er glauben machen wollte. Die Trauer um seinen Onkel trug dazu bei, aber da war etwas anderes, noch Schmerzhafteres.

Vielleicht hätte er schweigen sollen, aber die Neugier siegte. «Kannst du das erklären?», fragte Raghi und schloss den gesamten Innenraum in seine Geste ein.

«Du hast eine Chimäre und fragst doch?»

«Ich sehe den Zusammenhang nicht.»

Plötzlich war Naveen ganz da. «Oh, ich wusste nicht, dass du es nicht weißt.» Er sah sich um und klopfte mit den Fingern gegen seine Lippen. «Wo soll ich anfangen?»

Raghi fragte sich, ob er lügen würde.

«Das ist Ghitain-Wissen. Also bitte erzähl es nicht weiter», begann Naveen. «Inzwischen musst du erkannt haben, dass all die Tiere draußen magisch sind. Sie entstanden, als die Urdrachen ihr Schöpfungsspiel spielten und so das Multiversum erschufen, in dem wir leben. In ihrer Rolle waren sie nicht immer konsequent und schenken ihren Kreationen manchmal nicht die Aufmerksamkeit und Sorgfalt, die sie verdienten. Und manchmal machten sie auch Fehler.»

Ein Kläffen kündigte die Ankunft eines Doggycorns an, dieses mit schneeweißem Fell.

Raghi überprüfte seine Umgebung. Wo kam das kleine Tier her? Er hatte kein Klicken von Nägeln und kein Rascheln von Fell gehört. War es gerade aus dem Nichts entstanden?

Das Doggycorn erhob sich auf die Hinterbeine und legte seine Hufe – Pfoten? — auf Naveens Oberschenkel. Er beugte sich nach unten, um es hochzuheben, und presste es an seine Brust. «Einige magische Tiere wie die Drachenpferde, die Doggycorns und die Stinkdrachen scheinen sich zu vermehren — was bedeutet, dass wir von Zeit zu Zeit mehr Individuen in der Gruppe finden als zuvor. Aber viele Tiere wie der geflügelte Luchs draußen sind die Einzigen ihrer Art und dazu verdammt, die Ewigkeit allein zu verbringen.»

Raghi schauderte. Er wusste, was Einsamkeit bedeutete und wie der

Hunger nach Gesellschaft an der Seele nagte. Sein Leben würde eines Tages enden, wahrscheinlich eher früher als später, was ein Trost war. Aber allein der Ewigkeit ins Auge zu sehen … «Das heißt, sie sind unsterblich.»

«In unterschiedlichem Maße. Einige können nach außergewöhnlich langen Leben sterben, andere nicht, zumindest nicht in einem fassbaren Zeitrahmen. Keines von ihnen isst. Und wenn nichts reingeht, kommt nichts raus, wie du dir vorstellen kannst.»

Raghi ging zu Naveen, der das Doggycorn streichelte. Das Tier schaute ihn an, und er ertrank in den seelenvollen blauen Augen. Fast gegen seinen Willen streckte er die Hand aus, um seinen Kopf zu streicheln. «Und sie sind hier, weil …»

«… sie Trost lieben. Die meisten magischen Tiere sind trotz ihres einsamen Schicksals freundlich und liebevoll. So haben meine Vorfahren ein Band zu ihnen geknüpft. Sie geben uns Liebe, und wir erwidern diese Liebe und geben ihnen Trost. Irgendwie klappt es, und wir schaffen ein Gleichgewicht, das beide Seiten zufriedenstellt.» Naveen hielt inne, bis Raghi seinen prüfenden Blick erwiderte. «Aber wie kann es sein, dass du das nicht weißt? Du hast eine Chimäre großgezogen, die zur Hälfte Drache ist. Sie muss halb unsterblich sein.»

«Es gibt keine magischen Tiere in meiner Zeit. Chimären gelten als das Ungeziefer der Wüste. Und ich zog Rose durch Herumprobieren groß. Sie war schrecklich schwach und oft krank. Nach einer Weile wurde mir klar, dass ihr Drachenkopf nie frisst. Das entspricht dem Umfang meines Wissens. Und dass ihr zärtliches Feuer im Gegensatz zum Feuer eines legendären Drachen keine Heilkraft besitzt.»

Naveen nickte. «Wie habt ihr beide euch getroffen?»

«Ich fand sie als Welpe in der Wüste, als ich elf Jahre alt war. Sie ist jetzt etwa zehn Jahre alt.»

«Du kannst ihr Alter nicht kennen», sagte Naveen und wackelte nach Ghitainart mit dem Kopf. «Da Rose halb unsterblich ist und daher nicht sterben kann, könnte es Jahre, Jahrhunderte oder Jahrtausende her sein, seit ihre Mutter sie verließ.»

Ein Knoten bildete sich in Raghis Brust. Er bestand aus einer schmerzhaften Mischung aus Mitgefühl, Angst und Unglauben.

Sein Freund, der seine Verwirrung nicht bemerkte, fuhr fort. «Ihre fehlenden Heilkräfte hingegen könnten darauf hindeuten, dass sie so jung ist, wie du vermutest, und noch in ihre Magie hineinwachsen muss. Oder sie ist erwachsen und hat keine Macht, weil sie nie Zugang zur Essenz des Multiversums hatte. Viele Welten enthalten versteckte Quellen, ähnlich der dort drüben, wo die Schöpfungskraft die Form von Wasser annimmt. Die Legenden besagen, dass auch Drachen von Zeit zu Zeit davon trinken mussten, um ihre Kraft zu erhalten. Unsere magischen Tiere tun das auch. Es scheint sie zu trösten, aber sonst nichts.»

Raghi versuchte irgendetwas Sinnvolles zu erwidern. «Ich fand ein krankes Jungtier und nahm es auf. Rose erholte sich und wuchs innerhalb weniger Jahre zu der Größe heran, die sie jetzt hat. Widerspricht das nicht deiner Theorie, dass sie viel älter als zehn Jahre sein könnte?»

«Nicht so eindeutig, wie du zu denken scheinst, mein Freund.» Naveen hörte auf, das Doggycorn zu streicheln, um Raghis Schulter zu berühren. «Liebe und Achtsamkeit können eine Situation, das Leben von jemandem und sogar eine ganze Welt verändern. Vielleicht hast du Desert Rose etwas gegeben, wofür sie leben wollte, und sie beschloss zu wachsen.»

Raghis Toleranz für Mysterien war erschöpft. «Ich höre mir diesen Unsinn keinen Moment länger an. Das ist nichts als Hokuspokus oder eine Illusion. Was auch immer wir hier sonst noch zu tun haben, du kannst es allein erledigen. Liebe und Achtsamkeit, so ein Quatsch! Als ob diese Dinge die Macht hätten etwas zu verändern!»

Er rannte blind aus dem Vardo und der Wagenburg. Aber egal, wo er sich für den Rest des Tages versteckte, Naveens Worte hallten in seinem Kopf wider.

DIE DÄMMERUNG BRACH BEREITS herein und dunkle Wolken hingen tief am Himmel, als Raghi wieder in die Geräusche und Düfte des Lagers eintauchte und zum Vardo der Heilerin ging. Die Lampen zu beiden Seiten des Eingangs leuchteten und tauchten den Wohnwagen und seine unmittelbare Umgebung in ihr helles, warmes Licht.

Raghi erfüllte seine Pflicht, indem er das verschlafene und mürrische Baby fütterte. Dabei ignorierte er Chandanas vorwurfsvolle Blicke.

Die Heilerin kochte wieder im Freien, doch heute Abend tanzte sie nicht.

Nach einer Weile schloss sich der Geist ihnen an und setzte sich neben Raghi auf die Treppe des Vardos.

«Palash ist hier?», fragte Chandana, als Raghi zusammenzuckte.

«Ja», zischte er.

«Er will dir den Kopf abreißen, so wie auch ich. Naveen hat nichts getan, was eine solche Behandlung durch dich rechtfertigt.» Der Blick der Heilerin fühlte sich an wie ein Peitschenhieb.

Raghi wusste das selbst. «Ich gehe und entschuldige mich, wenn Mallika ihre Milch getrunken hat.»

«Das ist keine gute Idee. Naveen versteckt sich in seinem Vardo und weint», sprach Palash.

Das Blut strömte aus Raghis Kopf, und Scham erfüllte sein Herz. «Ich verstehe nicht, warum. Ich weiß, dass ich mich wie ein Arsch benommen habe, aber meine Wut galt nicht ihm. Bisher hat er über meine Dummheit nur gelächelt.»

«Ja, aber diesmal hast du einen Nerv getroffen.» Der Geist streckte eine durchsichtige Hand nach Desert Rose aus, die sich neben der Treppe im Gras ausruhte. Ihr Drachenkopf drehte sich zu ihm um, und sie schnupperte an seinen Fingern. Zufrieden mit dem Ergebnis bot sie ihm ihren Nacken zum Kraulen dar.

Raghi erinnerte sich an das eklige Kribbeln, das die gespenstische Berührung verursachte, und schauderte. «Kannst du mir sagen, warum?»

Der Geist konzentrierte sich auf Chandana. Die Heilerin schien seine Aufmerksamkeit zu spüren. Sie hörte auf zu rühren und schaute auf. «Bittet Palash mich um Zustimmung, deine Frage zu beantworten?»

«Ja.»

«Ich denke, es macht Sinn, dass du es von uns erfährst. Während es für Ghitains unschicklich ist zu tratschen, haben einige ihre Zungen nicht im Griff. Aber zuerst musst du uns verraten, weshalb du Geister verabscheust.»

Der Handel schien fair — Vertrauen gegen Vertrauen, doch seine Verachtung für sich selbst und seine Vergangenheit stellte ein Hindernis dar. «Wirst du mein Geheimnis bewahren?»

Chandana wackelte mit dem Kopf. «Nicht so, wie du denkst. Ghitains teilen Geheimnisse innerhalb der Familie, um den familiären Zusammenhalt zu stärken. So werde ich es der Königin, Baz und Naveen sagen, aber niemandem sonst. Als Sippe leben wir fast aufeinander und müssen auf das richtige Maß an Nähe und Distanz achten. Geheimnisse schaffen unverzichtbare Grenzen zwischen den verschiedenen Familien.»

Raghi nickte und verstand die Argumente der Heilerin. In der Mördergilde teilten sich alle Lehrlinge einen großen Raum. Eine stille Übereinkunft, zur richtigen Zeit wegzuschauen und Geheimnisse zu respektieren, erlaubte es jedem, seine Selbstachtung zu bewahren.

Raghi überprüfte seine Umgebung. Sie waren allein, da sich die meisten Ghitains um ein großes Feuer auf der anderen Seite der Wiese versammelt hatten. Wenn er sich konzentrierte und der Wind in seine Richtung blies, konnte Raghi ihre leisen Stimmen, ihr Lachen und die Klänge ihrer Instrumente hören. Eine große Gruppe von Kindern spielte Verstecken zwischen den Vardos. Sie waren nur zu sehen, aber nicht zu hören, obwohl sie viel Spaß zu haben schienen. Außerhalb des Lagers kreisten die Drachenpferde auf der Suche nach Feinden. Das Wintergras unter ihren Hufen erzählte flüsternd Geschichten aus der Kälte.

Raghi hatte noch nie ein Volk getroffen, das sich so perfekt in seine Umgebung einfügte. Die Ghitains schienen im Rhythmus dieser Welt zu atmen.

Der Effekt war beruhigend.

Regentropfen begannen zu fallen, zunächst langsam, dann schneller und größer. Nicht lange, und ein Sturzregen würde alles durchtränken. Chandana schien die Nässe nicht zu stören. Jede feuchte Stelle auf ihrem Kleid verschwand sogleich wieder.

«Ihr wisst beide, dass ich ein Auftragsmörder bin?»

Chandana und Palash nickten.

Raghi seufzte und erzählte die Geschichte, die er lieber vergessen hätte. «Als ich klein war, sahen meine Eltern etwas in mir, das sie nicht mochten, und versuchten mich zu töten. Violet intervenierte. Sie nahm mich unter ihre Fittiche und rettete mir so das Leben. Ein Kind sollte in einem liebevollen Umfeld aufwachsen. Außer Violets Freundlichkeit kannte ich nur Hass, weshalb ich Essen in mich hineinstopfte, bis ich wie eine fette Zecke aussah und keuchte, wenn ich eine Treppe hochsteigen musste.»

Die Augen der Heilerin waren riesig geworden. Sie legte den Deckel auf den Kochtopf, hängte die Schöpfkelle an einen geschickt konstruierten Klapptisch und trat Erde ins Feuer, um es zu löschen. Dann kam sie zu ihm.

Palash drehte sich in seinem Sitz, bis er Raghi, ohne den Kopf zu verrenken, anschauen konnte.

Das Entsetzen und Mitgefühl auf ihren Gesichtern führte dazu, dass er sich noch schlechter fühlte.

«Als ich sieben Jahre alt war, fanden meine Eltern einen Weg mich loszuwerden, indem sie mich dem Meister von Eternas Mördergilde gaben. Wie viel sie ihm dafür bezahlten, dass er mich nahm, werde ich nie erfahren. Ich fragte ihn, aber der Meister lachte nur. Was sich wie ein Neuanfang anhört, egal wie schlimm, war in Wirklichkeit die Hölle. Ich begann meine Ausbildung Jahre später als die anderen, war dick, hässlich und unbeweglich. Eine andere Gruppe von Jungs hätte mich in ihren Boxsack verwandelt und sich grausam über mich lustig gemacht. Aber nicht diese Gruppe. Jahre, vielleicht Jahrzehnte vor meiner Ankunft, hatten die Älteren beschlossen, dass wir zusammenhalten mussten, um unseren Verstand zu bewahren und der Grausamkeit unseres Meisters zumindest ein wenig gegenzusteuern. So halfen und unterstützten sie mich, wann immer sie konnten. Ihre Freundlichkeit schmerzte schlimmer als Peitschenhiebe.»

Raghi schloss die Augen im vergeblichen Versuch, den Schmerz und die Scham der Erinnerungen wegzuatmen. Egal wie viele Jahre vergingen, er würde nie vergessen, wie es sich anfühlte, dieser dumme Junge zu sein, jener totale Verlierer und Idiot, der nicht einmal lesen konnte. Violet hatte versucht, es ihn zu lehren, aber in seiner Wut auf seine Eltern hatte er nie zugehört.

«Die Geister waren eine andere Geschichte. Das verfallene Herrenhaus, in dem wir lebten, war uralt und hatte ein Kolumbarium im Garten.»

«Ein was?», fragte Chandana.

«Eine dieser Mauern mit Nischen in übereinanderliegenden Reihen, um die Urnen von Toten aufzunehmen. Einige davon waren leer, ihr

Inhalt längst zerschlagen. Andere enthielten immer noch Urnen und leider verweilten die Geister jener Toten.»

Mallika, die ungewöhnlich matt wirkte, hatte endlich fertig getrunken. Sie schlief schon halb, während Milch aus ihren Mundwinkeln rann.

Raghi legte die Flasche weg. Er nahm den Lappen, den Chandana ihm anbot, und veränderte seinen Griff, so dass der Kopf des Babys auf seine Schulter zu liegen kam. «Warum kämpft die kleine Kratzbürste nicht?», fragte er besorgt. «Geht es ihr gut?»

Die Heilerin nickte ernst. Ihre schlanken Finger streichelten die Wange des Babys. «Sie fühlt sich sicherer und lässt los. Jetzt holt die Anspannung von allem, was geschah, sie ein. Dieses Kind hat wahrscheinlich in seinem kurzen Leben nie länger als einige Minuten geschlafen.»

Raghi schloss den Umhang um sich und seine kleine Schwester. Die Nacht war kühl. Mallikas Fäuste krallten sich in den Stoff seiner Tunika und entspannten sich wieder, als sie einschlief. Desert Rose wurde der Regen zu stark. Sie knurrte die Tropfen an und verzog sich beleidigt unter den Vardo.

«Warum stellten die Geister im Zunfthaus ein Problem dar, Raghi?», erinnerte ihn Chandana an seine Geschichte.

«Weil sie völlig verrückt waren. Die meisten Geister kümmern sich nicht um die Lebenden und ignorieren sie einfach. Ihre Energie ist melancholisch und ruhig — ähnlich wie ein vom Mondlicht beschienener Teich. Soweit ich weiß, drängen sie sich Menschen auch nie auf. Jene Geister waren jedoch anders. Es gab zwei Jungen von etwa zehn Jahren und ihre Mutter, eine noch schlimmere Hexe als meine. Ich konnte keine Geister sehen, als ich zur Gilde stieß. Dann begannen die seltsamen Vorfälle. Ich wurde von leerer Luft angerempelt, die Treppe hinabgestoßen oder von unsichtbaren Waffen getroffen. Zwei der anderen Jungen griffen ein. Der eine — Ghost Singer — war blind und konnte mit Geistern interagieren, als wären sie lebende Menschen. Und dann gab es noch Emilio, der aus einer liebevollen Familie stammte und immer versuchte, auf uns alle aufzupassen. Beide scheiterten. Die Geister wollten nicht auf sie hören. So schlugen sie vor, dass ich den

Geistern befehlen sollte sich zu zeigen, damit ich mindestens wusste, woher die Angriffe kamen. Ich lehnte ab.»

Raghi schluckte und versuchte die Tränen zu stoppen, mit denen seine Augen überzulaufen drohten. So bemerkte er nicht, dass Chandana sich zur Stelle wandte, wo der Geist saß.

«Palash, liebster Freund, ich befehle dir dich sichtbar zu machen», sprach sie leise.

Raghi sprang vor Schock fast von der Treppe. «Bist du verrückt?», schrie er. «Du wirst den Geist jedes Kranken sehen, der in deiner Obhut stirbt, und jedes …»

Er hielt inne, als er den Ausdruck reinster Freude auf Chandanas Gesicht sah.

«Du bist wirklich hier. Raghi hat nicht gelogen», flüsterte sie und streckte die Hände aus.

Der ältere Ghitain zögerte, nahm dann den halbfesten Zustand an, in dem er die Lebenden berühren konnte, und ergriff ihre Hände. «Ja, ich bin wirklich hier … bis ich alles hinter mir lasse.»

Chandanas Augen glänzten vor Freudentränen. «Was für ein unglaubliches Geschenk, dich noch einmal zu sehen. Danke, Raghi.» Sie wandte den Kopf, um ihn anzusehen.

Ihr Glück stach ihm ins Herz. «Glaub mir, Heilerin, du wirst mich verfluchen, wenn du das erste alte Schlachtfeld überquerst.» Um seine Bitterkeit zu verbergen, schaute er nach Mallika. Trotz all des Lärms schlief das Baby tief und fest.

Chandana zuckte die Schultern. «Es gibt nicht so viele Schlachtfelder in dieser Zeit. Das Risiko nehme ich in Kauf.»

Ein Vorteil hatte die neue Wendung: Sie interessierten sich nicht mehr für ihn und seine Erinnerungen. Raghi wollte sich erheben.

«Was glaubst du, wo du hingehst?», hielt Chandana ihn auf. «Ich will den Rest deiner Geschichte hören.»

Verdammt!

Raghi sank mit einem Seufzen zurück und akzeptierte das Unvermeidliche. «Eines Nachts saß ich auf der Latrine, als sich beide Jungen direkt vor mir manifestierten und wie Todesfeen kreischten. Ich erschreckte mich furchtbar, verlor die Orientierung und fiel mit dem Hintern voran ins Loch zur Jauchegrube. Als gerade noch mein Kopf und meine Unterschenkel herausschauten, blieb ich stecken. So fanden mich die anderen Lehrlinge.»

Chandana versuchte es wirklich. Raghi musste ihr das zugutehalten. Am Ende gewann die Heiterkeit — so wie stets.

Sie lachte nahezu still heraus, wie es die Art der Ghitains war.

Palash benahm sich besser und gluckste nur.

«So lustig ist das nicht», maulte Raghi.

Chandana versuchte ihre Lachsalven zu kontrollieren. Es gelang ihr, während sie noch nach Luft japste. «Da irrst du dich, mein junger Freund.» *Japs.* «Es ist.» *Japs.* «Es ist urkomisch ... und unvorstellbar peinlich. Ich weiß nicht, was ich sagen soll.» *Japs.* «Außer den Sternen zu danken, dass mir so etwas noch nie passiert ist.» *Japs. Keuch. Japs.* Und ihr Lachkrampf ging weiter.

Nach einer Weile beruhigte sie sich. «Kein Wunder, dass du Geister hasst», sagte sie, ihre Stimme wieder gefasst. «Die Peinlichkeit, die sie verursacht haben, war schlimm genug, aber sie scheinen auch einen unausgesprochenen Pakt verletzt zu haben, indem sie dich zwangen sie zu sehen.»

«Ja, und sobald du einen Geist gesehen hast, siehst du alle und kannst das nie mehr rückgängig machen.»

Seltsamerweise schockte sie das nicht. Konnte es sein, dass sie ihre übereilte Entscheidung nicht bereute?

Palash runzelte die Stirn. «Haben sie dich danach weiter gequält?»

«Nein. Sie schienen zufrieden mit dem, was sie mir angetan hatten.» Raghi hasste die Trostlosigkeit in seiner Stimme.

Chandana legte sanft die Hand auf seine Schulter. «Lass uns reingehen, bevor der Regen noch schlimmer wird, und essen. Ich gab Violet einen Schlaftrank. Sie wird nicht aufwachen. Und dann werde ich dir Naveens traurige Geschichte erzählen.»

7

Palash trug den Kochtopf hinein und stellte ihn auf den winzigen Ofen, der in eine mit Metall ausgekleidete Nische zwischen den Regalen gezwängt war. Für einen so unerfahrenen Geist war es eine beeindruckende Konzentrationsleistung. Selbst alte Gespenster konnten ihre Kraft meist nur für einen kurzen Moment bündeln.

Raghi setzte sich hin.

An den Wänden befestigte Lampen tauchten das Innere des Vardos in sanftes Licht. Sie enthielten das gleiche ungewöhnliche Feuer wie die äußeren, aber die Flammen waren viel gedämpfter.

Chandana schüttelte den Kopf. Ihr Haar schien sofort zu trocknen.

Raghi blinzelte und fragte sich, ob er sich Dinge einbildete.

Die Heilerin zog die Tischplatte aus ihrem Versteck unter der Matratze und klappte das Bein hinunter. «Wenn du willst, kannst du die Kleine in ihren Korb neben Violets Füßen legen. Ich bin sicher, keiner von beiden wird aufwachen.»

Raghi hatte das Baby vergessen, obwohl seine Arme ihren winzigen Körper sicher hielten. Er hob den Stoff des Umhangs an und sah, dass sie schlief. «Mallika kann bleiben, wo sie ist, bis ich gehe.»

Die Heilerin servierte Linseneintopf und Gewürztee. Dann setzte sie sich auf die gegenüberliegende Bank neben Palash, wodurch sich ihre

Schultern berührten. «Iss, Raghi. Selbst wenn du als Junge fett warst, bist du jetzt viel zu dünn.»

Raghi hätte es vorgezogen zu fasten, aber er gehorchte, die unvermeidliche Diskussion leid. «Warum seid ihr beide euch so nah?», fragte er zwischen zwei Löffeln des köstlichen Eintopfes.

Chandana sandte dem Geist einen fragenden Blick. Palash nickte.

«Außerhalb der Königsfamilie ist diese Tatsache kaum bekannt, also behalte das bitte für dich. Die offizielle Version ist, dass Palash mich im Wald ausgesetzt fand und adoptierte. In Wahrheit ist Palash mein leiblicher Vater.»

Raghi musterte ihre Gesichter. Die Ähnlichkeit zwischen ihnen war nicht offensichtlich, aber sie hatten die gleichen hellen und durchdringenden Augen. Ob Palashs so blau waren wie Chandanas, konnte er nicht sagen, denn Geister zeigten sich als weißliche Umrisse.

Er erkannte etwas anderes. «Du hast diesen Vardo erschaffen, Palash. Deshalb fühlt er sich so wunderbar, wenn auch beengt, an.»

«Das habe ich. Und ich habe all meine Fähigkeiten eingesetzt, um den nötigen Stauraum für Chandanas Beruf zu schaffen. Leider ging das Wissen über magische Innenräume, wie du sie im Tiervardo erleben kannst, verloren. Für eine Heilerin wäre so etwas sehr nützlich gewesen.»

So viele neue Erkenntnisse — darunter die Tatsache, dass Palash nicht so schweigsam war, wie Raghi gedacht hatte. Er erinnerte sich an etwas.

«Als du Naveen deinen Vardo schenktest, sagtest du, dass er ein Hochzeitsgeschenk werden sollte. Ist dem Mädchen etwas passiert?»

Wenn er nur seine Tirade über Liebe und Achtsamkeit zurücknehmen könnte!

Chandana seufzte. «Ja und nein. Sie ist nicht gestorben, falls du das zu hören erwartest. Aber sie hatte einen schweren Unfall, der alles zerstörte. Mein Cousin Naveen, der vor Kurzem neunzehn Jahre alt wurde, war bei seinen Entscheidungen schon immer aufrichtig und konsequent. Als er ein kleiner Junge war, verliebte er sich in die Prinzessin eines anderen Clans. Zu dieser Zeit lebte Kaea noch bei ihrem ersten Mann, der sie und den Jungen schlug. Sie waren bettelarm. Alles, was sie mit dem Verkauf von Blumen verdiente, trank er weg. Als sie ihre Einnahmen vor ihm versteckte und damit die Mittel für ein gewinnbringenderes Gewerbe erwarb, stahl und versetzte er diese — sogar einen winzigen Webstuhl und Seidenfäden, die sie kaufte, um Bänder zu weben.»

Chandana schob ihr Essen mit dem Löffel herum. Ihre Miene war finster und brütend.

«Du bist älter als Naveen?», nutzte Raghi die Stille für seine Frage.

«Ja, sechs Jahre. Alt genug, um die meisten Vorfälle zu beobachten und zu verstehen. Meine Tante und ihr Junge hatten kein Zuhause, schliefen unter jedem Vardo, der an einem trockenen oder ebenen Ort stand. Andere Ghitains versuchten ihnen zu helfen. Sie fanden einen Vardo und Pferde, die so heruntergekommen waren, dass es dem Säufer nicht gelang, sie zu verkaufen. Schließlich starb das Arschloch.» Chandanas Stimme tropfte vor grimmiger Zufriedenheit.

«Wie?», fragte Raghi.

«Er war zu betrunken, um eines Nachts den Weg nach Hause zu finden, und erfror», knurrte Palash.

Raghi erwiderte den durchdringenden Blick des Geistes und erkannte, dass er sich bei diesem Thema dumm stellen musste. «Das ist gut. Schön zu sehen, dass das Schicksal einen Sinn für Gerechtigkeit hat.»

Chandana schnaubte. «Danach verbesserten sich die Lebensumstände meiner Tante und meines Cousins. Beide sind fleißige Arbeiter und wunderbare Menschen. Kaea baute mit ihren Seidenbändern und Schals ein erfolgreiches Geschäft auf, und Naveen bewies ein Händchen für das Sammeln magischer Tiere. Das ist zwar ein althergebrachtes Ghitainhandwerk, aber seit Jahrhunderten hatte es niemand mehr ausgeübt. Er musste sich durch Ausprobieren alles selbst beibringen — und schaffte es. Alle Tiere wie auch dieser merkwürdige Vardo kamen zu ihm. Dank seiner verbesserten sozialen Stellung konnte er um das Mädchen werben, das er liebte.»

Chandana hielt in ihrer Erzählung inne, um ein paar Löffel zu essen.

Raghis Schale war bereits leer, und er schob sie weg. «Danke für den köstlichen Eintopf. Du bist eine ebenso gute Köchin wie Heilerin», sagte er.

Sein ehrliches Lob brachte ihm ein kurzes Lächeln ein, bevor

Chandana um Palash herum zu der Kranken in ihrem Bett schaute. Violet schlief, ihre Atmung regelmäßig.

«Sind Ghitains klassenbewusst?», fragte Raghi, als auch Chandana mit dem Essen fertig war.

«Wie bei vielen anderen Aspekten unserer Kultur lautet die Antwort ja und nein.»

Raghi stöhnte verärgert. «Du machst Witze, oder?»

«Ja und nein.» Sie schenkte ihm ein breites Lächeln. «Es gibt ein Sprichwort, Raghi. Stelle drei Fremden die gleiche Frage und erhalte drei verschiedene Antworten. Stell einem Ghitain dreimal die gleiche Frage, und du bekommst auch drei verschiedene Antworten.»

Amüsiert erwiderte Raghi ihr Lächeln. «Das klingt gut. Kein Wunder, dass ich euch mag.»

«Ich fürchte, das Ganze ist nicht so einfach», beendete Palash ihren Moment der Leichtigkeit. «Unsere Gemeinschaft gründet auf Nuancen, viele von ihnen unausgesprochen. Als Bettler war es Naveen nicht verboten, einer Prinzessin den Hof zu machen, aber es war auch nicht akzeptabel. Selbst nun, da er reich ist, bleibt ein Schatten seiner früheren Armut haften, und einige Ghitains werden ihn nie als ihren Anführer akzeptieren.»

«Und ich hielt Eterna immer für ein Drecksloch.» Raghi schüttelte den Kopf. «Wenigstens kann dort ein armer Mann durch harte Arbeit sein Los verbessern und wird dafür bewundert, nicht verachtet. Was ist mit dieser Sippe? Hat Naveen hier Feinde?»

Palash zögerte, dann seufzte er. «Wahrscheinlich. Genau wie meine Schwester die Königin. Der Vater von Ahriman — Naveens bestem Freund — verließ den Clan nach einer üblen Auseinandersetzung. Er wollte lieber verdammt sein, als einer Frau zu gehorchen, die einst im Dreck unter den Vardos von Fremden schlief. Glücklicherweise scheint sein Sohn vernünftig. Er blieb entgegen den Befehlen seines Vaters bei uns.»

Raghi ging durch seine Beobachtungen des Lagers. Selbst wenn sein Verstand anderweitig beschäftigt war, überprüften seine Sinne die Umgebung laufend auf Gefahr. Lehrlinge, die nicht dazu in der Lage waren, starben vorzeitig.

«Seit meiner Ankunft habe ich drei junge Männer dabei erwischt, wie sie mich anstarrten. Alle anderen Ghitains ignorierten mich, wie es eure Bräuche vorzuschreiben scheinen. Waren das Naveens Freunde? Da war ein langer, dünner mit braunen Haaren und dunkler Haut, der sich um die Herde kümmerte. Ich nannte ihn Stange, weil er einem wandelnden Schößling ähnelt.»

Chandana schnaubte, amüsiert über seine Beschreibung. «Das wäre dann Shaiv. Seine Familie sind unsere Pferdezüchter. Er erzieht die Fohlen zu gehorsamen, entgegenkommenden Pferden. Wer noch?»

«Ein anderer glich Naveen stark, wirkte aber grobschlächtiger. Er arbeitete an verschiedenen Vardos und ging mit seinem Werkzeug von einem zum anderen. Da er verbittert wirkte, nannte ich ihn Griesgram.»

Chandana seufzte. «Das ist Ahriman. Als unser Wagenbauer hält er unsere Vardos instand und repariert sie. Er war nicht immer so. Ich erinnere mich an ihn als unbeschwerten Jungen, der Naveen sehr nahe stand. Als er fünfzehn Jahre alt war, brach sein Vater mit unserer Königin. Ahriman weigerte sich mit ihm zu gehen und blieb bei unserem Clan, obwohl sein Vater ihm alles wegnahm — seine wenigen Besitztümer, Werkzeuge, sogar die Kleidung. Der Jungen stand nackt im tobenden Schneesturm. Er blutete aus Peitschenhieben, die ihm sein Vater versetzt hatte, bevor wir ihn aufhalten konnten, trotzdem beugte er sich dem Willen des Bastards nicht. Solche Situationen machen mich immer unvorstellbar traurig und erinnern mich daran, welches Glück ich hatte.» Sie griff nach Palashs geisterhafter Hand. Er drehte die Handfläche nach oben und verwob seine Finger mit ihren.

«Wer sonst zeigte unangemessene Neugier?», fragte Palash.

«Ein Speckball, den ich Specki nannte. Er ähnelt einem fetten Baby und benimmt sich wie ein Schwachkopf. Bei einer Gelegenheit fütterte ich Mallika, während er mit einem Bündel Stoff vorbeikam. Er blieb mitten im Schritt stehen, und sein Mund fiel auf, während er uns anstarrte.»

«Und das ist in der Tat der dritte von Naveens Freunden — Charu. Er gehört zur Familie der Schneider und ist so dumm, wie du denkst. Wir gehen davon aus, dass er ein großes Herz besitzt — was gut ist. Naveen braucht alle Freunde, die er kriegen kann.» Chandanas Worte enthielten eine klare Warnung.

Raghi nickte, um zu zeigen, dass er ihre Sorgen respektierte. «Also hat Naveen Feinde, aber auch gute Freunde. Wie entwickelte sich seine Brautwerbung?»

«Alles schien reibungslos zu laufen», antwortete Palash. «Der König des anderen Clans ist ein fairer Mann, der meine Schwester respektiert. Er sagt, dass wahre Weisheit nur entstehen kann, wenn man die helle und dunkle Seite des Lebens kennt. Er war auch mein Freund, was Naveens Sache förderte. Aber als unsere Sippen die Verlobung feierten, ereignete sich dieser schreckliche Unfall, und kurze Zeit später starb ich.»

Raghi spürte die erste Ahnung von Unbehagen. Er wusste aus Erfahrung, dass sich hinter «Pech» oft Manipulation verbarg und die Menschen einfach zu dumm waren, um die beteiligten Kräfte zu identifizieren.

«Wie ist die Verlobte zu Schaden gekommen?», fragte Raghi, unsicher, ob er mehr wissen wolle.

Chandana seufzte. «Vor etwa einem Monat trafen wir uns mit dem anderen Clan, um Naveens Verlobung zu feiern. Es war ein typisches Spätwinterfest, bei dem alle auf Kissen und Teppichen um ein Freudenfeuer saßen. Nicht lange nach Beginn der Feierlichkeiten explodierte ein großer Ast im Feuer aufs heftigste. Naveen erlitt Schnittwunden an seiner Schulter, schmerzhaft, aber nicht lebensbedrohlich. Ausgehend von dem, was ich während der anschließenden Aufregung beobachtete, trafen Splitter Prinzessin Anjali im Gesicht. Ich kann es nicht mit Sicherheit sagen, da das dumme Mädchen jede Untersuchung ablehnte — was unverantwortlich ist. Gesichtswunden erfordern sorgfältige Pflege und Überwachung. Unbehandelt können sie zu einem grausamen Tod führen. Sie lässt nicht einmal Naveen in ihre Gegenwart und behauptet, dass sie hässlich sei und ihn nicht verdiene.» Chandanas Stimme war hart geworden, und ihre Augen blitzten.

Raghi überdachte ihre Worte. Glaubte sie, was sie ihm da erzählte? «Und Naveens Reaktion?»

Chandana zuckte die Schultern. «Er weiß nicht, was er fühlen und denken soll. Sie gab ihm nie die Möglichkeit die neue Situation zu beurteilen. Stört es ihn, dass sie nicht mehr so schön ist wie früher? Woher soll er das wissen? Sie erlaubte ihm nicht einmal sie anzusehen. Er versuchte es zehn Tage lang. Dann mussten wir schweren Herzens weiterreisen, weil unsere Bräuche uns nicht erlauben, auf unbestimmte Zeit zu lagern. Vier Tage später kamen wir in einer Stadt an und hielten unseren üblichen Jahrmarkt. Am nächsten Morgen fanden wir meinen Vater tot auf.»

«Wie bist du gestorben?», sprach Raghi Palash an.

Der Geist zögerte. Er schaute zu seiner Tochter. «Ich wusste immer schon, wie man das Leben genießt, und weigerte mich zu akzeptieren, dass ich nicht jünger wurde. So scheint es passend, dass ich nach einer vergnüglichen Nacht einen Herzinfarkt erlitt. Es war ein schneller und barmherziger Tod.»

Chandana atmete sanft aus. Eine einzige Träne strömte aus ihrem Augenwinkel.

«Es tut mir leid, meine Tochter», entschuldigte sich Palash. «Gleichzeitig stehe ich zu meiner Überzeugung, dass ein Leben nach seiner Intensität beurteilt werden sollte, nicht nach seiner Länge. Ich hatte es gut.»

Raghis Nacken kribbelte. Die Gefühle waren echt, aber er spürte, dass der Geist ihnen gerade eine Lüge erzählt hatte. Wenn der Mann sein Leben für abgeschlossen hielt, weshalb war er dann noch hier, statt in die Ewigkeit zu gehen?

Sein kritisches Starren trug ihm einen warnenden Blick von Palash ein. Chandana in ihrer Trauer entging der stumme Austausch.

Raghi erkannte, dass dies der Moment war, um davonzulaufen. Schon auf den Treppen hatte er eine erste Ahnung von Zweifeln gespürt. Als sie ihn im Lager der Ghitains ausspuckten, hatte er seinen Unglauben verdrängt, weil er die Hilfe der Fahrenden brauchte, um sich um Violet und Mallika zu kümmern.

Aber auch was folgte passte einfach zu gut. Der Vardo, der nur auf Naveen wartete … die Bitte der Königin, die Aura des Lagers zu beobachten …

Raghi knirschte mit den Zähnen. Wut brannte in seinem Magen wie Säure. Faya hatte ihn angelogen. Sie hatte ihn glauben lassen, dass er durch die Flucht über die Treppen der Ewigkeit das Leben seiner Nana retten konnte — ohne Bedingungen. Aber das roch nach einer Aufgabe, die er lösen musste. Wahrscheinlich hatten jene Bastarde, die Faya die «Wächter der Treppen» nannte, die Hand im Spiel.

Die intrigante Schlampe hatte ihm erzählt, wie die Wächter seinen Freund Emilio reingelegt hatten, um ihn bei seiner Ehre und Integrität zu packen.

Da Raghi keine dieser Eigenschaften besaß, hatten sie ... Was? Seine Dummheit ausgenutzt? Seinen Widerspruchsgeist? Seine bedingungslose Liebe zu dem einzigen Menschen, der ihm in seiner Kindheit Güte erwiesen hatte?

«Raghi, dein Gesicht ist rot und wieder blass geworden. Was ist los mit dir?», hörte er eine besorgte Stimme.

Der rote Nebel, der seine Sicht trübte, löste sich auf. Er sah die beiden Ghitains — die schöne Heilerin und ihren nicht minder beeindruckenden Vater —, die ihn mit großer Sorge beobachteten. Sie gaben ein perfektes Bild des Glücks ab, nicht einmal durch den Tod getrennt.

«Raghi?», flüsterte Chandana und streckte ihre Hand aus, um die Klauen zu berühren, zu denen seine Finger sich gekrümmt hatten.

Er wollte sie wegreißen, konnte es aber nicht. Er versuchte zu sprechen, aber nur ein fürchterliches Keuchen kam aus seiner Kehle.

Der Anfall traf ihn mit voller Wucht.

Zuerst hörte er ein lautes Prasseln. Dann war ihm kalt und warm zugleich. Kühle, feuchte Luft füllte seine Lungen. Gierig sog er einen rasselnden Atemzug nach dem anderen ein.

Wessen Schulter war das? Und warum fühlte sich die Umarmung so seltsam an?

«Palash, bitte sag mir, dass du mich nicht hältst», stöhnte Raghi.

Die Brust, die seinen Arm berührte, zitterte vor stillem Lachen. «Tue ich nicht», hörte er die unnatürliche Stimme des Geistes.

«Geh weg!» Raghi versuchte sich hochzustemmen und scheiterte kläglich.

Sanfte Hände packten seine. «Sei leise, Raghi, und mach bitte keinen Aufstand», flüsterte Chandana. «Violet wachte während deines Erstickungsanfalls auf. Ich konnte sie fast nicht beruhigen. Desert Rose ist ebenfalls außer sich. Als wir dich hierher brachten, versuchte sie dich von uns wegzuziehen.»

Mit unendlicher Geduld rieb die Heilerin etwas Wärme zurück in seine eiskalten Finger. Ein zärtlicher Feuerstoß traf Raghi, gleich darauf ein zweiter, längerer.

Mühevoll öffnete er die Augen. Sie befanden sich im Freien. Palash saß im Schneidersitz auf der kleinen Plattform vor dem Eingang des Vardos, wo das vorstehende Dach sie vor dem starken Regen schützte. Chandana kniete neben ihm. Sie hatten die Schnüre geöffnet, die seine Tunika über seiner Brust schlossen. Ein eiskalter, nasser Lappen lag auf seiner Haut. Der Umhang bedeckte den Rest von Raghis Körper und hielt ihn warm.

Rose schaute auf sie herab, die Klauen ihrer Vorderbeine um den Rand der Plattform gekrallt. Wenn sie so stand, war sie riesig. Ihre Drachenschnauze stupste gegen seine Wange.

Unbehagen ließ ihn zittern. Etwas stimmte nicht.

Mallika war weg.

Er versuchte sich aufzusetzen, konnte aber seine Kraft nicht finden. «Das Baby ...»

«... drehte fast so sehr durch wie Violet. Sie schläft endlich in ihrem Korb.»

Er erinnerte sich an nichts. «Wie lange war ich bewusstlos?»

«Etwa eine Stunde. Was haben wir getan, Raghi? War es das Essen? Oder etwas, das wir gesagt haben?», fragte Chandana sehr besorgt.

«Nichts davon, aber verrat mir etwas: Hat deine Familie die Treppen der Ewigkeit um Hilfe ersucht?»

Na los! Gebt mir die hässliche Wahrheit!

Ihre erste Antwort bestand aus Schweigen. Vater und Tochter sahen sich verwirrt an.

«Wir verstehen die einzelnen Wörter, aber nicht die Frage», sagte Palash. «Mit den Treppen kann man nicht sprechen. Demzufolge hat unsere Familie sie nie um etwas gebeten.»

Damit gab Raghi sich nicht zufrieden. «Würdest du es wissen, wenn jemand sie um Hilfe ersucht?»

«Wenn diese Person zu unserer Familie gehört, ja. Aber wie gesagt: Man kann mit den Treppen nicht sprechen oder sie ‹um Hilfe ersuchen›, wie du es nanntest.»

Raghi war zu erschöpft, um die Angelegenheit weiter zu verfolgen.

Einige Kämpfe verschob man am besten auf den nächsten Tag ... oder bis zum Ende der Zeit. Aber es gab noch eine zweite Frage, die er stellen musste. «Hast du während des Anfalls etwas Seltsames bemerkt?»

Das trug ihm lange fragende Blicke von Vater und Tochter ein.

«Was auch immer der Grund für diese Frage sein mag: Nein, habe ich nicht. Und auch mein Vater nicht. Wie sollte das möglich sein? Wir haben uns auf dich konzentriert.» Chandana klang kalt, als hätte er ihre Fähigkeiten als Heilerin in Frage gestellt.

Nichts war weiter von der Wahrheit entfernt. Raghi, der noch nie ohnmächtig geworden war oder einen Gedächtnisverlust erlitten hatte, wusste, dass sein Anfall schlimm gewesen war. Chandana und ihr Vater hatten ihm das Leben gerettet.

Wie kam es dann, dass sie nicht bemerkt hatten, wie sich das Ding von seinem Rücken löste? Es kauerte unter dem vor ihnen stehenden Vardo des äußeren Kreises. Seine Höllenfeueraugen fixierten Raghi und waren in der Dunkelheit nicht zu übersehen.

Er musste etwas tun, bevor die Ghitains seine Anwesenheit bemerkten. «Bitte lasst mich los. Ich muss mich irgendwo verstecken, um zu schlafen und meine Kräfte wiederzuerlangen.»

Chandana schnaubte. «In deinen Träumen! Du wirst in meinem Vardo schlafen, wo ich dich im Auge behalten kann. Morgen kannst du all das tun, was dein seltsames Gehirn dir vorschlägt.»

8

Chandana gab Raghi den Bettschrank unter dem Bettpodest — wo sie schlief, seit Violet bei ihr wohnte. Raghi versuchte abzulehnen, aber sie wollte nichts davon hören und behauptete, dass sie sich genauso bequem neben seiner Nana ausruhen konnte.

Raghi gab nach. Er war zu schwach, um zu kämpfen, und erlaubte der Heilerin ihn zuzudecken.

Mit einem Seufzen sah er sich um. Wie in Naveens Vardo war der Schrank wunderschön gearbeitet und mit einer bequemen Matratze, Decken und Kissen ausgestattet. Weiches Licht drang durch den Spalt zwischen den fast geschlossenen Türen, da Chandana auf seinen Wunsch hin ein Licht brennen ließ.

Die Matratze über ihm raschelte, als die Heilerin über Violet kletterte und sich hinlegte.

Etwa eine Stunde verging. Chandanas Atemzüge wurden tief und regelmäßig.

Raghi gelang es nicht zu schlafen. Seine Kehle und Lunge schmerzten vom Anfall, und der herbe Duft der Kräuter erschwerte ihm das Atmen.

Er lauschte mit allen Sinnen. Als er sicher war, dass sowohl die Frauen als auch das Baby tief und fest schliefen, kroch er aus dem Schrank und stand auf.

Palash auf seiner Bank sah ihn an. Der Geist schien Wache zu halten.

«Ich kann hier drin nicht atmen», flüsterte Raghi. «Ich gehe zurück zu Naveen.»

Er fand sich im Fokus eines prüfenden Blicks. «Gib mir dein Versprechen. Zu allem.»

So viele Facetten einer Bitte. Raghi seufzte. «Ich verspreche, dein Geheimnis zu bewahren. Ich laufe nicht weg. Und ich werde nett zu Naveen sein.»

Palash nickte. «Ich werde alles zu einem späteren Zeitpunkt erklären. Sei vorsichtig, Junge, und erachte dich als umarmt.»

Raghi winkte und verließ den Vardo auf unsicheren Beinen. Desert Rose wartete auf ihn am Fuß der Treppe. Der immer noch starke Regen hatte sie völlig durchnässt, und ihr Löwenkörper zuckte vor Aufregung. Seine Anfälle machten ihr immer Angst. Befand er sich an einem sicheren Ort, versteckte sie sich, bis er sich erholt hatte.

Ihr Adlerkopf betrachtete ihn, während ihr Drachenkopf ihn abwechselnd mit zärtlichem Feuer eindeckte und an seinem Gesicht schnüffelte.

«Es tut mir leid, Rose.» Raghi nahm ihre schuppigen Wangen zwischen die Hände und küsste ihre Schnauze, die Wärme der Flammen genießend. «Ich wünschte, ich wäre ein besserer Mensch — der Freund, den du verdienst.»

Sie knurrte.

«Schimpf nicht mit mir, während du nässer als eine ersäufte Ratte vor mir stehst. Das funktioniert nicht. Ich habe dir große Sorgen verursacht, und es tut mir leid.»

Bevor er zu Naveen gehen konnte, musste er noch eine Sache erledigen. «Wo ist es, Rose?»

Sie senkte den Drachenkopf, um unter Chandanas Vardo zu schauen. Verstohlen tauchte das Ding auf, die brennenden Augen auf Raghi gerichtet. Er wartete. Er wünschte, er könnte es fortschicken, aber er hatte seine Raserei und die Gräueltaten, zu denen es fähig war, gesehen. Auf keinen Fall durfte es das Lager dieses freundlichen Clans durchstreifen.

Und aus irgendeinem Grund kam es immer zu ihm zurück, egal, was er tat.

Es schlich näher, seine Schritte widerstrebend. Als es mit seinem Körper verschmolz, schien Gift durch seine Adern zu rasen. Das Gefühl war schlimmer als je zuvor. Kein Wunder. Sie waren stundenlang getrennt gewesen.

Der Schmerz ließ Raghi taumeln.

Desert Rose befreite sich aus seinem Griff, bot ihm ihren Drachenhals als Stütze an und legte einen Flügel schützend um seine Schultern. So führte sie ihn zu Naveens Vardo.

Raghi war dankbar für ihre Hilfe. Er schlurfte wie ein Hundertjähriger.

Jenseits der Wagenburg hörte er die Drachenpferde kreisen, ihre Hufschläge nahezu lautlos.

Sie erreichten die Stufen des gelben Vardos.

Er wandte sich der Chimäre zu. «Sei vorsichtig, Mädchen, und lass dich von den Drachenpferden leiten. Sie kennen dieses Land und seine Gefahren. Ich weiß nicht, was ich ohne dich machen würde.»

Raghi hätte sich selbst treten können. Sie war das Wichtigste in seinem Leben. Sag ihr einfach, dass du sie liebst, Idiot!

Er schloss die Augen und nahm die Eindrücke der Nacht in sich auf. Alles fühlte sich friedlich an, bis auf den Schmerz, den Kaea gespürt hatte. Er schien weniger akut als zuvor.

Die größte Bedrohung für Desert Roses Leben ist weg. Der Meister kann sie nicht mehr erreichen, wenn er mich bestrafen will.

Immense Erleichterung folgte auf diese Erkenntnis.

Er erkannte noch etwas anderes. Es war möglich — sogar wahrscheinlich —, dass Faya ihn irgendwie belogen hatte, als sie ihn die Treppen hinab sandte. Aber damit hatte sie ihn auch befreit.

Das war ein neuer Ort. Ein Neuanfang. Er wusste nichts über die Gefahren und Herausforderungen, die auf ihn warteten. Aber er hatte Fähigkeiten … und Rose. Gemeinsam konnten sie mit allem fertigwerden.

«Ich liebe dich, Mädchen», flüsterte Raghi und streckte die Hände aus, um ihre beiden Hälse zu streicheln. Seine linke Hand fand weiche Federn, seine rechte elastische Schuppen. «Vergiss das nie, versprochen?»

Diesmal blies ihn ihr zärtliches Feuer fast von den Füßen.

«Ich weiß, dass du mich liebst. Ich habe es immer gewusst. Ich hoffe, das hast du auch. Jetzt versteck dich, damit dein Fell trocknen kann.»

Er wartete, bis sie unter den Vardo geschlüpft war, ging dann die Treppe hoch und öffnete die Tür.

Naveen hatte ein Licht brennen lassen. Sein Glanz schien die Schnitzereien und Malereien zum Leben zu erwecken. Raghi fühlte sich, als würde er nach Hause kommen.

Er trat zum Bett, um nach Naveen zu sehen. Selbst im schummrigen Licht wirkte das Gesicht seines Freundes angespannt und seine geschlossenen Augen geschwollen. Er hielt ein Kissen in seinen Armen.

Raghi wünschte sich, er könnte etwas tun. Es schien nicht fair, dass Naveen ihm so viel gab — Unterkunft, Essen und Freundschaft —, ohne etwas dafür zurückzuerhalten.

Ein Wimmern erregte seine Aufmerksamkeit.

Sein Blick fiel auf die Stinkdrachen, die vor dem Ofen einen dichten Knoten bildeten. Der zweite leise Laut war eindeutig. Eines der kleinen Tiere litt Schmerzen.

Raghi vergaß seine eigene Schwäche. Er ging zu ihnen und kniete nieder.

Sechs winzige Köpfe hoben sich, um ihn anzuschauen. Der siebte blieb unten, die Äugelein geschlossen.

Raghi schob seine Hand zwischen die ineinander verflochtenen Körper und löste das kranke Tier von den anderen. Stinkdrachen schienen nie hübsch zu sein, aber dieses Exemplar wirkte besonders verdreht, ja gar verbeult. Seine Atmung war flach und schnell.

Raghi beschloss, nach all seinen Fehlern eine Sache richtig zu machen. Er streifte seine durchnässten Kleider ab und hängte sie von den Haken über dem Ofen, wo die Wärme sie bis zum Morgen trocknen würde. Dann nahm er den kranken Drachen mit in den Bettschrank. Er bettete ihn auf ein Kissen, während er sein Nachthemd überstreifte und sich auf dem Rücken ausstreckte. Vorsichtig legte er sich das Tier auf die Brust und zog die Decke über sie beide.

Raghi schlief sogleich ein.

Der Albtraum begann in absoluter Dunkelheit. Raghi versuchte einzuatmen und scheiterte. Jemand hatte ihn in eine luftdichte Truhe eingesperrt, wie es sein Vater gerne getan hatte. Atemzug für Atemzug würde er die Luft vergiften, in Wahnvorstellungen verfallen und das Bewusstsein verlieren.

Beim ersten Mal war er bloß ein kleiner Junge und durchgedreht, als er erkannte, dass er sterben würde. Beim zweiten Mal konnte er es kaum erwarten, in den Nebeln in seinem Geist zu ertrinken, dankbar für die Möglichkeit, alles hinter sich zu lassen. Vom dritten Mal an wollte er nur noch, dass die Bestrafung endete. Sein Vater, dieser Bastard, wusste genau, wann er die Truhe wieder öffnen und seinen verhassten Sohn zurückholen musste — in den Albtraum, zu dem er sein Leben gemacht hatte.

Raghi versuchte mit den Fäusten gegen die Holzwände zu schlagen — und scheiterte.

Weil es keine Truhe gab.

Die Erkenntnis ermöglichte ihm wieder zu atmen. Er tastete in der Dunkelheit herum und suchte nach einem Hinweis, wo er sich befand.

Nichts.

Er machte einen vorsichtigen Schritt. Etwas knirschte unter seinen Füßen. Gefrorener Schnee. Als Inselbewohner des Eismeeres hätte er dieses Geräusch überall erkannt.

Raghi hockte sich hin und fühlte um sich herum. Wie erwartet, bedeckte eine dicke Schicht von Eiskristallen den Boden. Darunter trafen seine Finger auf spröde Erde und scharfe Steine, wie sie ebenfalls für die nördlichen Inseln typisch waren.

Er konnte nicht zu Hause sein. Mördern war die Rückkehr in ihre Herkunftsländer verboten. Sogar benachbarte Königreiche waren verbotenes Territorium, weil jemand die Königskinder von nebenan erkennen könnte.

Also, wo war er?

Er lauschte. Der Wind pfiff durch die Kronen der Bäume und schlug nackte Äste wie Trommelstöcke gegeneinander. Der Klang erinnerte Raghi immer an Knochen, die über Kopfsteinpflaster klapperten.

Obwohl er den Wind hören konnte, spürte er ihn nicht auf seinem Gesicht, und seine Kleidung bewegte sich nicht. Er schien in einer

Senke neben einem Teich zu stehen. Nun, da Konzentration über seine Panik gesiegt hatte, hörte und roch er das sprudelnde Quellwasser.

Und da war noch ein weiteres Geräusch.

Jemand weinte. Ein Mädchen.

Sie klang erschöpft und elend.

Raghi gab es nur ungern zu, aber sein Herz fühlte mit den Hilflosen. Selbst in Eterna, der gefährlichsten Stadt des Kontinents, wo Schönheit dem Tod als Versteck diente, hätte er sich dem Sog dieser Laute nicht entziehen können.

Er bewegte seinen Kopf, um die Herkunft des Klangs zu lokalisieren. Irgendwo links von ihm.

Er machte einen vorsichtigen Schritt, dann einen weiteren.

Das Weinen hörte auf. Verdammt!

«Mädchen? Kann ich dir helfen? Mein Name ist Raghi.»

Stille. Verglichen mit den Hintergrundgeräuschen von Wind und Wasser, kam sie ihm unsäglich laut vor.

Ich wünschte, ich könnte das Mädchen sehen, um ihr zu helfen.

Unerwartet verschwand die Dunkelheit. Dichter weißer Nebel trat an ihre Stelle. Die Sichtweite blieb bei Null.

Ich wünschte, dieser Nebel …

Etwas zog an ihm wie ein Haken, der in seinem Rücken steckte. Der Traum verblasste.

WAS WAR das für ein köstlicher Geruch? Pfannkuchen? Und etwas Süßes. Honig?

Raghi öffnete die Augen und entdeckte Naveen, der in der Öffnung des Schranks saß und aß.

«Guten Morgen.» Naveen grinste. Er sah besser aus als gestern Nacht, aber seine Augen wirkten immer noch stumpf und voller Schatten. «Was für eine Art von Dankbarkeit ist das? Kaum schaue ich nicht hin, schläfst du mit einem Mädchen in meinem Vardo. Ich bin schockiert.» Er bot Raghi einen Teller honiggetränkte Pfannkuchen an.

Raghi presste den kleinen Drachen mit einem Arm an seine Brust und setzte sich auf. «Sie war gestern Nacht krank, und ich versuchte ihr zu helfen. Woher weißt du, dass sie ein Mädchen ist?» Er nahm den Teller von Naveen entgegen und stellte ihn auf seinen Schoß.

«Mädchen haben rosafarbene Krallen. Die der Jungs sind schwarz. Hier. Chandana gab mir auch beruhigenden Tee für deinen Hals und deine Brust.»

Raghi nahm den Becher entgegen. Er fühlte sich unbeholfen und beschämt.

«Du scheinst eine schlimme Nacht gehabt zu haben. Es tut mir leid, dass ich nicht für dich da war, als du deinen Anfall hattest.» Naveen legte seine Hand auf die Decke über Raghis Bein.

Jetzt fühlte sich Raghi noch schlechter. «Sie mussten es dir sagen, nicht wahr?»

Naveen verzog das Gesicht. «Auf jeden Fall. So wie sie dir von meinem Liebesleben erzählten. Familien teilen immer alles.» Der junge Ghitain klang bitter.

«Naveen?» Raghi wartete, bis sein Freund ihn ansah. «Es tut mir leid, dass ich dich mit meinen gedankenlosen Worten verletzt habe. Ich wusste nichts von deinem Schmerz. Wenn ich davon gewusst hätte … ich mag ein Trottel sein, aber ich bin kein Arsch — meistens jedenfalls.»

Seine Worte erzeugten ein echtes Lächeln in Naveens Gesicht und Augen. «Du solltest jetzt essen, Raghi. Dieser Honig enthält ein wenig Magie. Du wirst dich danach besser fühlen.»

Raghi nahm die Holzgabel von seinem Teller und gehorchte. Das Schlucken fiel ihm schwer, aber das Essen schmeckte göttlich. Wenn er in der Menge und Geschwindigkeit weitermampfte, wurde er im Handumdrehen wieder kugelrund.

Für eine Weile bestanden die einzigen Geräusche im Vardo aus dem Kratzen von Gabeln gegen Teller und dem Atmen von Menschen und Tieren.

Draußen fühlte sich das Lager anders an als an den Tagen zuvor. Er hörte Hammerschläge, einige trafen auf Metall, andere auf Holz, und die üblichen Geräusche, wenn eine große Gruppe von Menschen geschäftig wurde.

«Was ist los?», fragte Raghi.

«Jeder nutzt den ungeplanten Ruhetag, um zu arbeiten. Abhängig von der Jahreszeit und unserem nächsten Etappenziel, bleiben wir höchstens zwei Tage am gleichen Ort. Da Violet so krank ist, können wir nicht weiterreisen und nutzen den Aufenthalt.»

Raghi verging der Appetit. Selbst wenn er sich nicht unmöglich machte, litten andere unter seiner Anwesenheit.

Der Prinz bemerkte seine Beschämung. «Wenn du nicht aufisst, werde ich es Chandana sagen. Sie machte die Pfannkuchen», drohte er mit einem Grinsen. «Und hör auf, dieses Gesicht zu machen. Du und deine Familie seid keine Last. Jeder profitiert von der Möglichzeit zu arbeiten. Die Dorfbewohner von Aeriels Quellen, unserem nächsten Halt, sind wohlhabend und lieben eine große Auswahl. Je mehr wir zu verkaufen haben, desto besser für alle.»

Das klang nach der Wahrheit. «Und was ist mit der Verzögerung?», fragte Raghi.

«Kein Problem. Wir leben von Tag zu Tag und versuchen, jeden Einzelnen davon mit Sinn und Erinnerungen zu füllen. Nur unsere Vorräte werden knapp, weshalb meine Freunde und ich heute jagen gehen. Du kannst mit uns kommen, wenn du uns mit deinen Fähigkeiten helfen kannst.» Naveen hob fragend eine Augenbraue.

Tiere zu töten war kein Zeitvertreib, den Raghi genoss, aber beugte sich der Notwendigkeit. «Ich kann jagen.»

Naveen nickte. «Dann kommst du mit uns. Meine Freunde werden erleichtert sein. Es fiel ihnen schwer, dich zu ignorieren, wie es sich gehört.»

Raghi rollte die Augen.

«Du hast sie bemerkt», sagte Naveen. «Wie schlimm war es?»

Raghi zuckte die Schultern. «Sollte einer von ihnen Schauspieler werden wollen, würde ich einen anderen Beruf vorschlagen.»

Naveen wurde blass und zischte leise. «Es tut mir leid. Wenn du sie bemerkt hast, dann haben sie sich schlecht benommen.»

Er hätte nichts sagen sollen. Was, wenn die jungen Männer bestraft wurden?

«Vergiss es, Naveen», winkte Raghi ab. «Durch meinen Beruf entgeht mir kaum etwas. Jemand anderes hätte es nicht einmal bemerkt.»

Zwei Lügen in ebenso vielen Sätzen. Nicht schlecht, selbst für ihn. Sie hatten ihn angestarrt. Und Raghi hatte dem Alltag und den Berufen der Ghitains keine Beachtung geschenkt. Das musste er schleunigst ändern, selbst wenn er nur kurze Zeit bei ihnen blieb.

Naveen nahm ihm den leeren Teller ab. «Trink Chandanas Medizin, dann zieh dich an und komm raus. Ich werde mich in der Zwischenzeit um die magischen Tiere kümmern. Sobald ich meine Aufgaben erledigt habe, gehen wir auf die Jagd.»

Der Prinz eilte hinaus, seine Gedanken bereits bei seinen Pflichten.

Raghi gehorchte. Der Trank schmeckte besser als erwartet, wärmend und süß. Er schnupperte daran und erkannte einige der Zutaten — Süßholz, Anis und Kräuter, wahrscheinlich Spitzwegerich. Der Rest war ihm unbekannt.

Sich zu waschen und anzukleiden erwies sich als schwieriger als gedacht, denn der kranke Stinkdrache weigerte sich, zu den anderen gelegt zu werden. Sie krallte sich mit geschlossenen Augen an Raghis Unterarm. Ihre kleinen rosafarbenen Krallen hinterließen Spuren auf seiner Haut.

War sie überhaupt bei Bewusstsein? Unmöglich zu sagen.

Raghi gab den Kampf auf. Während er sich wusch, ließ er sie einfach, wo sie war, und achtete darauf, ihren Griff nicht zu brechen. Als er versehentlich kaltes Wasser auf sie spritzte, reagierte sie nicht. Was, wenn sie so krank war, dass sie starb? Naveen brauchte nicht noch mehr Traurigkeit.

Mit langsamen Bewegungen streifte er seine Tunika über. Dabei fand Raghi heraus, dass die Ärmel weit genug waren, um seinen sehnigen Arm und den verzogenen Körper des Drachen aufzunehmen.

Nachdem er sich angezogen hatte, blieb die Frage, was er mit ihr machen sollte. Ihre Krallen schmerzten, aber er hatte viel Schlimmeres erlitten. Problematisch war, dass er sich nicht frei bewegen konnte und sie wahrscheinlich aus Versehen zerquetschte.

Er schob den Ärmel zurück und streichelte ihre winzigen, einer Hand nicht unähnlichen Klauen. «Wenn ich dir verspreche, dass ich dich um meinen Hals lege und mit meinem Schal festbinde, lässt du dann los?»

Ihr Griff entspannte sich. Er pulte das kleine Tier von seiner Haut.

Versprechen mussten gehalten werden, und er fürchtete um ihr

Leben. So legte er sie sich wie eine Halskette um. Ihr Gewicht war so gering, dass er es nicht einmal spürte.

Zeit, Naveens Freunde zu treffen.

Es war unwahrscheinlich, dass sie auch seine wurden. War das schade? Nein. Er war der Meister im Davonlaufen und würde bald verschwinden — vielleicht in ein paar Tagen, höchstens in ein paar Wochen. Sich von Naveen zu verabschieden würde ihm schon schwer genug fallen.

Raghi trat auf die schmale Plattform hinaus, rutschte fast aus und staunte. In den wenigen Stunden, seit er sich schlafen gelegt hatte, war die Temperatur gesunken und hatte ein Märchenland erschaffen. Eiskristalle bedeckten alle Oberflächen und säumten jeden Grashalm. Jeder Atemzug erzeugte eine weiße Wolke vor Raghis Gesicht. Die Luft roch frisch und sauber.

Desert Rose saß am Fuß der Treppe und wartete auf ihn, ihr goldbrauner Körper weiß überzuckert. Raghi blickte zum bedeckten Himmel hoch und bemerkte die fallenden Schneeflocken. Die Chimäre schien sich nicht an ihnen zu stören, was angesichts ihrer Abneigung gegen Regen überraschend kam.

Raghi ging zu ihr. Sie begrüßte ihn liebevoll, rieb sich an ihm wie eine gigantische Katze und badete ihn mit zärtlichem Feuer.

Die ersten Momente gehörten nur ihr und Raghis Dankbarkeit, dass sie sein Leben teilte. Er streichelte ihre Hälse und Köpfe und genoss ihre Aufmerksamkeit. Sie als verlassenes Jungtier in der Wüste zu finden war das einzig Gute, was ihm je passiert war.

Als sie genug hatte, positionierte er sich neu und beobachtete das Lager. Rose, stets aufmerksam, passte ihre Haltung an, um ihm maximale Deckung zu bieten.

Naveen hatte die Wahrheit gesagt. Dies war ein anderes Lager, als Raghi es bisher erlebt hatte. Konzentration hatte die heitere Atmosphäre der vergangenen Tage abgelöst. Vor fast jedem Vardo brannte ein magisches Feuer, erkennbar an den stillen, hellen Flammen, die kein Holz benötigten. Die Ghitainfamilien hatten sich um die Feuerstellen herum versammelt und stellten Waren her. Einige wenige zogen es vor, unter einer Markise zu sitzen, die sie vor dem tröpfelnden Schnee schützte.

Alle anderen saßen oder standen im Freien und achteten nicht auf das Wetter.

Mit ihren bunten Kleidern ähnelten sie Edelsteinen, die in einem Kronreif aus Weißgold gefasst waren.

Raghi erkannte jedes vertretene Handwerk. Er bemerkte Korbmacher und Glasbläser. Tischler fertigten alles von Instrumenten wie Flöten und Trommeln bis hin zu Gegenständen des täglichen Bedarfs, darunter Kämme, Spielzeug und Wäscheklammern. Mehrere Familien spannen Wolle, Seide und Leinen. Die Fäden bildeten sich zwischen ihren geschickten Fingern mit unglaublicher Geschwindigkeit. Ein junges Ghitainpaar färbte die Garne in großen Bottichen und hängte sie von Trockenregalen, die an ihrem Vardo angebracht waren. Bereits tropften etwa hundert Stränge in allen Farben des Regenbogens in der kalten Spätwinterluft. Wiederum andere strickten, stickten oder webten und verwandelten das fertige Garn so in farbenfrohe Wandteppiche, Stoffe, Schals sowie jedes erdenkliche Kleidungsstück. Die Königin und ihr Mann, Kaea und Baz, befanden sich unter ihnen. Sie saßen hinter schmalen Webstühlen und fertigten schimmernde Seidenbänder. Chandana hatte sich ihnen angeschlossen und war an ihrem kleinen Arbeitstisch damit beschäftigt, Essenzen in kunstvolle kleine Fläschchen zu tropfen und zu Parfüm zu mischen.

Auch Metallarbeiten wurden durchgeführt. Ein Kesselflicker befestigte gerade den Griff an einem kunstvoll verzierten Topf, der einem winzigen Hexenkessel ähnelte. Eine rotblonde Frau vor einem der näheren Vardos fertigte Goldschmuck. Ihr intensives magisches Feuer glühte weiß. Und auf der anderen Seite der Wiese erhitzte der Schmied des Clans einen langen Eisenstreifen in einem ähnlichen, viel größeren Feuer. Einer von Naveens Freunden, Ahriman, stand an seiner Seite und beobachtete ihn bei der Arbeit. Als der Schmied den Metallstreifen aus dem Feuer zog, hämmerten sie ihn gemeinsam auf einem Amboss, ihre Schläge perfekt synchron.

Naveen kam zu Raghi und Rose. «Möchtest du vierhändig gestreichelt werden?», fragte er die Chimäre.

Sie ließ den Adlerkopf bei Raghi und bot dem Prinzen ihren Drachenkopf an. Er legte die Arme darum und kitzelte den stacheligen Kamm entlang ihrer Wirbelsäule.

«Wir haben noch etwas Zeit. Ahriman muss ein Rad mit einem Eisenreifen neu beschlagen, bevor wir gehen können. Für solche Aufgaben braucht er die Hilfe des Schmiedes», erklärte Naveen. «Aber es sollte nicht lange dauern. Beide sind sehr geschickt.»

Das war die Untertreibung des Jahres. Alle Ghitains erfüllten ihre Aufgaben mit eleganter Leichtigkeit und fanden in ihrer Konzentration immer noch die Zeit zu lächeln und Scherze zu teilen. Raghi hätte keinen Moment überlebt, ohne sich zu verbrennen, sich auf die Finger zu hauen oder das zu zerstören, was er zu produzieren versuchte.

Naveen bemerkte seine Betroffenheit. «Vergleiche dich nicht mit anderen, Raghi. Deine Seelenreise gehört dir und nur dir. Du bist perfekt, so wie du bist.»

«Du kannst das problemlos behaupten, aber schaffst du es, dein Leben danach zu gestalten?», fragte Raghi mit einem Hauch von Bitterkeit.

Naveen überlegte und streichelte Desert Rose, die beide Augenpaare geschlossen hatte. «Zum größten Teil. Wenn du aufhörst dich zu vergleichen, kannst du andere mit Bewunderung statt Neid betrachten. Bewunderung gibt dir und den anderen Menschen positive Energie, während Neid wie Gift wirkt. Selbst in meinen schlimmsten Momenten verfiel ich selten dem Neid. Ich machte mich jedoch des Selbstmitleids schuldig.»

Raghi fühlte sich schlecht, weil er Naveens Lächeln vertrieben hatte. «Wir sollten so ernsthafte Diskussionen auf später verschieben», schlug er vor.

Das Lächeln kehrte mit einem Hauch von Traurigkeit zurück. «Ja. Stattdessen könntest du mir sagen, wie du Rose großgezogen hast. Musstest du sie verstecken?»

«Ich glaube nicht, dass ich es unter diesen Umständen geschafft hätte», gab Raghi zu. «Der Meister erlaubte uns Tiere zu halten, weil er so mehr Kontrolle über uns hatte. Wenn du dich daneben benahmst, hatte er etwas, um es dir wegzunehmen und zu töten. Aber das war nicht der einzige Grund. Je nach deinem Stil brauchtest du Tiere, die dir halfen oder dich transportierten.»

Naveen sah verwirrt aus. «Mörder haben einen Stil?»

«Einige schon. Dieser erlaubt uns in der Masse unterzutauchen. Ein

Freund von mir reitet einen Esel und trägt ein Hofnarrenkostüm, das ihn fett und hässlich erscheinen lässt. Seine Gefährten sind drei alberne Erdmännchen.» Raghi schnaubte, als ihm eine Erinnerung kam. «Diese kleinen Biester hatten es auf Desert Rose abgesehen. Sie huschten um sie herum und wollten sie dazu bringen, ihre Köpfe zu verknoten. So wütend sie sie auch machten, sie trainierten ihre Reflexe und Geschwindigkeit.»

Eine weitere Erinnerung nahm Gestalt an, diese neuer. Raghi wurde ernst und konzentrierte sich auf Naveens ursprüngliche Frage. Er wollte nicht darüber nachdenken, dass sein Freund den schrecklichsten Preis von allen bezahlt hatte.

«Als ich Rose fand, war meine Beziehung zum Meister noch nicht gewalttätig. Das erste Jahr oder so lebte sie bei mir im Zunfthaus, wo ich mich um sie kümmern konnte. Tagsüber schlief sie und spielte an meiner Seite wie der Welpe, der sie war. Nachts folgte sie mir auf meinen geheimen Ausflügen in die Wüste und lernte zu fliegen und zu kämpfen. Nachdem sie diese Fähigkeiten gemeistert hatte, blieb sie allein da draußen, während ich im Morgengrauen ins Zunfthaus zurückkehrte. Ich hasste die Trennung und fürchtete um ihr Leben. Schließlich erwies sich ihre Unabhängigkeit als vorteilhaft, weil ich meinen Krieg gegen den Meister begann. Hätte er Rose erwischt, hätte er sie getötet.»

Der Ghitain, der Raghi nach seiner Auseinandersetzung mit dem Drachenpferd angesprochen hatte, überquerte die Wiese und ging zu einem himmelblauen Vardo. Raghi bemerkte etwas Seltsames. «Seine Schritte hinterlassen keine Spuren im Gras oder Frost», sagte er. «Wie kann das sein?»

Naveen grinste, ein schelmisches Funkeln in seinen dunklen Augen. «Das gehört zu unserem Stil. Ghitains sind eins mit der Natur. Solltest du dir einmal einen Lagerplatz unmittelbar nach unserer Abreise anschauen, wirst du keine Hinweise finden, dass wir jemals dort waren.»

9

Auf der anderen Seite der Wiese stieg zischend eine Rauchfahne auf, als Ahriman und der Schmied das neu beschlagene Rad mit Wasser übergossen. Raghi wusste, dass die Abkühlung den Metallring zusammenzog und die Holzteile des Rades miteinander verband.

Sobald das Metall berührt werden konnte, rollte der junge Mann das fertige Rad zu einem zierlichen orangefarbenen Vardo mit weißen Verzierungen, steckte es auf die Achse und befestigte es mit einem Holzstift. Dann löste er die Stütze, die das Fahrzeug auf drei Rädern aufbockte. Alles sah mühelos und geschickt aus, und der Vardo so gut wie neu.

Die Familie, die vor ihrem Wagen Körbe flocht, bedankte sich bei ihm.

«Ahriman hat seine Aufgabe erfüllt. Wir werden bald losziehen», bemerkte Naveen. «Wie jagst du, Raghi? Brauchst du Waffen? Einen Bogen vielleicht?»

«Ein Bogen würde funktionieren, aber ich bevorzuge meine Schleuder. Desert Rose wird mit deiner Erlaubnis auch helfen. Ihr ist langweilig.»

«Das ist so», bestätigte Naveen nach einem Blick auf die unruhigen Flügel und Köpfe der Chimäre. «Und sie darf gern helfen.»

«Wie sind die Regeln der Jagd?», fragte Raghi, während sie noch allein waren. Mit Verspätung wunderte er sich über etwas anderes. «Und darf ich fragen, weshalb du Fleisch isst? Nach allem, was ich über die Ghitains und ihre Philosophie gelernt habe, könntet ihr auch Vegetarier sein.»

Naveen wackelte nach Ghitainart mit dem Kopf. «Ich sehe deinen Standpunkt, aber deine Schlussfolgerung ist falsch. Als Ghitains tanzen wir den Tanz des Lebens, um die Schöpfungskraft des Multiversums zu ehren und im Gleichgewicht mit allem, was uns umgibt. Das erfordert Teilnahme und nicht Enthaltsamkeit. Wenn du das im Hinterkopf behältst, wirst du die Regeln der Jagd leicht verstehen. Für einige Tiere hat bereits die Paarungszeit begonnen, und es kommen stets mehr männliche als weibliche Individuen zur Welt. Konzentrier dich bei der Jagd auf ausgewachsene Männchen und töte nichts, was schwanger sein könnte oder ein Junges führt. Und töte nur für Nahrung, nicht weil du das Fell des Tieres begehrst. Wenn Desert Rose sich auch an diese Regeln halten würde, wäre das gut.»

Raghi nickte zur Bestätigung. Mit einem stillen Seufzen bemerkte er die Annäherung von Naveens Freunden.

Auch Naveen wurde aufmerksam. «Da kommen sie.» Er winkte den drei jungen Männern zu. Dabei wirkte er etwa so intelligent wie die Robben, die auf den Kiesstränden von Raghis Heimatinsel herumlagen. Aus unergründlichen Gründen winkten sie sich dauernd mit den Brustflossen zu.

Zwei der Gruppe winkten zurück. Der dritte, Ahriman, hatte seine Hände in den Taschen seiner Tunika und wirkte wütend.

Raghi starrte ihnen entgegen, sein Herz von Zweifeln erfüllt. Nun würde er also auf Specki, Stange und Griesgram treffen. Alle drei hatten exotische Gesichter mit braunen Mandelaugen und Haut von der Farbe dunklen Honigs — die dominanten Merkmale der Ghitains.

«Das ist Charu», stellte Naveen den Fleischklops der Gruppe vor — Specki für Raghi. «Seine Familie sind die Schneider unseres Clans. Sie entwerfen die Kleidung von uns allen.»

Charu schenkte Raghi ein strahlendes Lächeln. «Es ist toll, endlich mit dir reden zu dürfen, Raghi. Ich bewundere sehr, wie du mit den magischen Tieren umgehst. Und deine Chimäre ist unglaublich. Beißt sie?»

Er trat vor, als ob er ihn umarmen wollte.

Raghi sprang zurück. Er duldete keine Umarmungen und schon gar nicht von Fremden.

Naveen zischte seinen Freund leise an — eine Warnung.

Charu erblasste und bedeckte seinen Mund. «Oh je, ich hätte nicht so aufdringlich sein sollen! Zählt es, dass meine Faszination für dich und deine Chimäre groß ist?»

Raghi musste lächeln. «Das tut es. Ich freue mich auch, dich kennenzulernen, Charu.»

Der überschwängliche Fleischklops wirkte harmlos, und es war unmöglich ihm zu grollen. Charu mochte ein törichter Narr sein, aber er schien glücklich und lächelte fast dauernd. Raghi konnte verstehen, warum Naveen seine Freundschaft schätzte. Allerdings hätte Raghi weniger Peinlichkeit und mehr Intelligenz vorgezogen.

«Das hier ist Shaiv», fuhr Naveen mit seiner Vorstellungsrunde fort. «Shaiv gehört zu den Pferdezüchtern unseres Clans. Er zieht die Fohlen auf und trainiert sie. Ghitainpferde werden wegen ihrer Freundlichkeit und Hilfsbereitschaft geschätzt.»

Raghi sah den jungen Mann an, den er Stange genannt hatte. Im Gegensatz zu Charu war Shaiv groß und schlank. Sein langes Haar floss wie ein Wasserfall aus Locken über seine Schultern. Wie zuvor erinnerte er Raghi an den Schößling eines Baums, der ganz im Moment verwurzelt war.

Shaiv nickte, ohne zu sprechen. Raghi erwiderte das Nicken.

Nun blieb noch Griesgram, auch bekannt als Ahriman. Raghi wusste nicht, was er von ihm halten sollte. Obwohl er etwas grobschlächtig wirkte, war der junge Mann sehr gut aussehend und ähnelte Naveen so stark, dass sie Brüder hätten sein sollen. Zu seiner Überraschung war der finstere Gesichtsausdruck nicht von Dauer. Als er mit dem Prinzen sprach, lächelte Ahriman und wirkte freundlich. Die extreme Veränderung wirkte unglaubwürdig auf Raghi.

Du bist eifersüchtig, weil er Naveens bester Freund ist.

Das war möglich. Raghi hatte immer behauptet, dass er keine Freunde brauchte. Dann traf er Naveen. Der junge Ghitainprinz beeindruckte ihn immer wieder aufs Neue mit seinem Durchhaltevermögen, seiner Liebenswürdigkeit und seiner Lebensfreude. Dunkelheit ließ die Sterne tatsächlich heller leuchten. Bei Naveen verstärkte all das Schlimme, das er in seiner Kindheit erleiden musste, das Licht seiner Seele.

Naveen legte eine Hand auf Griesgrams Schulter. «Das ist Ahriman. Er ist seit seiner Kindheit mein bester Freund und blieb bei mir, auch nachdem sein Vater diesen Clan verließ. Er ist unser Wagenbauer.»

Ahriman starrte Raghi an, und ein Ausdruck von Verachtung huschte über sein Gesicht. Das Mienenspiel geschah blitzschnell, aber Raghi bemerkte es. Ahriman gestand ihm ein knappes Nicken zu.

Raghi nickte zurück. Also lief die Eifersucht in beide Richtungen.

«Lasst uns jagen gehen», entschied Naveen.

Sie verließen das Lager durch die Öffnung in der Wagenburg und umkreisten die schützende Formation aus Felsbrocken. Raghi war unschlüssig, ob er die Felsen erklimmen sollte, um die Ebene von oben zu betrachten. Er entschied sich, Naveen zu vertrauen. Sollte sich herausstellen, dass dieser Ort der Arsch des Universums war, konnte er nichts dagegen tun.

«Was für ein unfreundlicher Tag», beschwerte sich Charu und zog die Schultern hoch. «Ich hasse kaltes Wetter.»

Shaiv schnaubte. «Wir müssen länger draußen bleiben, wenn du unsere Beute mit deiner lauten Stimme vertreibst.»

Der Schößling konnte also sprechen.

Naveen legte einen Finger auf die Lippen und brachte beide zum Schweigen. «Lasst uns eine Reihe bilden und stehen bleiben», flüsterte er. «Raghi, nimm deine Waffe und bleib mit Rose an meiner Seite.»

Raghi nickte und nutzte die Wartezeit, um sich umzusehen. Er fühlte sich enttäuscht. Das Lager der Ghitains mit seinen bunten Vardos lag etwa einhundert Schritte hinter ihnen. Eine triste wintergraue Ebene mit kleinen Baumgruppen erstreckte sich in alle Richtungen und wurde offenbar von fernen Bergen begrenzt. Wegen des tristen Tages konnte er nicht sicher sein. Die ferne Begrenzung konnte sich auch als weitere Wolken herausstellen.

Ein flaues Gefühl erfüllte seinen Magen. Seine beruflichen Instinkte waren nicht die besten, aber er konnte erkennen, dass die riesige Ebene unbewohnt und noch trostloser als die Wüste um Eterna war. Nach seiner Ankunft hatte er Hilfe für Violet holen wollen. Wenn ihn die Treppen nicht mitten in einem Ghitainlager ausgespuckt hätten, hätte er tagelang vergeblich gesucht. Das war unglaubliches Glück!

Oder vielleicht auch nicht. Er hatte da so seine Zweifel. Aber welche Mission konnte an diesem verlassenen Ort auf ihn warten, während er bei diesen freundlichen und geheimnisvollen Menschen zu Gast war?

Eine Zeitlang leistete ihnen nur der eisige Wind Gesellschaft. Die Böen bliesen ungehindert durch seine Kleidung, die ihn vor der Wüstenhitze schützen sollte. Raghi akzeptierte die Kälte und verlangsamte seinen Herzschlag. Er sank in den entspannten, aber wachsamen Geisteszustand, der einen wartenden Auftragsmörder kennzeichnete. Er konnte stundenlang so stehen, um dann unvermittelt zuzuschlagen.

Die anderen hatten auch kein Problem damit. Nur Charu zuckte von Zeit zu Zeit.

Ihr Warten wurde belohnt. Pelzige Köpfe schauten aus den Erdlöchern um sie herum, zuerst nur ein paar, dann mehr und mehr — keine Kaninchen, aber etwas Ähnliches.

Raghi suchte nach Zeichen, um die Geschlechter zu unterscheiden. «Die Männchen haben eine dunkle Linie auf dem Rücken?», fragte er tonlos.

Naveen sandte ihm einen anerkennenden Blick, ohne den Kopf zu bewegen. «Genau. Dies ist eine sehr große Kolonie. Töte einfach so viele Männchen, wie du kannst. Wenn möglich, erlegen wir für jeden Vardo eins.»

Das bedeutete einunddreißig Tiere. Seine Schleuder war für diese Art der Jagd nicht geeignet. Mit langsamen Bewegungen zog Raghi seine Kampfmesser aus ihren Scheiden an seinem Gürtel.

Ahriman, der am weitesten von ihm entfernt stand, drückte den Abzug seiner kleinen Armbrust. Die Waffe sah aus wie ein Spielzeug, aber ihre Zielgenauigkeit war hoch und ihre Wucht tödlich. Gleichzeitig schleuderte Naveen den Stein, den er hielt. Charu schlug derweil einem Tier in seiner Nähe mit seinem Schlagstock den Schädel ein.

Fast gleichzeitig fielen zwei weitere Tiere um, getötet durch Raghis Messer.

Sie waren allein mit den toten Wie-auch-immer-diese-Tiere-hießen. Die Überlebenden waren wieder in ihre Erdbauten abgetaucht.

Shaiv nahm ein gefaltetes Wachstuch aus seinem Beutel und breitete es auf dem Boden aus.

«Jetzt gehen wir und zollen unserer Beute Respekt», erklärte Naveen. «Wir sammeln alle Leichen ein, legen sie auf das Wachstuch und bedecken sie zum Schutz vor Greifvögeln.»

Raghi folgte Naveen. Der Prinz kniete sich neben dem toten Tier hin, legte eine Hand auf den Körper und die andere auf seine Brust. Dann neigte er den Kopf.

Raghi holte seine Beute. Dabei imitierte er Naveens Geste.

Als sie sich um das Wachstuch versammelten, brach eine Meinungsverschiedenheit aus. «Charu, das ist nicht in Ordnung», sagte Shaiv, während sein Kopf vor Aufregung wackelte. «Du hast den Schädel des armen Tieres völlig zermantscht. Das ist nicht respektvoll. Du musst auf deine Kraft achten.»

Ahriman nickte mit finsterem Blick, während Naveens Brauen eine einzige Linie auf seiner Stirn bildeten.

Charu verwarf aufgeregt die Hände. «Du kannst das leicht sagen. Ihr alle seid in hervorragender körperlicher Verfassung. Wenn ich nicht so schnell, wie es mir möglich ist, zuschlage, streife ich das Tier nur und es verblutet in seinem Bau. Das ist viel respektloser, als sein Hirn zu zermantschen.»

Die Erklärung machte Sinn, und angesichts seiner eigenen Vergangenheit hätte Raghi verständnisvoll reagieren sollen. Aus irgendeinem Grund war er dazu nicht bereit. Etwas störte ihn.

Nicht sein Kampf, nicht sein Krieg. Er wandte sich an Desert Rose. «Kannst du uns helfen, Mädchen?»

Sie umhüllte ihn mit zärtlichem Feuer und erhob sich auf ihren Schwanenflügeln in die Luft. Die Strömungswirbel pressten das umliegenden Gras flach.

«Ooh!», quietschte Charu voller Bewunderung.

Mit einem Zischen verschloss Ahriman den Mund des kleineren Ghitains. «Verdammt. Willst du bis zum Einbruch der Dunkelheit hier draußen bleiben?»

Charu zog Ahrimans Hand vom Gesicht weg. «Tut mir leid», entschuldigte er sich.

Die anderen seufzten nur.

In der Ferne stürzte sich Desert Rose vom Himmel und stieg sogleich wieder nach oben. Ihr Adlerkopf hackte zweimal auf etwas in ihren vorderen Klauen ein.

Sie landete neben Raghi, legte zwei pelzige Körper auf das Wachstuch und badete sie in ihrem zärtlichen Feuer.

«Fantastisch! Wir könnten einfach hier warten, während sie die Arbeit für uns erledigt», schlug Charu vor.

«Vergiss es», zerstörte Naveen seine Hoffnungen, ein harter Glanz in seinen Augen. Wenn Raghi sich nicht irrte, war Naveens Geduldsfaden gerade gerissen. «Ihr drei verteilt euch in Richtung des Gestrüpps dort drüben. Raghi und ich werden in die entgegengesetzte Richtung gehen. Ich werde ein Signal geben, sobald wir genug Fleisch für alle haben.»

Die jungen Männer gehorchten, obwohl Shaiv und Ahriman nicht glücklich wirkten.

Raghi und Naveen gingen zu ihrem Bereich des Graslandes, Desert Rose an ihrer Seite.

«Rose?», bat der Prinz um die Aufmerksamkeit der Chimäre.

Sie drehte den Drachenkopf zu ihm.

Er streckte die Hand aus, um ihre Wange zu berühren. «Danke, dass du hilfst und dass du unsere Bräuche respektierst. Ich danke auch dir, Raghi. Obwohl du kein geborener Ghitain bist, schwingt deine Seele im Einklang mit meiner, viel stärker als die einiger anderer Mitglieder meines Clans.»

Das klang bitter. «Ich verstehe, dass das Problem nicht erst heute aufgetaucht ist?»

Naveen blickte zu seinen Freunden, deren Gesichter und Körper im schlechten Licht verschwammen. «Nein, und es stört mich. Charu scheint es nicht einmal zu versuchen. Ich weiß, wie schwer es ist, seine Unzulänglichkeiten zu akzeptieren, aber so sollte es nicht sein.»

Er hielt an, um seine Umgebung zu überprüfen. «Mit all den Erdlöchern, die uns umgeben, sieht das nach einem guten Ort aus. Kannst du dich dort auf die lochfreie Fläche stellen, Raghi? Rose?»

Bei der Erwähnung ihres Namens erhob sich die Chimäre in die Luft.

Naveen erschrak und suchte Raghis Blick. «Es tut mir leid. Ich wollte sie nicht herumkommandieren oder deine Autorität untergraben. Ich hätte sie nicht direkt ansprechen sollen.»

«Vergiss es, Naveen. Rose ist meine Freundin, nicht meine Sklavin. Ich kann nur hoffen, dass sie mich von allen immer am meisten lieben wird. Und ich werde jeden töten, der sie mir wegzunehmen versucht.»

NACH LANGEN STUNDEN war die Jagd vorbei. Die kleinen Kreaturen hatten ihre Jäger rasch durchschaut, was jeden neuen Jagderfolg schwieriger und zeitaufwendiger machte, aber dank Desert Rose schafften sie es.

Ahriman zählte die Kadaver. «Wir haben achtunddreißig, sieben mehr als nötig. Wir müssen entscheiden, wer sie bekommt.»

«Diese Berechnung ist so nicht korrekt», sagte Shaiv. «Da Naveen nun seinen eigenen Vardo hat, besteht unser Clan wieder aus zweiunddreißig Vardos wie zu Palashs Zeiten. Wir müssen nur sechs zusätzliche Tiere verteilen.»

Naveen nickte. «Du hast recht. Alles ist so neu, dass ich es immer wieder vergesse. Ich schlage vor, dass wir Chandana ein zusätzliches Tier geben, damit sie Brühe für Raghis Amme kochen kann. Zwei möchte ich Meera geben, weil sie allein die ganze Arbeit für die Familie machen muss. Den Rest können wir an unsere drei großen Familien verteilen. Ergibt das einen Sinn?»

Alle nickten.

Charu produzierte vier Jutesäcke aus seiner Tasche und verteilte sie an seine Freunde. «Ich nehme an, ich muss wie stets die von mir getöteten Tiere nehmen?», fragte er wie ein weinerliches Kind.

«Ja!», antworteten die anderen Ghitains im Einklang.

Jeder zählte seinen Anteil ab. Raghi half Naveen beim Tragen des Sacks, welcher der größte und schwerste war.

Die Dämmerung brach herein. Raghi fühlte sich erschöpft, aber besser als am Morgen. Die kalte Luft hatte seine gereizten Lungen beruhigt, und er liebte es, draußen zu sein. Die Natur war schön, grausam und gleichgültig. Die wirklich schrecklichen Dinge geschahen in menschlichen Behausungen wie dem Schloss seiner Eltern oder den Herrenhäusern von Eterna.

Vor der Wagenburg verabschiedeten sich die Freunde müde voneinander. Ahriman berührte dazu Naveens Schulter und sandte Raghi einen letzten finsteren Blick.

Naveen ging auf einen hellgrünen Vardo zu, der gleich beim Eingang der Wagenburg stand. «Bitte bleib zurück, während ich mit den einzelnen Familien spreche, Raghi. Im Moment bist du noch der Gast der Königin und aus Höflichkeit müssen sie dich ignorieren, bis sie es anders bestimmt.»

Raghi gehorchte und nutzte seine langen Haare als Vorhang, um heimlich Naveens Interaktion mit den Ghitainfamilien zu beobachten. Naveen schien sehr beliebt zu sein. Er wurde meist angelächelt und erhielt dankbare Umarmungen. Einige der Menschen kannte Raghi sogar vom Sehen wie den großen Mann, der ihn angesprochen hatte, nachdem er Palashs Schecken aus Herde geholt hatte.

Ihr Sack wurde leichter. Nur noch wenige Familien waren übrig.

«Wir werden zuletzt zu Mutter und Chandana gehen», erklärte Naveen, als sie an den bekannten Vardos vorbeigingen. «Mein nächster Halt ist Meera. Ihr Mann hatte einen schrecklichen Unfall. Ich weiß nicht, wie sie reagieren wird. Was auch immer passiert, lass mich damit umgehen.»

Ihr Ziel war der Vardo der Goldschmiedin, der hinter dem der magischen Tiere stand. Naveen übergab der rotblonden Frau drei der Kadaver. Sie starrte sie an, als wüsste sie nicht, was sie mit dem Geschenk anfangen sollte.

Naveen berührte Meeras Ellbogen und sagte etwas. Mit einem Schluchzen stürzte sie sich in seine Arme. Da sie die hasenähnlichen Kreaturen immer noch an den Hinterbeinen festhielt, schlug sie sie Naveen um den Kopf, was lustig hätte aussehen sollen.

Raghi mochte nicht lachen. Das Leid, das das Gesicht der jungen Frau prägte, war schwer zu ertragen.

Naveen wirkte ebenfalls betroffen, als er zu Raghi zurückkehrte. «Nun noch meine Eltern und Chandana. Wenn es für dich in Ordnung ist, gebe ich Mutter auch unseren Anteil, da sie so oft für uns kocht.»

Raghi nickte.

«Mit etwas Glück hat eine der beiden heute Abend etwas zu essen für uns. Ich wäre dankbar. Die Jagd ist notwendig, dennoch laugt sie mich jedes Mal aus. Ahriman fühlt genauso. Shaiv ist mehr oder weniger gleichgültig. Nur Charu scheint durch die Anstrengung beflügelt, allerdings ist er auch der Einzige, der für sein Handwerk stundenlang sitzen muss.»

Die Königin akzeptierte die Tiere mit einem Nicken und einem prüfenden Blick auf sie beide. «Danke, Sohn, Raghi. Geht jetzt zu Chandana. Sie hat für uns alle gekocht.»

Sie gehorchten.

Auch Chandana dankte ihnen.

Raghi bemerkte, dass sie müde und nervös aussah. «Geht es Violet und Mallika gut?», fragte er besorgt.

Die Heilerin seufzte. «Violet geht es viel besser, aber die Kleine hatte einen schlechten Tag. Ich habe sie bereits gefüttert und ihr einen altersgerechten Schlaftrunk gegeben. Sie ist vor etwa einer halben Stunde eingeschlafen, und es wäre mir lieber, wenn du sie nicht weckst, Raghi.»

Das klang nicht gut. «Was bedrückt sie?» War er besorgt? Unwahrscheinlich. Er war schon immer ein Einzelgänger gewesen und würde es auch bleiben.

«Es scheint sich um ein geistiges Problem zu handeln. Ich vermute, dass ihre Seele all das, was passiert ist, zu verarbeiten versucht, es aber nicht kann. Wir können ihr nur Zeit geben. Auch Schlaf sollte helfen.»

Raghi war versucht, den Vardo der Heilerin zu betreten und selbst nachzusehen. Er hielt sich zurück. Chandana war vertrauenswürdig und wusste viel mehr über Babys als er.

«Hoffen wir, dass deine kleine Schwester schon morgen einen besseren Tag hat», sagte Naveen.

Sie setzten sich auf die Hocker um das Kochfeuer der Heilerin. Desert Rose streckte sich an Raghis Seite aus. Ihr Drachenkopf hielt Wache.

Chandana reichte ihnen Schalen mit Gerstensuppe und getrocknete Apfelscheiben. Sie kauten schweigend. Als sie fertig waren, starrten sie ins Feuer.

«Warum geht ihr nicht schlafen, Jungs?», schlug Chandana vor.

«Gestern war ein harter Tag für euch beide und heute standet ihr stundenlang in der Kälte.»

Das klang nach einer ausgezeichneten Idee. Sie gehorchten und wünschten Chandana eine gute Nacht.

Der kurze Weg zu Naveens Vardo schien weiter als sonst. Sie stiegen die Treppe hinauf. Desert Rose glitt unter den Wagen. Sogar Raghi mit seiner hohen Kältetoleranz fror inzwischen erbärmlich, und ihm graute davor, den kalten Innenraum zu betreten. Als sie jedoch die Tür öffneten, hieß Naveens Heim sie mit einem brennenden Ofen willkommen.

«Baz muss das Feuer am Brennen gehalten haben, wie er es oft für Palash tat. Ich bin gesegnet, ihn als Vater zu haben», erklärte Naveen. Er kniete sich neben die kleinen Drachen hin und streichelte ihre ineinander verknoteten Körper. «Hallo, Stinkys. An einem kalten Tag geht nichts über ein warmes Feuer, was?» Plötzlich ruckte sein Blick alarmiert zu Raghi. «Wo hast du das kranke Drachenmädchen hingetan? Sie sollte hier sein, ist sie aber nicht.»

Raghis Hand ging zu seiner Kehle. «Als ich versuchte, sie zu den anderen zu legen, fühlte sie sich kalt an und atmete kaum. Also wickelte ich sie um meinen Hals und fixierte sie dort mit meinem Schal.»

Naveens Augen wurden groß. «Du hast sie den ganzen Tag herumgetragen? Darf ich nachschauen?» Er erhob sich und trat vor Raghi. Vorsichtig zog er den Schal und den Kragen des Umhangs nach unten.

Raghi selbst konnte den Stinkdrachen nicht sehen, aber er fühlte sein Gewicht wie eine massive Halskette. «Lebt sie noch? Immer wenn ich sie anfasste, fühlte sie sich warm an. Aber sie hat sich den ganzen Tag lang nicht einmal bewegt.»

Finger strichen über seine Haut, während Naveen das kleine Tier untersuchte. Raghi musste sich zwingen, ihrer Berührung nicht auszuweichen.

«Ich glaube, es geht ihr besser», sagte Naveen nach langen Momenten. «Sie hält ihren Schwanz zwischen den Kiefern, so dass ihr Körper einen Ring bildet. Ihre Atmung ist tiefer und regelmäßiger als zuvor. Sie scheint zu schlafen.»

Raghi seufzte vor Erleichterung. Das stellte eine enorme Verbesserung zu ihrem morgendlichen Zustand dar.

«Zeit, uns zu waschen und ins Bett zu gehen», entschied Naveen mit einem Seufzen. «Wenn ich noch einen Moment länger auf den Beinen bleiben muss, falle ich auf mein Gesicht und schlafe genau dort, wo ich lande.»

RAGHI SCHRECKTE WACH, als sich die Tür des Vardos öffnete. Schwaches Tageslicht drang in seinen Schrank. Offenbar war es früh am Morgen. Draußen bewegten sich Menschen und sprachen leise miteinander.

Schritte näherten sich dem Bettpodest, begleitet vom Rascheln eines Kleides — eine Frau. Durch den Spalt zwischen den Schranktüren sah Raghi türkisfarbenes Gewebe. Als sie etwas auf die Bänke neben dem Bett stellte, erreichte der verführerische Geruch von süßem Haferbrei seine Nase.

«Naveen?», hörte er Kaea flüstern. «Es ist Zeit aufzuwachen.»

«Mamma, warum weckst du mich?», fragte Naveen schläfrig. Er klang schuldbewusst. «Habe ich wieder verschlafen?»

Haare wisperten, als Kaea Naveen über den Kopf strich.

«Nein, mein Schatz. Ich wollte dich nur rechtzeitig wecken, damit du dich nicht beeilen musst. Violet geht es inzwischen gut genug, dass wir weiterreisen können. Wir brechen das Lager ab. In etwa einer Stunde werden wir die Vardos für die Abfahrt vorbereiten. Da du jetzt einen eigenen besitzt und ein erwachsener Mann bist, musst du ein paar Dinge organisieren. Sollte es keine andere Lösung geben, kannst du auf Baz zählen.»

«Was? Warum? Oh ja, du hast recht. Mein Kopf hat all die Änderungen noch immer nicht verarbeitet.»

«Meiner auch nicht, mein Schatz. Ich bin stolz, traurig und glücklich, alles zur gleichen Zeit.» Das leise Geräusch eines Kusses. «Mach dich bereit und bereite deinen Freund auf seinen ersten Reisetag vor.»

Sie ging.

Die Türen zu Raghis Schrank schwangen auf, und Naveens Gesicht erschien kopfüber in der Öffnung. «Oh, du bist schon wach. Guten Morgen.»

«Guten Morgen», antwortete Raghi. War es ein guter Morgen? Er hatte tief geschlafen, nicht geträumt und war kein einziges Mal aufgewacht, und fühlte sich trotzdem ausgelaugt.

Naveen bemerkte es. «Mama hat uns Essen mitgebracht. Vielleicht fühlst du dich danach besser.»

Sie wuschen sich und schlüpften in ihre Kleider.

«Dauern die Nachwirkungen deiner Anfälle immer so lang?», fragte Naveen, als Raghi den größten Teil seines Haferschleims gegessen hatte.

Raghi zuckte die Schultern. «Von Zeit zu Zeit. Meist tut es mehr weh, dafür fühle ich mich weniger geschwächt.»

Naveen bedachte die Informationen und schlug mit den Fingerspitzen gegen seine Lippen. «Weißt du, der Drache um deinen Hals könnte etwas damit zu tun haben, wie du dich fühlst. Ich habe keine Beweise, aber sie könnte deine Energie nutzen, um wieder gesund zu werden.»

Das war ein interessanter Gedanke. «Wie wahrscheinlich ist das?»

«Recht wahrscheinlich, würde ich sagen. Sie ist ein magisches Tier, und ihr Zustand scheint sich verbessert zu haben. Aber das würde auch bedeuten, dass sie schwer krank ist. Sonst würdest du dich nicht so ausgelaugt fühlen.»

Raghi berührte den knorrigen Körper des Stinkdrachens. Störte es ihn, dass sie seine Energie klaute? Nein. Er hatte ihr aus freiem Willen Trost angeboten. Und Desert Rose aufzunehmen und das Chimärenkind großzuziehen war trotz aller Schwierigkeiten ein wunderbares Erlebnis gewesen.

«Sie kann bleiben, wo sie ist. Ich schaffe das schon», sagte Raghi und konzentrierte sich auf die anstehenden Aufgaben. «Deine Mutter erwähnte, dass deine Sippe heute weiterreist. Welche Vorbereitungen müssen wir treffen?»

Naveen wirkte plötzlich schüchtern. «Da ich jetzt einen Vardo besitze, brauche ich jemanden, der den Vardo der Tiere fährt. Würdest du das für mich tun?»

Er? Der Lehrling, der nie seinen Abschluss gemacht hatte? Verantwortlich für das Wohlbefinden der seltensten Tiere, die es in dieser Zeit und an diesem Ort gab?

Raghi schluckte. «Bist du dir da sicher?»

«Ja.»

«Dann tue ich es», bestätigte Raghi und wunderte sich, weshalb Naveen nicht einen seiner langjährigen Freunde darum bat.

ETWA FÜNFZIG MINUTEN später ahnte er die Antwort auf seine Frage, als sie zwei Drachenpferde vor den lila Vardo spannten.

«Sag mir, dass es dafür einen guten Grund gibt», forderte Raghi. Sein Hengst benahm sich und war reisefertig, aber der berechnende Blick des Tieres machte ihm Angst.

«Es gibt einen.» Naveen führte seinen Hengst neben die Deichsel des Vardos und befestigte die Riemen. «Dieser unendliche Innenraum ist zu schwer für gewöhnliche Pferde.»

Verdammt!

«Sind die Räder dieses Vardos deshalb dreimal so breit wie normale Räder?»

«Ja. Und du kannst dich geistig darauf vorbereiten, im Schlamm stecken zu bleiben. Wenn das passiert, bleib einfach ruhig und warte. Alles wird sich von selbst lösen.»

«Warum muss ich dann überhaupt kutschieren?», meckerte Raghi.

«Weil wir den Tieren liebevolle Achtsamkeit schulden. Das Konzept verschwindet nicht, nur weil du dich weigerst, daran zu glauben.»

Raghi akzeptiere sein Schicksal mit einem Stöhnen, kletterte auf die Plattform und setzte sich auf das Fahrerbrett.

«Versuch über die Wiese zu meinem Vardo zu fahren, aber halt versetzt dahinter an, damit ich vor dir aus der Wagenburg herausfahren kann.»

Raghi gehorchte und wurde fast von seinem Brett geworfen, als die Pferde sich in Bewegung setzten. «Warum haben diese Dinger keinen Kutschbock?», beklagte er sich, mehr schockiert als verärgert.

Naveen lachte hell auf. «Weil das nicht die Art der Ghitains ist. Weil wir dumm sind und nie daran gedacht haben. Weil wir die Gefahr lieben. Such dir etwas aus!»

Er rannte über die Wiese, flink wie das Reh, dem er glich.

Raghi folgte langsam. Die Ghitains, die er passierte, hielten in ihren eigenen Vorbereitungen inne, um ihn zu beobachten, ihre dunklen Gesichter und Augen undurchschaubar. Verärgerte sie die Anwesenheit des Fremden? Das war die normale Reaktion von geschlossenen ethnischen Gemeinschaften.

Er atmete erleichtert auf, als er die angegebene Stelle erreichte. Diesen Vardo zu fahren glich dem Ritt auf einem Gewittersturm. Es war nicht der Lärm. Wenn überhaupt, bewegten sich die Drachenpferde und das Fahrzeug viel leiser als jeder andere Wagen, den er je gefahren war.

«Dieses Ding zu kutschieren fühlt sich an, als würde ich eine ganze Welt transportieren», sagte er zu Naveen, als er ihm half, die Schecken vorzuspannen.

Der junge Prinz nickte nur. «Das tust du wahrscheinlich auch. Ich fand es immer atemberaubend. Du machst das gut. Ich vermute, dass du ein sehr erfahrener Wagenlenker bist.»

«Nenn es, wie du willst. Im Eterna meiner Zeit gibt es illegale Wagenrennen. Wenn man die richtigen Leute kannte, erfuhr man, wo das nächste veranstaltet wurde, meist bei Nacht in einem abgelegenen Wüstental. Ein paar Mal sogar direkt im Stadtzentrum von Eterna unter schwerer Verfolgung durch die Wachen. Es war ein abgekartetes Spiel, bei dem man sein Geld und seine Freiheit verlieren konnte. Da ich keins von beiden besaß, war es mir egal, und ich gewann oft.»

Naveens Augen waren weit geworden. «Mein gesunder Menschenverstand ist damit beschäftigt, all die Dinge aufzulisten, die er deinem vorwerfen will, aber ich weiß nicht, wo ich beginnen soll. Wie kommt es, dass du dein Gesicht in der Öffentlichkeit zeigen konntest bei deinem Beruf? Musstest du dich nicht verstecken?»

Raghi grinste. «Wenn ich Rennen fuhr, trug ich eine Dämonenmaske. Eine, die mein Sehvermögen beeinträchtigte. Es war berauschend.»

«Mein gesunder Menschenverstand hat sich gerade entschieden, die Diskussion fallen zu lassen», sagte Naveen und schüttelte den Kopf. «Es gibt niemanden, mit dem er reden kann, da *dein* gesunder Menschenverstand dich eindeutig vor langer Zeit verlassen hat.»

MIT DEN GHITAINS ZU reisen war ein beeindruckendes Erlebnis. Die zweiunddreißig Vardos bildeten keinen Konvoi, sondern verteilten sich über das Grasland mit der Königin, dem Prinzen und dem Vardo der Tiere in ihrem Zentrum. Die Luft war erfüllt von Hufschlägen, dem

Rattern der Räder und dem Klingeln der vielen kleinen Glöckchen, die das Geschirr der Zugpferde schmückten.

Über Nacht hatten sich die Regenwolken aufgelöst und einem hellblauen, von Wolken überzuckerten Winterhimmel Platz gemacht. Die Sonnenstrahlen erwärmten Raghis schwarze Kleidung, waren aber immer noch zu schwach, um das nasse Gras zu trocknen.

Raghis anfängliche Nervosität, für eine so wertvolle Ladung verantwortlich zu sein, verschwand. Er genoss die Reise, spürte aber einen Hauch von Verärgerung.

Vorne rechts sah er Naveen in angeregtem Gespräch mit Palash. Der Prinz musste den Geist gebeten haben sich zu zeigen. Ein weiterer Narr, der auf sein Herz gehört hatte, anstatt die Folgen seiner Handlungen zu bedenken.

Diese Leute hatten überhaupt keinen Verstand!

Mit den Toten zu reden war großartig, solange es sich bei diesen Toten um geliebte und schwer vermisste Familienmitglieder handelte. Es gab aber auch mächtige, böse Geister voller Hass und Bosheit. Raghi hoffte, dass die königliche Familie mit ihnen fertig wurde. Hätte er ihnen doch nur nicht gezeigt, wie man die Barriere zwischen den Welten durchbrach.

Ein weiterer Fehler in seiner langen Liste.

Raghi seufzte und konzentrierte sich aufs Kutschieren. Er musste nicht viel tun. Die beiden Drachenhengste suchten sich ihren Weg, während der Rest der Herde um sie herum spielte.

Er beobachtete ihre Kunststücke und bewunderte, wie sie ohne Mühe vom Fliegen ins Laufen und zurück wechselten. Desert Rose hatte sich ihnen angeschlossen, schüchtern zunächst. Sie akzeptierten ihre Anwesenheit und integrierten sie in ihr Spiel. Ab und zu kehrte sie zu Raghi zurück, um nach ihm zu sehen wie ein Hund nach seinem Besitzer, jede ihrer Bewegungen erfüllt von Begeisterung.

«Hau ab!», sagte er ihr jedes Mal. «Genieß die guten Zeiten, solange sie andauern!»

Weil das Spiel der Herde einen ernsten Aspekt hatte. Sie erkundeten das Land und hielten Ausschau nach Gefahren.

Die Zeit verging wie im Fluge. Das Klappern des Vardos war entspannend, und es gab nicht viel zu sehen. Raghis unbequemer Sitzplatz auf dem schmalen Brett hielt ihn wach. Sie reisten über eine grasbewachsene Ebene mit spärlichen Baumgruppen — Richtung Westnordwest, falls die Himmelsrichtungen so funktionierten wie zu seiner Zeit. Wie stets zum Winterende wirkte das nasse Gras trist und kränklich.

Nebel stieg aus dem Boden auf und machte die Sicht trotz des schönen Wetters diesig. In alle Richtungen sah Raghi gerade mal bis zu den entferntesten Vardos. Ihre Gruppe schien das Einzige zu sein, das sich in diesem Land bewegte.

Mit zunehmender Langeweile begannen Raghis Gedanken zu wandern.

«Welcher Gedanke erzeugte diesen bösen Gesichtsausdruck?»

Raghi schreckte aus seiner Geistesabwesenheit auf. Palash saß auf der Plattform zu seinen Füßen.

«Chandana bat mich, dir diesen Trank zu bringen. Sie bereitete ihn gestern Abend zu, weil ihr deine Erschöpfung Sorgen bereitete, vergaß aber ihn dir zu geben, bevor du schlafen gingst.» Er gab Raghi eine zugekorkte Phiole.

Während Raghi die kleine Flasche entgegennahm, wurde ihm erneut die Stärke des Geistes bewusst. «Warum kannst du deine Macht so fokussieren? Ich kannte jahrhundertealte Geister, die nicht in der Lage waren, ein Objekt aus der Welt der Lebenden über diese Entfernung zu transportieren.»

Palash lächelte wehmütig. «Als Ghitains verbinden wir uns mit allem um uns herum. Das gehört zu unserer Philosophie der liebevollen Achtsamkeit. Was wiederum bedeutet, dass ich wirklich neugierig auf die Antwort meiner Frage bin.»

Naveens Onkel war alles, was Raghi sich je von potentiellen Eltern gewünscht hätte — präsent, aufmerksam, entspannt und weise, streng und doch freundlich. Er beschloss, es ihm zu verraten. «Ich habe mich seit meiner Ankunft in den Mittelpunkt gestellt, statt die wichtigen Fragen zu stellen. Ich fühle mich noch mehr als sonst wie ein Narr.»

«Kannst du das näher ausführen?»

Nicht ohne sich schlecht und beschämt zu fühlen. «Ich hatte einen Freund in der Gilde, der ein paar Monate vor mir auf einer gefährlichen Mission die Treppen hinabstieg. Er ist alles, was ich nicht bin — organisiert, fokussiert, und er besitzt perfekte Selbstkontrolle. Ich bin sicher, dass er innerhalb eines Tages alle wichtigen Fakten über seine neue Zeit und seinen neuen Ort ermittelt hatte und auf alle Gefahren gefasst war, die sie für ihn bereithielten. Ich weiß nicht einmal, wo wir uns befinden und was das Jahr ist.»

Palash sah amüsiert aus. «Wir befinden uns weit südwestlich von Eterna und reisen im Uhrzeigersinn auf einem Kreis mit Eterna als Mittelpunkt. Und wir haben das Jahr der zwei Winter.»

Raghi konzentrierte sich auf den Aspekt der Antwort, den er verstand. «Wie weit südwestlich?»

«Vielleicht zwölf bis fünfzehn eilige Tagesreisen.»

Wenn das korrekt war, sollten sie durch die Wüste fahren. Raghi versuchte, die Fakten miteinander zu verbinden. «Wie lautet das Äquivalent des Jahres der zwei Winter in Eternamzeit?»

«Was ist Eternamzeit?», fragte Palash.

Oh je! Das war nicht das, was ich hören wollte. Mein Abstieg die Treppen hinunter war kurz. Kann es sein, dass ich so weit in der Zeit zurückgereist bin?

«In Eternamzeit wurden die Jahre gezählt, bevor der Vulkan auf der Ebene von Eterna ausbrach und alles zerstörte. Nach dieser Katastrophe setzten die Menschen, die für solche Entscheidungen zuständig sind, den Zähler zurück auf Null. Seither werden die Jahre, Jahrhunderte und Jahrtausende in Neuer Eternamzeit gezählt. Zumindest in der Epoche, aus der ich stamme.»

Der Geist schüttelte den Kopf. «Ich weiß nichts von einem Vulkan. Und wir zählen die Jahre nicht. Jedes Jahr hat einen Namen, der von unseren Sehern im Voraus bestimmt wird.»

Gab es irgendeinen gemeinsamen Bezugspunkt? Raghi hatte eine Idee. «Wie alt sind die Treppen?»

Palash dachte eine Weile über diese Frage nach. «Ich würde sagen, etwa tausend Jahre. Um eine genaue Zahl zu ermitteln, müssten wir eine Chronik finden und die Jahre zählen.»

Der Drang zu lachen war überwältigend. Raghi kämpfte dagegen an. Die Treppen hatten seinen Freund Emilio fast sechstausend Jahre zurückgeschickt. Die Morgendämmerung der Zivilisation, hatte Faya jene Zeit genannt. Wo war er dann jetzt? Am Anbeginn der Zeit? Im Schoß aller Dinge, die dazu bestimmt waren Gestalt anzunehmen?

Wie auch immer! Es spielte keine Rolle. Er würde sich dem stellen, was dieser Ort zu bieten hatte. Sogar dem Tod.

Aus dem Nichts zwang ihn ein Hustenanfall vom Sitzbrett auf die Knie.

Palash nahm ihm die Zügel aus der Hand. «Vergiss den Trank nicht, Junge. Chandana ist eine ausgezeichnete Heilerin. Wenn sie will, dass du ihn trinkst, würde ich es tun.»

Die Flüssigkeit schmeckte süß und brachte sofortige Erleichterung. Raghi setzte sich auf und lehnte sich gegen die Eingangstür des Vardos. Derweil steuerte Palash das Gefährt, jede seiner Bewegung routiniert. Dazu saß der Geist direkt auf dem Rand der Plattform. Sein rechtes Bein baumelte gefährlich nahe am darunter drehenden Rad.

Palash bemerkte seinen prüfenden Blick. «Das ist nichts, was du versuchen solltest. Nicht wenige Ghitains sind gestorben, weil sie auf diese Weise fuhren und ihre Schals, Mäntel oder Kleider sich im Rad verfingen. Da ich bereits tot bin, ist dieses Risiko für mich überschaubar.»

Raghi musste lächeln. Es gab Momente, in denen Palash ihn an sich selbst erinnerte. Aber er wäre auf jeden Fall so gefahren, ob tot oder lebendig.

«Hast du außer Chandana noch andere Kinder?», fragte er.

Der Geist schüttelte mit einem melancholischen Lächeln den Kopf. «Nein. Chandana war ein glücklicher Unfall. Ich meinem Leben zog ich Männer den Frauen vor.»

Raghi, der einen guten Sinn für die sexuellen Neigungen anderer besaß, hatte das nicht bemerkt. «Nicht so sehr ein Unfall, sondern ein Glücksfall, wie es scheint. Trauert ein Liebhaber um dich?»

Warum fragte er? Die Angelegenheiten anderer Leute interessierten ihn nicht. Aber Palash verhielt sich so frei und selbstsicher, und Raghi begann ihn zu mögen — bis auf den Umstand, dass er ein Geist war.

«Mehrere, aber sie waren eher Freunde. Ich mochte es, wenn in jeder Stadt jemand auf mich wartete. So fühlte ich mich überall zu Hause. Und die meisten meiner Liebhaber schätzten ihre Einsamkeit und waren froh, dass ich nach ein paar Tagen wieder verschwand. Es war ein angenehmes Leben, solange es dauerte. Was ist mit dir? Was sind deine Vorlieben?»

Das war eine gefährliche Frage. Raghi zuckte die Schultern. «Es war mir egal, als Sex noch wichtig war. Männer, Frauen ... jung und alt. Ich hatte eine besondere Vorliebe für gepflegte ältere Männer. Jenseits der Heißblütigkeit der Jugend waren sie freundlich und dankbar. Ich liebte es, ihre weiche Haut zu berühren und ihren pudrigen Duft nach sauberer Baumwolle und Erinnerungen zu atmen.»

Diese Aussage brachte ihm einen langen Blick von Palash ein. «Du bist jung, kaum älter als ein Junge. Wie kann Sex nicht mehr wichtig sein?»

«Weil ich mit dem Teufel getanzt und mich verbrannt habe. Und das ist alles, was ich sagen werde.»

Palash akzeptierte die gezogene Grenze mit einem Nicken.

Wenn sich das Gespräch nicht nur um ihn drehen sollte, musste Raghi noch eine wichtige Frage stellen.

«Du hast deine Tochter vor zwei Nächten angelogen. Du denkst, du wurdest ermordet, nicht wahr?»

Palash starrte ins Leere. «Leider habe ich keine Beweise. Mein Tee schmeckte seltsam. Einen Moment später sank ich tot auf den Boden meines Vardos.»

«Befindet sich der Tee noch drin?» Wenn ja, war Naveen in ständiger Gefahr.

«Nein, das Essen eines Toten muss ohne Ausnahme vernichtet werden. Nur unbeseelter Besitz wie ein Vardo kann weitergegeben werden.»

Raghi runzelte die Stirn. Sie hielten Essen für beseelt, also lebendig? Warum kam das nicht überraschend? «Zu schade. Obwohl ich nicht der größte Kenner von Giften bin, konnte ich in meiner Zeit die meisten identifizieren. Ich hätte den Tee prüfen können.»

Palash drehte den Kopf, um ihn anzusehen, und schien seine Optionen abzuwägen. «Ich habe eine Probe im Kästchen des Bettschranks versteckt, wo du schläfst. Ich musste schnell handeln und hatte keine Erfahrung darin, als Geist meine Kraft zu bündeln. Die Probe ist möglicherweise zu klein.»

«Ich werde sie überprüfen», versprach Raghi. Seine professionelle

Neugier war geweckt. «Bist du als Geist hiergeblieben, um herauszufinden, wer dich ermordet hat?»

Palash wackelte nach Ghitainart mit dem Kopf. «Ich glaube, es war die Liebe zu meiner Familie, die mich bleiben ließ — und die Furcht um ihr Leben. Ich glaube nicht an Rache. Ich glaube jedoch an Gerechtigkeit. Als ich noch lebte, war ich nicht bei allen beliebt. Ich hatte meine Meinung und verbarg sie weder vor Fahrenden noch Sesshaften. Und ich stand immer zu meiner Schwester, ohne Rücksicht auf die Konsequenzen. Sollten meine Feinde mich getötet haben, kann ich das akzeptieren. Aber bohrende Zweifel bleiben bestehen. Vielleicht steckt mehr hinter meinem Tod, als es zunächst scheint.»

Der Mann sprach von Bauchgefühl. Raghi wusste aus eigener Erfahrung, dass solche bohrenden Zweifel niemals ignoriert werden durften.

Er musste noch mehr Details in Erfahrung bringen. Ein heftiger Hustenanfall hielt ihn vom Sprechen ab.

Palash sandte ihm einen besorgten Blick. «Warum schläfst du nicht für eine Weile? Du siehst müde aus, und dieser Abschnitt der Reise ist ungefähr so interessant, wie Brot beim Verschimmeln zuzusehen.»

Raghi gehorchte dankbar.

10

«Raghi, wach auf! Wir bilden gleich die Wagenburg. Du musst die Zügel wieder übernehmen.»

Er versuchte die Nebel aus seinem Kopf zu vertreiben, was schwierig war. Dann spürte er die eklige Berührung des Geistes.

«Igitt! Würdest du damit aufhören?», beschwerte sich Raghi und wich aus.

Als er seine Augen öffnete, erkannte er, dass schwarze Regenwolken tief am Himmel hingen und die Dämmerung weit fortgeschritten war. Im schlechten Licht konnte er kaum den Vardo erkennen, der etwa ein Dutzend Schritte vor ihnen fuhr.

Er stand auf, um sich auf die Fahrerbank zu setzen, und orientierte sich.

«Wir sind länger als sonst gefahren, um die ungeplanten Ruhetage aufzuholen. Hier, nimm die Zügel. Fahr dicht hinter Naveens Vardo, bis die Nüstern deiner Pferde fast seine Rückwand berühren. Dann folge ihm einfach und halte an, wenn das Signal erklingt.» Palash verschwand.

Raghi schnaubte. Großartig! Er liebte klare Anweisungen. Und so schnell wie die Dunkelheit fiel, musste er Naveen bald nach Gehör folgen. Nicht die besten Aussichten für eine zufriedenstellende Erfüllung seiner Pflichten.

Er war überrascht, als seine Umgebung aufleuchtete. Als er die Quelle des Lichts suchte, bemerkte er, dass die Lampen an der Wand hinter ihm brannten. Darüber hinaus leuchteten alle Kanten des Vardos, seine Struktur und Schnitzereien, sogar die Räder samt Speichen. Der Zauber erstreckte sich auch auf die Pferdegeschirre, deren Glöckchen und die Zügel in seinen Händen.

Alle anderen Vardos um ihn herum leuchteten auf, einer nach dem anderen. Naveens folgte fast als Letzter.

Raghi sog bewundernd den Atem ein. Der Anblick war auf unheimliche Weise schön, wie Irrlichter, die über einem nebligen See tanzten.

Er dämpfte seine Faszination und konzentrierte sich aufs Fahren.

Die Erstellung der Wagenburg war fast so faszinierend wie die magischen Lichter. Sie glich einem komplizierten Tanz, bei dem sich die fahrenden Wagen in zwei konzentrischen Kreisen gegen den Uhrzeigersinn drehten. Chandana, die Königin, Naveen und Raghi fuhren nacheinander auf dem inneren Kreis.

Nach zwei Umrundungen waren die Zwischenräume zwischen den Fahrzeugen auf fast nichts geschrumpft, abgesehen von einer Öffnung durch beide Ringe — dem Ausgang des Lagers, vermutete Raghi.

Eins von Raghis Drachenpferden, der größere Hengst, stieß einen durchdringenden Schrei aus.

Alle hielten an, und tausend Glöckchen verstummten auf einen Schlag.

Die plötzliche Stille ließ Raghi erschauern.

Bewegung und Geräusche setzten wieder ein, als die Ghitains von ihren Vardos sprangen. Pferde schnaubten und schüttelten ihre Mähnen.

Raghi blieb, wo er war, bis Naveen zu ihm kam. Sein Freund lächelte. Die Traurigkeit in seinem Herzen war gut versteckt. «Ein toller Anblick, nicht wahr? Übrigens, du kannst den Mund jetzt schließen.»

«Ich habe nicht geglotzt!», erwiderte Raghi.

«Nein, aber dich der Verzauberung hingegeben. Keine Sorge. Uns geht es genauso. Ein Ghitain zu sein hat seine Vorteile.» Naveen wurde ernst. «Du siehst immer noch schrecklich aus. Wie geht es dir?»

«Nicht schlecht. Dein Onkel übernahm für eine lange Zeit die Zügel, während ich mich ausruhte. Ich bin dankbar, fühle mich aber auch schuldig.» In seinem alten Leben hätte Raghi das nie zugegeben.

«Keine Sorge. Palash ist ein echter Ghitain. Er liebt es, mit dem Wind im Gesicht und den Zügeln in den Händen zu reisen, und das wird sich auch als Geist nie ändern.»

Raghi sprang von der Plattform auf den Boden und half Naveen, die Drachenpferde abzuschirren. «Danke!», flüsterte er ihnen ins Ohr. Sie rieben die Nüstern in seinen Handflächen und trabten weg.

«Du kannst gut mit Tieren umgehen. Drachenpferde können echte Biester sein», beobachtete Naveen. «Beeilen wir uns mit unserer Arbeit, bevor die Schmuckbeleuchtung der Vardos ausgeht. Im Gegensatz zur üblichen Beleuchtung unseres Lagers ist sie von Weitem sichtbar. Der Nebel sollte uns vor Feinden verbergen, aber man kann nie wissen, wer oder was da draußen lauert.»

Sie holten die Stufen der beiden Vardos und befestigten sie an den Plattformen. Dann machte sich Raghi auf, um Snowy, Chandanas Ziege, zu melken. Das Tier befand sich noch in seinem Transportkorb, der an der Unterseite des Fahrzeugs zwischen den Rädern befestigt war. Ein weiteres Beispiel dafür, wie die Ghitains jedes bisschen Platz nutzten.

Er nahm ein Seil von einem Haken neben dem Käfig, ließ die Ziege heraus und band sie an ein Rad, damit sie fressen, aber nicht weglaufen konnte. Snowy war im vorherigen Lager frei herumgestreunt, aber möglicherweise änderten sich die Regeln ausgehend vom Ort des Lagers.

Seltsam, wie sich sein Leben verändert hatte!

In Eterna war die Langeweile sein größter Feind gewesen. Um dem entgegenzuwirken, hatte er idiotische Dinge getan und sich so dem Tod durch Zufall oder durch die Hand des Meisters ausgeliefert.

In dieser Zeit und an diesem Ort brachte jeder Tag neue Entdeckungen, und Naveen und sein Clan hielten ihn auf Trab.

Er sollte sich darüber ärgern. Stattdessen brannte eine kleine Flamme des Wohlbefindens in seinem Herzen.

Als Snowy ihn anschaute, beugte er sich vor und rieb seine Nase an ihrer. Ihr sanftes Schnauben kitzelte die Haare auf seinem Gesicht. Wer hätte gedacht, dass sich im Melken einer kleinen Ziege so viel Glück und Entspannung finden ließen?

Chandana schloss sich ihm an, als er fast fertig war. «Danke, dass du gekommen bist. Ich bin todmüde. Violet tut sich schwer mit dem Reisen.»

Raghis Atem stockte. «Wie schlecht steht es um sie?»

Die Heilerin setzte sich auf einen Hocker, den sie in einer Hand trug. Ihr anderer Arm hielt Mallika, die gegen ihre Schulter schlief. «Überhaupt nicht schlecht. Du solltest lieber mich fragen, wie es meinen Ohren und meinem Verstand geht. Sobald wir aufbrachen, beschwerte sich Violet über jedes Rumpeln … das Klingeln der Glöckchen … einfach alles! Und glaub mir! Diese Frau kann schimpfen! Am Mittag gab ich ihr einen Schlaftrunk, nur um sie zum Schweigen zu bringen.»

Raghi starrte sie an. «Machst du dich über mich lustig?»

«Nein! Und ich werde auch dir einen Schlaftrunk geben, wenn du mich weiterhin nervst.»

Raghi schmunzelte über ihre Drohung. «Und ich dachte, du hättest die unendliche Geduld einer Heiligen.»

Ihre blitzenden Augen fokussierten ihn, das Blau viel dunkler als sonst.

In diesem Moment kam Desert Rose zu ihnen. Der Adlerkopf sah Raghi an. Der Drachenkopf beäugte Chandana. Sie badete die Heilerin in einem langen Stoß ihres zärtlichen Feuers.

«Vielleicht solltet ihr uns im nächsten Dorf absetzen», schlug Raghi vor, obwohl das Herz ihm bei der Vorstellung schwer wurde. «Wenn Violet auf dem Weg der Besserung ist, kann ich mich um sie kümmern. Mit all den kuriosen Dingen, die ich in meinem Leben getan habe, sollte ich unseren Unterhalt verdienen können.»

Hatte er das wirklich gerade gesagt? Er war ein Einzelgänger und würde es immer sein. Wo kam dann der plötzliche Unsinn her, dass er sich um eine Familie kümmern wollte?

Nein, nicht bloß *eine* Familie. Violet, Mallika und Desert Rose waren *seine* Familie.

Er wollte diese Verantwortung nicht. Er hatte sich immer damit getröstet, dass er, wenn ihm alles zu viel wurde, sein Leben im nächsten Moment beenden konnte. Seine Freunde in der Gilde — sogar Faya — hätten es verstanden. Jeder einzelne von ihnen erlebte seine eigenen Momente absoluter Dunkelheit und tiefster Verzweiflung.

Seine Nana hätte sich höchstens kurz an einen Jungen erinnert, um den sie sich vor langer Zeit gekümmert hatte, aber sonst nichts. Bevor er über die Treppen floh, hatten sie sich fünfzehn Jahre lang nicht gesehen.

Mallika hätte ihn nie gekannt.

Und Desert Rose konnte bestens auf sich selbst aufpassen. Er war nur eine leicht verfügbare Quelle von Spaß und Zuneigung.

Aber jetzt, innerhalb weniger Tage, hatte sich alles verändert. Die Menschen erwarteten von ihm, dass er etwas leistete und Verantwortung übernahm. Ihre Erwartungen bildeten einen Käfig, der sich mit jedem Atemzug verengte. Bald würden die Gitterstäbe ihn zerquetschen.

Jemand rang nach Atem.

Er war es! Zu spät bemerkte Raghi, dass sich der altbekannte Eisenring um seine Brust zusammenzog. Es gab nichts, was er tun konnte, um den Anfall zu stoppen. Er …

Eisiges blaues Feuer traf ihn wie eine Druckwelle. Er schien in einem Meer aus Geistern zu ertrinken. Raghi atmete scharf ein, nahm dann einen zweiten tieferen Atemzug. Und wie wenn der Anfall nie begonnen hätte, verschwanden alle Symptome — die Gänsehaut auf seinen Armen und Beinen der einzige Hinweis darauf, dass etwas passiert war.

Er zog seine zitternden Hände von der Ziege weg und umarmte sich selbst. «Das. War. Schrecklich», beschwerte er sich bei Desert Rose, jedes Wort durch ein Keuchen betont.

Die Chimäre erwiderte seinen Blick mit tiefer Missbilligung.

Chandana schüttelte den Kopf. «Das war brillant. Deine Chimäre muss deine Abneigung gegen Geister beobachtet und erkannt haben, dass sie damit deinen Anfall vertreiben kann. Während du an einer chronischen Lungenerkrankung leidest — die Symptome in deiner Atmung sind eindeutig —, entstehen deine Anfälle durch Panik oder ähnliche heftige Gefühlsaufwallungen. Durch mehr Gelassenheit könntest du dir viel Leid ersparen.»

Ihre Worte glichen einem Tritt in den Kopf. «Ich bin nicht verrückt!»

«Das habe ich auch nicht gesagt. Nur, dass du dich selbst ein wenig mehr lieben und versuchen solltest anderen zu vertrauen, zumindest in unserem Clan. Solange du dich nicht gegen uns wendest, werden wir deiner Familie nach besten Kräften helfen und sie beschützen.» Das Baby in Chandanas Armen rührte sich wimmernd. «Aber jetzt füll bitte die Babyflasche. Ich habe sie auf die Plattform des Vardos gestellt.»

Raghi gehorchte. Seine Schritte fühlten sich wackelig an, und seine Hände zitterten. Es bedurfte seiner ganzen Konzentration, um die Milch dorthin zu gießen, wo sie auch hin sollte.

«Mallika, sieh mal, wer da ist!», trällerte Chandana und drehte sich auf dem Hocker um, damit das Baby ihn ansehen konnte.

Mallikas dunkle Augen öffneten sich. Als sie Raghi sah, gluckste sie und streckte ihre winzigen Arme nach ihm aus.

Chandana stand auf und übergab ihm die Kleine. «Du kannst dich auf den Hocker setzen. Ich muss kochen.»

Raghi antwortete nicht, fasziniert vom Gesichtsausdruck seiner Schwester. «Ist sie krank?», fragte er.

Das brachte ihm einen Knuff der Heilerin ein. «Idiot.» Sie ging zu ihrem Vardo.

«Ich meine es ernst. Ich war das Ziel ihrer wütenden Blicke und schlechten Laune. Sie kotzte mich an und noch schlimmer. Was soll ich aus diesem Strahlen lesen?»

«Dass du ein Narr bist. Du hast sie herumgetragen, gefüttert und vor den schlechten Erinnerungen beschützt. Gewöhn dich besser daran, dass sie dich liebt.»

Raghi seufzte und setzte sich, um das Baby zu füttern, während Chandanas Worte in seinem Geist widerhallten. Konnten sie wahr sein?

Desert Rose streckte sich zu seinen Füßen aus. Ihr Adlerkopf pflegte ihre Federn und ihren Pelz. Das vertraute Rascheln beruhigte Raghi.

Er erschrak nicht einmal, als die magischen Lichter erloschen. Seine Augen gewöhnten sich ans Halbdunkel.

Naveen und Baz trafen ein und sprachen leise mit Chandana. Sie nickte, während das flackernde Feuer seltsame Schatten auf ihr Gesicht warf.

Die Männer beschäftigten sich damit, ein großes Stück Leinwand zwischen zwei Haken zu spannen, die hoch an den Ecken des Vardos angebracht waren. Zwei in die Wiese gesteckte Pfähle dienten als Befestigung für die anderen Ecken des Tuches. Raghi saß unter einer Markise.

«Was ist los?», fragte er Naveen.

«Kaea hat dies zu einem Familienabend erklärt. Wir werden alle zusammen essen, sogar Violet, wenn sie es wünscht.»

«Brauchst du Hilfe?»

«Nein, aber du könntest beobachten, was wir tun. Dann kannst du uns beim nächsten Mal helfen.»

Beim nächsten Mal. Das klang ebenso beängstigend wie beruhigend.

Baz und Naveen brachten einen mit brennenden Kohlen gefüllten Metallkorb und arrangierten Hocker und einige Klappstühle in sicherer Entfernung darum herum.

Schritte näherten sich. Es war der große Mann, der Raghis Auseinandersetzung mit den Drachenpferden beobachtet hatte.

«Das ist Daakshi, mein jüngerer Bruder», stellte Baz den Neuankömmling vor.

Das kam nicht überraschend. Bis auf die Größe und den sichtbaren Altersunterschied waren die Brüder identisch.

Raghi tauschte ein Nicken mit Daakshi.

Mallika erregte seine Aufmerksamkeit, indem sie sich wand und gluckste. Sie forderte ihn zum Spielen auf. Was hatte er Naveen tun sehen?

Raghi legte das Baby in einen der Klappstühle und spielte Guck-Guck mit ihr. Zuerst fühlte er sich lächerlich, aber als sie vor Freude quiekte und ihre kleinen Arme schwang, wurde sein Herz weicher. Desert Rose war genauso leicht zu begeistern gewesen. Obwohl das Baby beim Stöckchenholen kaum mithalten konnte.

Er schnaubte.

Daakshi tauchte plötzlich neben ihm auf. Er trug jemanden in seinen Armen.

«Ich bin froh, dass du weißt, wie man spielt. Das hast du nie getan, als du klein warst», sagte Violet. Der große Ghitain setzte sie in den Klappstuhl neben Mallikas.

Raghi konnte die Augen nicht von seiner Nana abwenden. Sie erwiderte seinen Blick mit identischer Faszination.

Fünfzehn Jahre! Sie hatte ihn zuletzt gesehen, als er ein fetter Junge war, ein hässlicher Schwächling, der in einer Vorbeuge nicht einmal seine Zehen berühren konnte. Was hielt sie jetzt von ihm?

Abgesehen von ihrer schmerzhaften Dünnheit sah sie für ihn fast unverändert aus. Sie war ein Mädchen gewesen, als er in ihre Obhut kam — sechzehn, wenn er sich richtig erinnerte — und eine junge Frau von dreiundzwanzig Jahren, als seine Eltern ihn an den Meister verkauft hatten. So musste sie jetzt achtunddreißig Jahre alt sein. Durch das raue Wetter, das die Inseln des Eismeeres heimsuchte, alterten die meisten Bewohner vorzeitig, bis ihre Gesichter den zerklüfteten Klippen glichen, die ihr Land vor den Sturmfluten schützten.

Violet sah reifer aus als in seiner Erinnerung, und dünne Linien zogen sich durch ihr Gesicht, aber das letzte Strahlen der Jugend war noch nicht verblasst, und ihr braunes Haar leuchtete wie kostbarer Honig. Sie musste unglaublich stark sein, um sich so schnell vom Missbrauch zu erholen. Raghi war überzeugt, dass sie innerhalb weniger Tage wieder laufen würde.

Naveen und Baz kamen mit einem großen Kochtopf, den sie auf den Glutkorb stellten.

Dann waren alle da. Baz und Naveen verteilten Schalen mit Essen. Zuerst gab es eine nahrhafte Gemüsesuppe aus dem Topf über Chandanas Feuer. Danach steuerte Kaeas Topf auf dem Kohlenbecken Bohneneintopf mit Fleischstückchen bei. Dabei stammten Letztere wahrscheinlich von den erlegten Tieren.

Niemand sprach während des Essens, aber die Familie tauschte Blicke und lächelte viel. Der Austausch schloss Palash, der auf einem geisterhaften Hocker an Kaeas Seite saß, mit ein. Sogar Daakshi sah ihn inzwischen.

Sie werden mich alle hassen, dachte Raghi, während er seine Aufmerksamkeit zwischen seinem Essen und Mallika aufteilte. Das Baby schien sich bestens zu amüsieren. Da er seine Hände brauchte, um Schale und Löffel zu halten, hatte er seinen Hocker vom Feuer wegbewegt und die Beine gestreckt. Die Kleine saß rittlings auf seinen Stiefeln, ihr Rücken an seine Schienbeine gelehnt.

Es war unbequem, aber es funktionierte, und Mallika war damit beschäftigt, alle anzuglotzen und mit den Armen herumzuwedeln. Naveen und Baz, die neben Raghi saßen, passten auf, dass sie nicht umkippte.

«Du wirst nie wieder aufstehen und deine Knie benutzen können», scherzte Naveen.

Raghi sah ihn finster an. «Ich bin ein Auftragsmörder. Es gehört zu meinem Beruf, mich an unbequemen Orten zu verstecken und sofort zuzuschlagen, wenn sich die Gelegenheit bietet.»

«Vielleicht, aber welche Situation erfordert, dass du einen Stein auf den Unterschenkeln balancierst, bevor du dein Opfer attackierst?»

Die Ghitains schnaubten amüsiert. Raghi gab auf.

Bald hatten alle das Essen beendet. Daakshi sammelte das Geschirr ein und stellte es zur späteren Reinigung in eine Wanne. Als er sich wieder hinsetzte, hielt er eine Blechdose, die er öffnete und herumreichte.

Raghi roch das intensive Aroma von sonnengetrockneten Früchten.

«Wie viele Menschen hast du in deiner Karriere getötet?»

Hoppla, wo kam diese Frage her?

Die melodische Frauenstimme gehörte Chandana. Natürlich wollte sie, die Heilerin, das wissen. Sie waren in jeder Hinsicht gegensätzlich. Sie versuchte den Menschen zu helfen und sie zu retten. Er beendete Leben.

Erzähl ihnen besser gleich, was für ein Idiot du bist. Wenn sie es später herausfinden, werden sie dich nur noch mehr verachten.

«Das hängt davon ab, wie du zählst. Absichtlich — niemanden. Aber es gab Kollateralschäden.»

Das trug ihm Kaeas volle Aufmerksamkeit ein. «Diese Antwort musst du näher erläutern. Wie ist das möglich?»

Raghi seufzte. Wo beginnen? Leute zu verärgern war viel einfacher, als ihnen etwas begreiflich zu machen.

«Als Auftragsmörder symbolisiert dein erster Mord das Ende deiner Ausbildung. Der Meister entscheidet, wann du bereit bist, und wählt eine schwierige Aufgabe aus, bei der du deine erworbenen Fähigkeiten beweisen kannst. Die meisten meiner Freunde stellten sich diesem Übergangsritual im Alter von etwa neun Jahren. Ich nicht. So wie ihr Informationen innerhalb eurer Familie teilt, wisst ihr alle, was ich den verschiedenen Mitgliedern erzählte, seit ich an diesem Ort und in dieser Zeit ankam.» Raghi schaute prüfend in die Runde.

Alle nickten.

Er seufzte erneut. Natürlich taten sie das. «Es dauerte Jahre, bis ich fit genug für meine Aufgaben war und noch länger, um die Fähigkeiten zu erwerben, die meinen Freunden scheinbar so leicht fielen. Ich war nicht bereit, als ich neun war, und auch nicht mit zwölf. Als ich dreizehn Jahre alt wurde, gab mir die Natur die Möglichkeit, meinem Meister einen Herzinfarkt zu verursachen: Ich fing an herumzuhuren, wo ich eine offene Tür fand … in Bordellen, Palästen, den Slums, sogar in Tempeln.»

Mallika quengelte. Raghi erkannte die Zeichen. Er hob sie an seine Brust. Sie vergrub ihr Gesicht in seiner Tunika und schlief ein.

«Um zu verstehen, was ich tat, müsst ihr zwei Fakten kennen. Alle Lehrlinge wurden liebevollen Familien entrissen, die sie nie wiedersehen dürfen. Und Auftragsmördern — egal ob Lehrling oder ausgelernt — ist es verboten, Liebhaber und Nachkommen zu haben. Hielt einer von uns sich nicht daran, tötete der Meister seine Geliebte und alle Kinder, die sie hatten. Gehorchte der Auftragsmörder danach immer noch nicht, tötete der Meister seine Eltern und Geschwister. Diese Strategie hatte sich immer bewährt. Doch dann kam ich.»

Alle starrten ihn voller Entsetzen an. Weil die Mitglieder einer Ghitainfamilie einander liebten und sich nahe standen, dachten sie, er hätte unsäglich unter dieser Situation gelitten.

Zeit, ihre Erwartungen zu zerstören.

«Ich war der einzige Lehrling, den der Meister nicht stehlen musste. Vom Moment meiner Geburt an hassten meine königlichen Eltern alles an mir. Doch statt den missratenen Spross selbst zu töten, gaben mich diese Feiglinge dem Meister der Mördergilde von Eterna. Ich weiß nicht, ob er mich einfach nahm oder ob sie ihm dafür Geld gaben, obwohl ich Letzteres immer behaupte. Beide Optionen sind möglich. Seit Jahrzehnten spielt der Meister ein geheimnisvolles politisches Machtspiel, das niemand versteht. Auch wenn ich zu nichts taugte, hätte er einen Nutzen in mir sehen können.»

Raghi versuchte sich zu beruhigen. Die Erinnerungen brannten wie Höllenfeuer in seinem Magen.

«Hier, nimm etwas Tee», flüsterte Naveen, seine Augen riesig. Er gab Raghi seinen eigenen Becher, da Raghis leer war.

«Danke.» Der heiße Tee taute den gefrorenen Klumpen in Raghis Brust auf, der wahrscheinlich sein Herz war.

«Der Meister ist ein sehr gefährlicher Mann, aber er kann auch arrogant und dumm sein. Er dachte, ich suchte mir meine Liebhaber unter den Mächtigen, um Allianzen zu bilden. Er dachte, dass meine Rebellion sich gegen ihn richtete und dass ich beabsichtigte, *ihn* zu Fall zu bringen. Er brauchte lange, um zu erkennen, dass er nur mein Mittel war, um an *sie* heranzukommen. All die Bastarde, die Kinder an Bordelle verkauften, oder jene Wahnsinnigen, die die Ärmsten der Armen entführten, um ihre Blutgier zu stillen. Ihr würdet nicht glauben, wie viele reiche mächtige Männer sich die Zeit damit vertreiben, wehrlose Menschen möglichst grausam zu töten. Der Meister hatte bereits eine beträchtliche Anzahl dieser Monster umgebracht, bevor er erkannte, was ich tat. Seine Dummheit machte Eterna, wenn auch nur kurz, zu einem besseren Ort und kostete ihn beträchtlichen Einfluss im Machtgetriebe der Stadt.» Raghi lächelte mit grimmiger Zufriedenheit.

Baz, der auf sein Gesicht starrte und jedem Wort folgte, schauderte. «Aber was ist mit dir? Deiner Seele? Und deiner Gesundheit? Wie konntest du dich dazu bringen, an diese furchtbaren Orte zu gehen und mit so gefährlichen, verwahrlosten Leuten zu schlafen?»

Wenn er nur in der Lage wäre, dieses Maß an Unschuld zurückzugewinnen. Zu denken, dass die Dinge so waren, wie sie aussahen. Und sich hinter dem äußeren Schein die Wahrheit verbarg …

«Bei denjenigen, die gefährlich und verwahrlost wirken, dreht sich alles um Drohungen und Einschüchterung — ein Kern aus Grausamkeit, umgeben von einer Wolke aus Schall und Rauch. Echte Monster verstecken sich hinter dem Äußeren von Engeln und leben in Schönheit. Wenn du einen reichen, attraktiven Mann mit einer perfekten Familie triffst, der in einem atemberaubenden Herrenhaus wohnt, würde ich rennen — so schnell und so weit du kannst.»

Mehrere Ghitains erschauderten.

Daakshi reagierte auf die Stimmung, indem er den Krug holte und alle Tassen mit Tee auffüllte. Raghi erkannte, dass er immer noch Naveens in den Händen drehte, und gab sie seinem Freund zurück.

«Die Geister, die du mit deinen Worten beschwörst, sind stark, Raghi», bemerkte Kaea. Während die Stimme der Königin neutral klang, zeigte ihr Gesicht einen Ausdruck, den er nur schwer einschätzen konnte. Ablehnung? Abscheu? Berechnung?

Seine Brust wurde eng. Vielleicht hätte er nicht so freimütig sein sollen. Andererseits, was spielte das für eine Rolle? Er war ein Meister darin, davonzulaufen, nachdem er die Gefühle der Menschen mit Füßen getreten hatte.

Konzentrier dich nicht auf deine Ängste. Konzentrier dich auf deine Stärken, egal wie schmerzhaft sie sind.

«Was tat der Meister, als er erkannte, dass er dir in die Hände gespielt hatte?», fragte Kaea.

«Er war wütend, so wütend, dass er mich im Zunfthaus konfrontierte, ohne zuvor seine Gefühle unter Kontrolle zu bringen. Als er drohte meine Eltern zu töten, simulierte ich einen Lachkrampf und schrie: ‹Ja, bitte! Tu es! Worauf wartest du noch?!› Es war eine meiner besseren Darbietungen, und ich dachte damals, dass ich eine Chance gegen ihn hätte. Er verlor die Fassung — dies vor den versammelten Lehrlingen und einigen erwachsenen Mördern. Sein Gesicht wurde blau, während er mich anschrie. Die Venen auf seiner Stirn wölbten sich, und seine Augen traten aus ihren Höhlen. Er schien nur noch einen Atemzug von einem Schlaganfall entfernt. Wären wir allein gewesen, hätte ich ihn wahrscheinlich dazu gebracht. Leider intervenierte sein Instinkt für Gefahr, und er bemerkte die berechnenden Blicke, die sich auf ihn richteten. Er beendete seinen Wutanfall mitten im Satz, drehte sich um und ging.»

Raghi senkte die Augen, um ins Kohlenbecken zu starren. Er war ein geschickter Lügner, aber seine Geschichte näherte sich Elementen von unvorstellbarem Schmerz. Diese zwangen ihn dazu, mit Halbwahrheiten zu arbeiten.

«Jeder wusste, dass ich äußerst hart bestraft werden würde. Ich hoffte auf den Tod, aber der Meister versuchte schlau zu sein, und gab mich den Altvorderen, damit sie ihr Spiel mit mir trieben.» Schweißtropfen sickerten in Raghis Augen. Er blinzelte und wischte sich die Stirn mit dem Ärmel ab.

Zu schade, dass er nichts tun konnte, um sein rasendes Herz zu beruhigen.

«Die Altvorderen sind die Zeitgenossen des Meisters, ältere

Auftragsmörder, die ihm halfen, die Gilde in ihrem heutigen Zustand zu etablieren. Sie sind schlecht, bösartig und die einzigen Monster, die ich kenne, denen man ihre Verdorbenheit ansieht. Aber wieder ging der Versuch des Meisters schief, zumindest irgendwie, und ich gewann die Oberhand. Es war reines Glück. Oder vielleicht auch nicht, denn die ganze Sache brachte ihn auf eine Idee. Bald darauf übte er eine andere Form der Bestrafung aus, jene sehr effektiv. Ich schloss meine Lehrzeit nie ab. Anstatt mich als Auftragsmörder einzusetzen, gab der Meister mich als Hure an wen auch immer er wollte.»

Diesmal war die Stille absolut, als hätten alle aufgehört zu atmen.

Raghi wartete auf ihre Fragen. Basierend auf dem, was er Palash erzählt hatte, konnten die Ghitains ableiten, was ihm passiert war. Ihre Schlussfolgerung wäre falsch, weil er Palash ungenaue Informationen gegeben hatte, aber das Ergebnis blieb das Gleiche.

Es kamen keine Fragen.

Er hob den Kopf, um Palash anzusehen. Der Geist schüttelte fast unmerklich den Kopf. Bedeutete das, dass er die Geschichte nicht verbreitet hatte? Hatten Ghitainfamilien doch Filter?

«Was wollt ihr noch wissen?», wagte Raghi zu fragen.

«Nichts», antwortete Baz. «Es sei denn, du willst uns mehr erzählen. Ein Mann sollte die Möglichkeit haben, die Vergangenheit in der Vergangenheit zu lassen, oder — in deinem Fall — in der Zukunft.»

Erleichterung durchflutete seine Brust. Sie war von kurzer Dauer.

«Ich habe eine Frage», sagte Daakshi.

Raghi wandte sich ihm zu.

«Ich habe dich nicht auf deiner Chimäre fliegen sehen. Warum?»

Es dauerte einen langen Moment, bis Raghi die einzelnen Wörter verarbeitet und ihre Bedeutung verstanden hatte. Was war das für eine Frage nach dem, was er ihnen gerade erzählt hatte!

«Sie ist nicht stark genug. Wir haben es ein paar Mal versucht, aber es hat nicht funktioniert.»

Daakshi schüttelte den Kopf. «Es sollte aber. Reit auf einem der Drachenpferde und üb mit ihr das Fliegen. Sie muss ihre Kraft aufbauen. Es ist nicht gut, wenn ein magisches Tier nicht das tun kann, was es sollte.»

Das klang nach einem ehrlichen Ratschlag. Raghi suchte den Blick der Königin und erhielt ein Nicken.

«Bist du dabei, Mädchen?», fragte er und schaute zwischen sich und Naveen hinunter. Roses Adleraugen blinzelten schläfrig zu ihm auf. Sie hatte im Gras geschlafen, ihr Körper wie ein Schutzwall hinter ihm, während ihr Drachenkopf Wache hielt.

Zärtliches Feuer wogte auf ihn herab.

«Das war ein Ja», bemerkte Daakshi zufrieden.

11

«Das Feuer ist fast aus, und das Wetter verschlechtert sich. Wir sollten zu unseren Vardos zurückkehren», schlug die Königin vor und riss alle aus ihrer zufriedenen, leicht schläfrigen Ruhe.

Raghi hatte nicht einmal bemerkt, dass es regnete. Das improvisierte Vordach hielt sie trocken, und sein grob strukturiertes, robustes Segeltuch dämpfte das Prasseln der Regentropfen. Als zusätzlichen Vorteil sammelte es die Abstrahlung des Kohlenbeckens, so dass allen viel wärmer war als unter freiem Himmel.

«Raghi, reichst du mir Mallika und trägst Violet rein?», fragte Chandana.

Er gab ihr das Baby.

«Vorsichtig, Nana», sagte er, als er sich bückte, um sie hochzuheben. «Die Beule um meinen Hals ist ein lebendes Tier.»

Sie passte ihren Griff gehorsam an. Ihre Arme waren noch schwach, aber er wollte nicht, dass sie den kleinen Stinkdrachen drückte. Das Tier war schon kaputt genug.

Als er Violet auf das Bettpodest setzte, weigerte sie sich, sich hinzulegen. Ihre Handflächen fanden seine Wangen, und sie küsste seine Stirn.

Er bedeckte ihre Hände mit seinen. «Warum weinst du, Nana?»

«Wegen all der schrecklichen Dinge, die dir passiert sind. Oh, Raghi, hätte ich dich sterben lassen sollen?»

Er dachte darüber nach. Die Antwort kam schnell und überraschend. «Nein. Der Tod erfordert eine einfache Entscheidung und ein bisschen Zeit. Mit diesem Wissen kann ich mich allem stellen.»

Frische Tränen flossen. «Es tut mir so leid!», sagte sie und schluchzte.

«Das braucht es nicht, Violet. Nimm eine explosive Situation und gib mein Temperament und meine Leidenschaft für Chaos hinzu. Ich glaube nicht, dass ich ein einziges Mal davon absah, mich von meiner schlechtesten Seite zu zeigen. Viel von dem, was mir passiert ist, brachte ich über mich selbst. Andere Lehrlinge hassten den Meister genauso sehr wie ich, hielten aber den Kopf gesenkt und gaben vor mitzuspielen. Wenn er nicht aus irgendeinem Grund eine Abneigung gegen sie entwickelte, hatten sie keins der Probleme, mit denen ich mich herumschlug.»

Violet lächelte durch ihre Tränen. «Ich erinnere mich an die Leidenschaft für Chaos. Dein Körper war schwach, aber in deiner Seele brodelte ein unaufhaltsamer Orkan. Ich wusste nie, wie ich mit dir umgehen sollte.»

Raghi erwiderte ihr Lächeln. «Das war egal, weil du mich zu lieben wusstest. Ich hoffe, ich habe das wiedergutgemacht, indem ich dich hierher brachte und dir das Leben rettete.»

«Ohne undankbar klingen zu wollen, bin ich mir nicht sicher. Ich bin überwältigt von dem, was passiert ist. Durch die Zeit zu reisen bis zur Dämmerung der Zivilisation ...» Sie biss sich nervös auf die Lippen. «Ich wünschte, ich hätte deinen Gleichmut im Umgang mit dem Unglaublichen.»

«Das ist kein Gleichmut, sondern Zynismus. Gegenwärtig finde ich die Dämmerung der Zivilisation einen viel freundlicheren Ort als unsere Zeit. Und das Wetter ist besser.»

Beide sahen zur Decke des Vardos hoch. Der Regen, der auf sein Blechdach niederprasselte, erweckte den Eindruck, in einer Trommel zu sitzen. Wenn die Niederschläge noch stärker wurden, konnten sie sich nicht mehr über den Lärm hinweg verständigen.

«Was wahrscheinlich nur ein Eismeerinsulaner so beurteilen würde», schrie Violet, grinste und legte sich endlich hin.

Raghi deckte sie zu, küsste ihre Wange und winkte Chandana zum Abschied.

Dann trat er in die Sintflut hinaus. Während seines kurzen Sprints zu Naveens Vardo durchnässte ihn der Regen bis auf die Knochen.

Sein Freund kniete vor dem kleinen Ofen und baute ein Feuer aus einem Scheit und etwas Kleinholz. Mehr war nicht nötig, um den Innenraum über Nacht wunderbar warm zu halten.

Sechs knorrige kleine Drachen wandten synchron den Kopf zu Raghi und funkelten ihn wütend an.

«Warum sind sie sauer auf mich?», fragte er und streifte seinen regengetränkten Umhang ab.

«Sie sind wütend auf uns beide. Wir haben kein Feuer gemacht, unmittelbar nachdem wir das Lager aufschlugen. Die kleinen Biester mögen es gemütlich.»

Raghi zog eine Braue hoch. «Solltest du sie hier drin provozieren? Du erwähntest, dass sie Furzbomben produzieren können.»

«Das ist richtig, aber das werden sie nicht, solange sie nicht vor ihrem eigenen Gestank fliehen können. Wenn sie etwas noch mehr hassen als Kälte, dann ist das Regen.» Naveen stippte spielerisch gegen die Schnauze eines kleinen Drachens. Der zischte ihn an. «Wie geht es Desert Rose?»

«Sie blieb unter der Markise und hat inzwischen viel Gesellschaft. Ich sah die Drachenpferde, deine Schecken und einige andere Tiere, wie sie darunter Zuflucht suchten.»

«Das Wetter ist in dieser Gegend immer schlecht, wenn der Frühling anbricht. Deshalb sind alle Fahrzeuge meiner Sippe Zweispänner. Unsere Vardos sind kleiner und leichter als die der meisten anderen Clans, aber ein einzelnes Pferd kann sie trotzdem nicht aus dem Schlamm ziehen. Die Clans auf dem inneren Kreis verwenden größere Vardos mit nur einem Pferd.»

Raghi wusste, dass ihm wichtige Informationen fehlten — und dass ein guter Auftragsmörder danach gefragt hätte —, aber nach dem Gespräch über seine Vergangenheit fühlte er sich wie erschlagen.

«Warum wäschst du dir nicht den Tag ab und gehst ins Bett?», schlug Naveen vor. «Lass mich nur rasch nach dem kleinen Drachen sehen. Ihr Zustand beunruhigt mich. Stinkdrachen sind hart im Nehmen. Au! Hör auf damit!» Er starrte auf den Drachen hinab, der ihn an den Finger gezwickt hatte.

Ohne nachzudenken, wandte sich Raghi von Naveen ab und zog sich bis auf seinen Lendenschurz aus.

Das Rascheln hinter ihm hörte auf.

«Warum schaut mich dein Tattoo an?», hörte Raghi die Stimme des jungen Ghitains. Für jemanden, der das Ding zum ersten Mal sah, reagierte er äußerst gelassen.

«Das ist nur eine Illusion. Der Künstler war ein wahrer Meister seines Fachs», log Raghi und schaute über die Schulter zu Naveen.

Als dieser die Ofentür schloss und sich erhob, knisterte das Feuer bereits. Wie hatte er es so schnell entzündet? «Das ist keine Illusion. Dein Tattoo lebt.»

Natürlich musste der Ghitainprinz das mit seiner vermaledeiten Beobachtungsgabe erkennen!

«Was auch immer du tust, bitte fass es nicht an», flehte Raghi.

«Das habe ich nicht vor. Es ist faszinierend. Es ähnelt einem magischen Tier, aber etwas Vergleichbares habe ich noch nie zuvor gesehen. Ziehen wir einen Vergleich analog zur Ähnlichkeit zwischen Pferden und Drachenpferden, wäre das ein Wolfsdämon. Aber selbst die Augen der Drachenpferde brennen nicht im wahrsten Sinne des Wortes. Hat es auch einen Körper?»

Raghi hatte seinen Rücken nach dem Auftauchen des Dings mit Spiegeln überprüft. Waren sie verbunden, zeigte sich nur der schreckliche Kopf, obwohl er einmal auch eine Hand gesehen hatte. «Ja.»

«Hat ein Künstler es auf deinem Rücken geschaffen? Oder hast du es irgendwo gefunden und dich mit ihm verbunden?»

Weder noch, aber Raghi wollte nicht darüber reden. «Könntest du deine Fragen auf morgen verschieben und einfach nach dem Drachen sehen? Mir geht es nicht so gut.»

«Natürlich. Tut mir leid!» Naveen untersuchte den kleinen Drachen, wobei er um Raghi herumging, bis er vor ihm stand. «Es scheint ihr besser zu gehen. Kannst du sie bei dir bei behalten? Obwohl ich nicht begreife, wie du mit dieser Fessel um den Hals überhaupt schlafen kannst.»

«Ich werde es schaffen.»

Ein Mörder trug die notwendigen Dinge, um sich zu waschen und die Zähne zu putzen, immer bei sich. Raghi, der vor Schläfrigkeit taumelte, fummelte die Gegenstände aus seinem Beutel und erledigte die vertrauten Handgriffe mechanisch.

Er schlief ein, kaum dass er sich ins Bett gelegt hatte.

DER TRAUM BEGANN LANGSAM wie eine Erinnerung, die aus den tiefsten Tiefen seines Geistes aufstieg. Weißer Dunst wogte um Raghi und wurde zu Schwaden zerfetzt wie jene Nebelbänke, die gegen die sturmumtosten Klippen des Eismeeres prallten. Es gab keine Geräusche, nur absolute Stille.

Dann löste sich der Nebel auf, und Raghi stand auf einer Lichtung neben einem Teich. Der Ort erinnerte ihn an die Wälder seiner Inselheimat. Das Wasser war dunkelgrau, seine Oberfläche größtenteils gefroren. Wie unheimliche Finger ragten tote schwarze Äste durch das Eis und winkten ihm im eisigen Nordwind zu. Verrottendes Laub säumte die Ufer, unterbrochen von groben grauen Moosbrocken. Und überall um ihn herum verströmten die finsteren Tannen und kahlen Bäume des Winterwaldes eine Aura dunkler Bedrohung und hielten das schwache Winterlicht fern.

Als Kind hatte er solche Orte gefürchtet. Sie erschienen ihm wie Portale zwischen der Welt der Lebenden und der Toten, zwischen den gewöhnlichen Menschen und den Geschöpfen des Jenseits.

Jetzt, als Erwachsener, fand er sie einfach nur nervig. Nichts lebte in dieser Ödnis erstarrten Verfalls. Nichts änderte sich je in dieser eingefrorenen Verwüstung. Es gab keine Geister, und er war noch keinem Zwerg oder Kobold begegnet.

Jemand weinte. Ein Mädchen.

Raghi sah sich um und versuchte, die Quelle der erstickten Geräusche zu finden. Da er nichts sah, folgte er ihnen nach Gehör. Sie führten ihn zum Rand des Wassers und zu einem kniehohen Felsbrocken.

Nur, dass das kein Stein war.

Es war ein zerrissener Umhang von unbestimmter Farbe, der sich kaum vom Dreck und toten Laub abhob. Sein Umriss zitterte mit jedem Schluchzen des Mädchens.

Raghi kniete sich an dem Ende hin, wo er ihren Kopf vermutete, und hob vorsichtig das Tuch an.

Er sah braunes, blutverklebtes Haar und eine nackte Schulter. Prellungen und Schnittwunden überzogen die blasse Haut des Mädchens — Zeichen von grausamem Missbrauch, die er aus eigener Erfahrung kannte.

Wie sollte er vorgehen? Sie war gefangen in ihrem Schmerz und ihrer Verzweiflung und sich seiner Gegenwart nicht bewusst. Und er war ein Mann wie das Monster, das sie missbraucht hatte. Auf ihrem Oberarm hatte eine riesige Hand ihre unverwechselbaren Spuren hinterlassen.

Raghis Überlegungen erwiesen sich als unnötig.

Mit einem verängstigten Keuchen ruckte das Mädchen weg, riss ihren Umhang frei und starrte ihn an. Die Gefühle, die ihre riesigen blauen Augen vernebelten, drehten ihm fast den Magen um. Wirbel aus rasender Wut fanden sich ebenso darin wie die Scherben verratener Versprechungen. Alles wurde überlagert von grenzenloser Angst, die ihm den Atem abschnürte. Er keuchte wie bei einem seiner Erstickungsanfälle.

Das Röcheln riss sie aus ihrer Erstarrung. Ihre Augenbrauen verengten sich, und ihr ängstlicher Blick verwandelte sich in ein wütendes Funkeln. «Wer bist du?»

Ihre Stimme klang seltsam, hallend und irgendwie metallisch. Sie schien zu groß für sie zu sein.

Nun, da sie ihren Schmerz vor ihm versteckte, konnte er wieder atmen. «Mein Name ist Raghi. Ich habe dich weinen hören. Kann ich dir helfen?»

Ihr Gesicht verzerrte sich zu einer bitteren, verheerten Miene, die ein Mädchen in ihrem Alter nicht kennen sollte. «Niemand kann mir helfen», spuckte sie und wischte sich über die Augen.

«Erlaube mir wenigstens, mich um deine Wunden zu kümmern. Schlammverkrustet, wie sie sind, werden sie sich infizieren.»

Da sie nur ein ärmelloses weißes Kleid trug, das ihre Beine unbedeckt ließ, erkannte er das schreckliche Ausmaß ihrer Misshandlungen. Jeder barfüßige Schritt musste sie unglaublich geschmerzt haben. Wie war sie in diesem Zustand hierher gekommen? Und ohne zu erfrieren?

«Haben sie dich vergewaltigt?», fragte er, ohne nachzudenken, und hätte sich selbst treten können. Ging es noch unsensibler?

Ihr Blick verhärtete sich. Jetzt schien sie bereit, ihn bis zu ihrem letzten Atemzug zu bekämpfen. «Warum willst du das wissen? Hast du vor, ihre Taten zu Ende zu bringen?»

Ihre Anschuldigung verursachte einen schmerzhaften Stich in seiner Brust. Seine Erinnerungen kochten hoch, und das Ding auf seinem Rücken rührte sich. Er war versucht, ihr mit einer grausamen Lüge zu antworten als Rache dafür, dass sie ihn verletzt hatte.

Er atmete tief durch und kämpfte seinen Zorn nieder. «Nein, ich habe nur gehofft, dass du mehr Glück hattest als ich einst.»

Großartig! Ohne jede Wut klang seine Stimme tot.

Seine Worte erregten ihre Aufmerksamkeit. Sie starrte ihn die längste Zeit durchdringend an. Dann, urplötzlich, verließ sie ihre Kraft. Sie senkte den Blick und schlang die Arme um ihre Taille, um ihren zitternden Körper zu beruhigen.

«Ich hatte mehr Glück als du», erwiderte sie mit klappernden Zähnen.

Raghi seufzte erleichtert. «Ich bin froh. Das ist zumindest ein bisschen Glück in einer schrecklichen Situation. Darf ich dich zu der Quelle da drüben tragen? Wir brauchen reines Wasser, um deine Wunden zu reinigen.»

«Ich kann gehen!» Sie versuchte, auf die Beine zu kommen, und fiel fast um.

Raghi fing sie bei den Händen, dem einzigen unversehrten Teil von ihr. «Hier, halt dich an meiner Schulter fest. Ich glaube nicht, dass ich dich irgendwo stützen kann, ohne dir wehzutun.»

Sie bewältigten die kurze Distanz einen zögerlichen und wackeligen Schritt nach dem anderen. Der Wind blies den trockenen Schnee über die nackten Füße des Mädchens.

Die Quelle entsprang in einer Formation von Felsbrocken. Daneben wuchs eine Fläche graues Moos, das eine wohlwollende Gottheit saubergefegt zu haben schien. Es bot ein weiches Bett.

Das Mädchen setzte sich mit seiner Hilfe darauf und keuchte vor Schmerz.

Wenn sie nur Feuer und einen Topf hätten, um Wasser abzukochen!

Raghi zuckte zusammen, als das Gewünschte neben ihm Form annahm. «Was zum Teufel ist das für ein Ort?», quiekte er und wich zurück.

Das Mädchen musterte die Lichtung und wandte sich dann wieder ihm zu. «Dein gefrorenes Herz.»

Er starrte sie an und begriff, was sie ihm mitteilen wollte. «Also ist das ein Traum.»

«Ja.» Sie versuchte die Schultern zu zucken und krümmte sich.

Das erklärte, warum der kleine Drache nicht mehr um seinen Hals gewickelt war.

Raghi spürte einen unerwarteten Anflug von Enttäuschung. Das Mädchen berührte etwas in seiner Seele. Weil die Verletzungen nicht angeschwollen waren, erkannte er ihre darunterliegende Schönheit. Es schien, als würde sie in ihrem Äußeren alles vereinen, was er je bei anderen gemocht hatte. Sie war nicht viel größer als Faya — ihr Scheitel erreichte gerade mal seine Nase — und hatte die gleiche knabenhafte, elfengleiche Gestalt. Ihr Haar glänzte haselnussbraun wie das von Violet, aber während das Haar seiner Nana fein und gerade war, wuchsen ihre langen Strähnen in flaumiger Fülle. Die unverletzten Stellen ihrer Haut strahlten weiß wie Sahne, und ihre blauen Augen waren groß genug, um in ihnen zu ertrinken. Sie sah jung und unschuldig aus.

Zu schade, dass dies nur ein Traum war.

Gleichzeitig machte es Sinn, wenn auch auf eine seltsame Weise. Wenn er sich jemals erlaubt hätte, von einer Geliebten zu träumen, hätte sie wie dieses Mädchen ausgesehen.

Er sollte gehen. Nichts, was er auf dieser Existenzebene tat, bewirkte irgendetwas. Das war nur ein Traum. Wenn er morgen früh die Augen öffnete, war sie weg.

Doch wenn nichts von Bedeutung war, weshalb nicht eine Weile bleiben? Ihr zu helfen würde ihm das Gefühl geben gebraucht zu werden. Und vielleicht würde er sich sogar nach dem Aufwachen an sie erinnern.

«Wie ist dein Name, Kind?», fragte Raghi.

Das trug ihm einen finsteren Blick ein. «Ich bin kein Kind, sondern eine erwachsene Frau. Und mein Name ist Najira.»

Ihre Stimme verunsicherte ihn. Wenn der Vardo der magischen Tiere sprechen könnte, hätte er eine Stimme wie diese.

Raghi schüttelte den Kopf, um den seltsamen Gedanken zu vergessen. Er füllte den Topf mit Quellwasser und stellte ihn aufs Feuer. Dann schaute er durch die Vorräte in seinem Beutel und stellte sicher, dass er alles hatte, was er zur Behandlung ihrer Wunden brauchte.

«Du trägst eine seltsame Auswahl an Dingen bei dir. Was ist dein Beruf?», fragte Najira. Sie hatte die Nähnadel und die Schnüre aus Schweinedarm bemerkt, die er nicht benötigte, da die meisten ihrer Wunden Prellungen und keine Schnitte waren.

«Ich bin ein Auftragsmörder, habe meine Ausbildung aber nie beendet.»

«Menschen töten und heilen. Verschiedene Seiten derselben Medaille.» Sein Beruf schien sie überhaupt nicht zu stören.

Wie konnte er sie waschen? An einem sicheren Ort wäre seine Wahl auf ein Bad in lauwarmem Salzwasser, vermischt mit schmerzlindernden Kräutern, gefallen. Die Kräuter betäubten das schlimme Stechen des Salzwassers, so dass ihr Herz nicht vor Schock stehen blieb, und das Salz desinfizierte die Wunden.

Raghi erkannte, dass er wie stets ein Idiot war. Das war sein Traum, und er konnte ihn nach Belieben verändern.

«Wenn nur deine Wunden heilen würden», sagte er.

Nichts passierte.

«Verdammt! Warum kann ich dich nicht gesund träumen?»

«Träume folgen seltsamen Regeln», antwortete sie vage.

Das war eine Lüge — oder eine Ablenkung. Sie wusste etwas.

Raghi zuckte die Schultern. Selbst imaginäre Menschen hatten ein Recht auf Geheimnisse.

Er erinnerte sich an die klauenfüßige Badewanne von der Krankenstation der Gilde und wünschte sie herbei. Sie nahm vor seinen Augen Gestalt an, der Duft ihrer Dämpfe unverwechselbar.

Mittlerweile ließ Najira den Kopf hängen. Ihre Kraft schien nachzulassen.

«He, bleib wach!» Er streichelte ihre Hand mit seiner. «Du musst in die Wanne.»

Er überredete sie, einen Arm ins Wasser zu tauchen. Die Betäubung würde durch die nässenden Wunden in ihren Körper eindringen und überall Taubheit verbreiten.

Als ihre Atmung sich entspannte, zog er sie auf die Füße und half ihr in die Wanne, einen Fuß nach dem anderen. Tränen strömten über ihre Wangen, und ihre gequälten Atemzüge trieben Dolche des Mitgefühls in sein Herz. Die Droge war stark. Dennoch blieb die Behandlung von so schlimmen Wunden wie ihren furchtbar schmerzhaft.

Endlich saß sie bis zum Hals im Wasser.

Raghi fühlte sich krank. Er hasste es, ein Auftragsmörder zu sein, und hatte sich immer darüber gewundert, wenn seine Kollegen behaupteten, dass der Beruf rein und mitfühlend ausgeübt werden konnte. Nun verstand er ihren Standpunkt. Seine Fähigkeiten erlaubten es ihm, ein Opfer auf der Stelle schmerzfrei zu töten, so dass es nicht einmal erkannte, wie ihm geschah. Das machte ihn, das Werkzeug des Todes, zu einem bösen Mann, aber nicht zu einem Monster. Monster genossen es, immer wieder neue Schmerzen zu verursachen und geilten sich daran auf.

Eine Ewigkeit schien zu vergehen, bis ihre Beine, Arme und ihr Körper sauber waren. Zu seiner Überraschung erlaubte sie ihm, das Kleid aufzuschneiden, als ihre Wunden so weit aufgeweicht waren, dass der Stoff sich von ihnen löste. Das war ein gutes Zeichen. Es war nicht gut, wenn sie aus Angst vor ihrem Peiniger alle Männer verabscheute. Wenn sie nie hinschaute, übersah sie die ehrlichen und guten, die es wert waren, geliebt zu werden.

Sie ist ein Traum, du Idiot! Merk dir das endlich!

Aber das Mädchen fühlte sich nicht wie ein Traum an.

«Kannst du tiefer ins Wasser gleiten, damit ich deinen Kopf reinigen kann?»

Sie gehorchte. Die große Wanne bot ihr viel Platz.

Sanft schöpfte er Wasser über Najiras Haare und Gesicht und stützte ihren Nacken mit seiner anderen Hand. Sie hielt die Augen geschlossen, was es ihm leichter machte, sich auf seine Aufgabe zu konzentrieren. Obwohl er respektvoll sein wollte, streunten seine Augen ein klein wenig.

Sein wirkliches Leben verdammte ihn zur Einsamkeit, aber was war mit seinen Träumen?

Vergiss es! In Kürze bist du tot, und nichts ist mehr wichtig …

Was sollte er bloß mit ihr machen, nun da sie sauber war? Wie es ihr bequem machen und sie mit dem versorgen, was sie benötigte?

«Weißt du, wann die Nacht vorbei ist?», fragte er.

Sie öffnete die Augen einen Spalt breit. Ihr Ausdruck war benommen, die Betäubung voll wirksam. «Bald», flüsterte sie.

«Was passiert, wenn ich aufwache? Bleibst du allein hier und musst für dich selbst sorgen?»

Ein schwaches Kopfschütteln. «Da ich in deinen Träumen lebe, wirst du mich finden, wann und wo du mich suchst, sobald du einschläfst.»

«Aber nicht geheilt?»

«Wahrscheinlich nicht.»

Obwohl sie nicht real war und daher nicht fühlte, wie die Zeit verging, bekam er die Idee nicht aus seinem Kopf — und würde sich den ganzen Tag lang um sie sorgen.

«Was brauchst du, damit du dich wohlfühlst? Hast du Hunger?» Da er oft tagelang fastete, besaß Essen für ihn keine Priorität.

«Kein Essen, nur schlafen», flüsterte sie.

Selbst in ihrem zerschlagenen und eingeweichten Zustand erschien sie ihm unglaublich schön. Andere Männer hätten sie nicht zweimal angeschaut. Raghi kannte ihre Fantasien aus den Bordellen. Sie waren leicht zu verführen, insbesondere wenn man ihre Schwachpunkte kannte. Es war ein Spiel der Illusionen. Und danach fragten sie sich immer, warum sie sich enttäuscht und leer fühlten. Und warum nichts jemals genug schien.

Er erhob sich aus seiner knienden Position. Sein Herz pochte.

Du hättest mich lehren können, dieses Leben zu lieben.

Detailliert stellte er sich vor, was sie zum Wohlfühlen brauchte. Das Wasser in der Wanne verwandelte sich in eine bequeme Matratze, die ihren wunden Körper stützte, und in ein Federbett, das sie warm hielt. Ihre Haut und ihr Haar trockneten, bis die flaumigen haselnussfarbigen

Strähnen im Nordwind tanzten. Raghi stellte sich die Wände der Wanne höher vor, bis ihre Bewegung abebbte.

Ein Lächeln zerrte an seinen Mundwinkeln. Jetzt sah sie aus wie ein verwöhnter Schoßhund in seinem luxuriösen Bettchen.

Etwas zog ihn fort. Weißer, aufwogender Nebel verschluckte die eisige Lichtung und das Mädchen in der Wanne. Er wachte auf.

12

«Du wirkst abgekämpft», kommentierte Naveen, als Raghi aus dem Bettschrank kroch. Der junge Ghitain saß auf einer der Bänke und nähte etwas, das wie Raghis Tunika aussah.

«Was zum Teufel machst du da?»

«Ich stopfe deine Kleider. Heute erreichen wir eine kleine Stadt. Die Einwohner nennen sie Aeriels Quellen. Wenn du mit uns reist, kannst du dich nicht wie ein Bettler kleiden. Ghitains müssen immer perfekt aussehen. Auf dem Herd steht eine Tasse Tee mit Milch. Ihr Griff sollte noch kühl genug sein, dass du ihn anfassen kannst.»

Raghi konzentrierte sich auf den letzten Teil des Wortschwalls und stolperte zum Herd, um den Tee zu holen. Er setzte sich auf die zweite Bank, nippte am Tee und genoss dessen Wärme und Geschmack. Sein Gehirn begann wieder zu funktionieren.

«Putzen sich Ghitains so heraus, um das Stigma von Außenseitern zu vermeiden?»

Naveen nickte. «Und von reisenden Bettlern und Plünderern. Unsere Clans sind groß. Wenn wir mit unserem Eintreffen eine Stadt in Panik versetzen und die Einwohner eine Miliz bilden, stecken wir in großen Schwierigkeiten. Mit unseren farbigen Kleidern und Vardos erkennen uns die Menschen schon von Weitem. Ich glaube auch gerne, dass sie ein äußeres Zeichen unserer glücklichen und sorgenfreien Seelen sind.»

Naveen sah heute Morgen nicht glücklich und sorgenfrei aus. Unter seinen Augen zeigten sich dunkle Flecken.

«Ich kann meine eigenen Kleider stopfen. Das tue ich immer», sagte Raghi sanft.

Naveen schüttelte den Kopf. «Es bereitet mir keine Mühe. Es ist noch früh, und wir werden erst in ein paar Stunden aufbrechen. Wie kommt es, dass du so abgekämpft aussiehst? Ich habe während der ganzen Nacht kein einziges Geräusch von dir gehört.»

Raghi fragte sich das auch. Er verengte die Augen und versuchte sich durch den Nebel in seinem Kopf zu erinnern. «Ich glaube, ich hatte einen Traum. Einen lebhaften Traum, der mich zutiefst berührte. An mehr kann ich mich nicht erinnern.»

«Wie ich sehe, trägst du den Drachen immer noch um den Hals. Vielleicht solltest du sie nun abwickeln, da das Schlimmste überstanden scheint. Sie ist klein, aber Stinkys haben viel Kraft. Sie könnte deine Atemwege oder den Blutfluss zu deinem Kopf abschnüren.»

Das machte Sinn. Raghi hob seine Hand und streichelte den kleinen Körper. «Jemanden zu lieben ist immer gefährlich.»

Naveen schnaubte amüsiert. «Jetzt ist es also Liebe?»

Raghi wusste es nicht. «Sie erinnert mich an mich selbst. Ich hätte die ersten Wochen in der Gilde nicht überlebt, wenn die anderen Lehrlinge nicht beschlossen hätten, mich fette, hässliche Kröte wie einen Bruder zu lieben.»

«Bitte frisch meine Erinnerung auf: Wer in diesem Vardo bestreitet die Existenz von liebevoller Achtsamkeit?»

Raghis Mundwinkel zuckten. «Idiot.»

Die Reisevorbereitungen waren in vollem Gang, als jemand seinen Namen rief.

«Raghi!»

Kaea stürmte auf ihn zu. Ihre Präsenz war so stark, dass er sich wie ein in die Ecke gedrängtes Tier fühlte. Sie wirkte königlich wie immer, auch ihr heutiges blaues und türkisfarbenes Kleid perfekt auf ihre unglaublichen Augen abgestimmt. Ihr reichlich vorhandener Goldschmuck klingelte wie Glöckchen.

Als sie ihn erreichte, war ihr neutraler Gesichtsausdruck Missbilligung gewichen. «Hörst du bitte auf damit, jedes Mal zusammenzuzucken, wenn ich dich anspreche?»

«Macht der Gewohnheit?», scherzte er.

Das ließ ihren Blick aufflammen. «Ich bin nicht dein Meister.»

«Nein, bist du nicht, meine Königin. Aber du bist ebenso furchteinflößend. Ich vermute, du könntest mich mit einem einzigen Gedanken töten.»

Sie beruhigte sich und sandte ihm einen durchdringenden Blick. «Du bist ein sehr scharfsinniger junger Mann. Es erfordert mehr als einen Gedanken, aber ich könnte dir dein Leben nehmen, ohne dass du etwas merkst.»

Hatte sie deshalb keine Angst vor ihm?

«Hier, Raghi. Nimm diese Kleidung und zieh sie an, bevor wir losfahren. Ich weiß, dass du die Farben nicht mögen wirst, aber kein Ghitain trägt jemals Schwarz.»

Raghi sah das Bündel durch, das sie ihm gab. Das Tuch fühlte sich weich an und roch nach Rosen und Gewürzen. «Ich verstehe nicht. Alle von euch bevorzugen helle und klare Farben. Die hier sind ganz anders.»

Sie nickte. «So wie du. Es ist schwer zu erklären, weil du kein Ghitain bist und es daher nie selbst sehen wirst, aber unsere Seelen leuchten in einer Farbe, die für jeden Einzelnen individuell ist. Chandana trägt viel Rosa und Lila, weil diese Farben zu ihrer Seele passen. Meine Farben sind Blau und Türkis. Würde ich mich in Chandanas Farben kleiden, sähe ich schrecklich aus, so wie sie, wenn sie meine tragen würde.»

«Deshalb seht ihr alle so fesch aus. Die Farben verstärken das, was bereits vorhanden ist.»

«Genau. Und diese Pastelltöne sind deine Farben. Ich weiß nicht, was das bedeutet. Vergiss den Ghitainquatsch, dass die leuchtenden Farben, die wir tragen, ein Symbol unserer glücklichen Seelen sind. Das ist nicht wahr. Wir kennen Traurigkeit und Herzschmerz wie alle anderen.»

Raghi nickte und erkannte etwas. «Ich mag sie, obwohl ich nicht einmal weiß, wie ich diese Farben benennen soll.» Die Farbtöne waren nebelig. Sie hätten ausgewaschen wirken sollen, taten es aber nicht. «Danke schön!»

«Zieh dich an, Raghi. Und danke, dass du den Vardo der Tiere fährst. Es braucht viel Mut, um das zu tun.»

Tat es das?

Raghi kletterte in Naveens Vardo, um zu gehorchen. Sechs verärgerte Drachen machten ihm zum Ziel ihrer missbilligenden Mienen.

«Kein Fahren mit brennendem Ofen», informierte er sie. «Ich stimme Naveen zu. Das ist viel zu gefährlich.»

Sie drehten ihm ihre krummen Hinterteile zu und starrten grimmig um die Stacheln auf ihrem Rücken herum zu ihm.

Er rollte die Augen und zog sich um. Zwischen den gefalteten Kleidungsstücken fand er einen Gürtel mit einem verzierten Messer und Silberschmuck mit blauen Steinen. Mit einem bösen Grinsen zog Raghi alles an. Der Meister hätte einen Anfall, wenn er ihn jetzt sehen könnte.

Die Frage war, was mit dem Medaillon geschehen sollte, das die Haare seiner Nana enthielt und das er noch um den Hals trug. Es hatte ihm während seiner Ausbildung als tröstende, geschätzte Erinnerung gedient und ihm durch schieres Glück geholfen, Violet aus einer lebensbedrohlichen Situation zu befreien. Angesichts ihrer veränderten Umstände wurde es nun zu einer Gefahr für sie. Wenn er jemals wieder die Treppen betrat, stürzte er sie mit sich ins Chaos.

Mit einem Seufzen nahm Raghi das Medaillon ab. Das Lederband fühlte sich weich an und war nach Jahren des Tragens schwarz geworden. Das silberne Gehäuse glänzte wie neu, weil Raghi es regelmäßig polierte.

Er musste es zurückgeben oder zerstören. Aber noch nicht jetzt. Es loszulassen würde ihn einen Teil seiner Identität kosten.

Raghi wickelte das Lederband vorsichtig auf und legte das Medaillon in seinen Beutel.

Stufen knarrten, und Metall schepperte.

«Hoppla, du siehst umwerfend aus.» Naveen stand in der offenen Tür des Vardos und hob die Treppe hinein. «Und seltsam für einen Ghitain.»

Raghi hätte die neuen Kleider aus Respekt für die Königin getragen, ob sie ihm gefielen oder nicht. Zu seiner großen Überraschung mochte er sie.

«Die Lichter der Ewigkeit», staunte Naveen.

«Was meinst du damit?»

«So würde ich diese Farben nennen: Das etwas düstere Blaugrau deiner Hose und Weste, das bläuliche Weiß deiner Tunika und das stumpfe Nachtblau deines Umhangs. Die Farben sehen lebendig aus, aber sie schlucken das Licht, statt es zu reflektieren. Ich habe noch nie etwas Ähnliches gesehen. Die Mädchen werden fasziniert sein.» Er lächelte traurig.

«Ich interessiere mich nicht für Mädchen … oder Jungen. Und es ist höchste Zeit, dass ich den Tiervardo anspanne.»

Raghi floh.

Es dauerte nicht lange, bis sein Fahrzeug zur Abreise bereit war. Er war ein guter Arbeiter — wenn er die Mühe für wert hielt. Die Litaneien des Meisters über seine Dummheit klingelten ihm immer noch in den Ohren. Der Mann hatte nie verstanden, dass er über Raghis Sturheit hätte herziehen sollen. Ein Speckball zu sein besaß auch Vorteile. Die meisten Leute dachten damals nicht im Entferntesten daran, dass er intelligent sein könnte.

Die Ghitains trödelten. Raghi vermutete, dass die heutige Reise nicht den ganzen Tag beanspruchen würde, da sie nie etwas ohne Grund zu tun schienen.

Er nutzte die verbleibende Zeit, um sich weiter mit seinem Gespann vertraut zu machen. Unter ihrem wilden Äußeren waren die Drachenpferde so freundlich wie die anderen magischen Tiere und liebten es, gestreichelt zu werden.

«Könnt ihr Desert Rose beibringen, wie man noch besser fliegt?», flüsterte er in ihre schuppigen Ohren. «Ich finde ja, sie macht das großartig, aber Daakshi denkt, dass sie sich noch verbessern könnte.»

Seine Hände kribbelten, als sie zärtliches Feuer in seine Handflächen schnaubten.

«Danke. Versprecht mir nur, dass ihr rücksichtsvoll seid.»

Diesmal umwogte ihn das Feuer von oben. Raghi langte hoch, um Desert Rose zu streicheln. «Du wirst es gut machen, Mädchen, keine Sorge. Ich weiß das.»

Die Ghitains brauchten heute wirklich lange.

Als zwei der frei herumstreifenden Drachenpferde Rose zum Spielen verführten, verließ Raghi sein dösendes Gespann und kletterte in den Vardo der Tiere. Im Inneren fielen die Doggycorns über ihn her, warfen ihn zu Boden und kläfften vor Freude.

Ihre Niedlichkeit brachte ihn immer noch um — und ihre Zuneigung. Raghi zog sich den unerschrockensten vom Gesicht. «Deine Strategie ist Mord durch Flauschigkeit, ja?»

Eine lange Zunge leckte seine Nase.

Als der Ansturm abebbte, ging Raghi zu jedem der anderen Tiere, während die Doggycorns seine Füße wie ein pelziger Ozean umwogten.

Die Katze und der geflügelte Luchs pflegten sich gegenseitig mit ihren Zungen. Dabei wechselte die Katze zwischen ihrer Katzen- und Pantherform, je nachdem ob sie geleckt wurde oder ihren tierischen Freund verwöhnte.

Raghi kraulte das Fell an ihren Kehlen. Sie schlossen die Augen in kätzischer Ekstase und schnurrten bei jedem Ausatmen.

Die Ratte, die wie ein Phönix in Flammen aufgehen konnte, baute etwas aus dünnen Zweigen — ein kompliziertes Nest, das wie eine hohle Kugel aussah. «Kann ich dir helfen, indem ich das festhalte?», fragte Raghi und kniete neben der Konstruktion. Er stützte die Mauern, so dass sie nicht zusammenbrachen.

Die Ratte webte geschickt die Decke ein. Als Raghi losließ, behielt der zerbrechliche Ball seine Form.

«Oh, ich habe gerade herausgefunden, wie sie die Decken von Eternas Tempeln bauten.»

Seine Stimme schien die Aufmerksamkeit der Ratte auf sich zu ziehen. Sie kletterte auf seine Oberschenkel, legte seine Pfoten auf seine Brust und schnüffelte nach oben. Raghi brachte die hohlen Hände unter ihrem pelzigen Hintern zusammen und hob das Tier an sein Gesicht.

«Ich habe Angst zu fragen, was du mit diesem Nest vorhast. Es sieht aus wie ein Scheiterhaufen.»

Die Ratte wurde unruhig. Er stellte sie ab. Sie eilte in die Konstruktion und brach in Flammen aus.

Raghi sprang auf die Füße und wich vom Feuer zurück. Sein Verdacht war zur Gewissheit geworden. Das Tier inszenierte seinen Tod auf kreative Weise.

Was für eine schreckliche und sinnlose Art, die Ewigkeit zu verbringen!

Der kleine weiße Elefant und die riesige Heuschrecke spielten mit einem Lumpenball. Ihr Wettbewerb erwies sich als überraschend fair und ausgewogen. Die Heuschrecke war viel agiler, aber der Elefant ließ ihre spindelförmigen Beine auf Seifenblasen ausrutschen.

Sie schienen Spaß zu haben, und Raghi ließ sie in Ruhe.

Er trat zu dem Ast, der als Sitzplatz für die Stacheleule diente. Der Vogel erwiderte seinen Blick aus riesigen, geheimnisvollen Augen. Raghi hatte sie noch nicht fliegen sehen. War sie dazu überhaupt in der Lage, wenn Stacheln und nicht Federn ihre Flügel bedeckten?

Er seufzte und ließ seinen Blick über das Innere des Vardos und seine Bewohner schweifen. Die Urdrachen hatten ihr Schöpfungsspiel wirklich vermasselt und diese Tiere zu einer Existenz ewiger Einsamkeit, Leid und Schmerz verdammt.

Naveen schien diese Tatsache mit seiner üblichen Gelassenheit zu akzeptieren. Wie konnte er mit dem Wissen leben, dass selbst die weisen und allwissenden Schöpfer dessen, was der Prinz das «Multiversum» nannte, dumme Fehler machten?

Wenigstens kann ich sterben, wenn das Leben unerträglich wird.

Der Laut eines Drachenpferdes riss ihn aus seinen düsteren Gedanken. Die Ghitains waren zum Aufbruch bereit.

RAGHI HATTE sich auf einen weiteren Tag der Langeweile vorbereitet. Er hätte sich nicht mehr irren können. Es begann mit Desert Rose und den Drachenpferden, die hoch über ihm Fangen spielten.

Zuerst war es schön, sie zu beobachten. Seit ihren Tagen als ungeschickter Welpe war seine Chimäre weit gekommen. Ihr das Fliegen beizubringen war eine grauenhafte Erfahrung gewesen, die aus einer endlosen Reihe von Unfällen und anderen Missgeschicken bestand. Ihr

Training aufzugeben war trotzdem nie in Frage gekommen. Ein Tier mit Flügeln musste fliegen.

Raghi hatte sie jedoch nicht großgezogen, damit sie sich auf dieser tristen Ebene das Genick brach.

«Hört ihr endlich mit den Versuchen auf, sie zu töten?», schrie er nach einem weiteren wilden Manöver zu den Drachenpferden hinauf. «Das ist kein Training, sondern Mord!»

Als ob die Situation nicht schon schlimm genug wäre, wählte Palash diesen Moment, um neben ihm Gestalt anzunehmen.

Raghi warf ihm die Zügel zu. «Hier nimm. Ich muss das beenden.» Er wollte von der Plattform des Vardos springen.

Ein widerliches Gefühl raste durch seinen Arm, als der Geist ihn packte.

«Entspann dich, Raghi. Deiner Chimäre geht es gut. Die Drachenpferde würden ihr nie etwas antun. Und sollte sie die Kontrolle über ihren Flug verlieren, verfügen sie über die Magie, um sie aufzufangen.»

Raghi war so besorgt über einen weiteren wilden Sturzflug, dass er nicht einmal versuchte, sich aus dem widerlichen Griff des Geistes zu befreien. «Sie töten sie …», flüsterte er, sein Mund staubtrocken.

«Das tun sie nicht. Raghi, sieh mich an!»

Er gehorchte, während Panik wie Blei auf seine Schultern presste.

Palashs Miene war beschwörend. «Ich weiß, dass du sie gerettet hast, Kind, und sie von ganzem Herzen liebst, aber du kannst sie nicht ewig beschützen. Lasst sie sein, wozu sie bestimmt ist, und vertrau ihr.»

Raghi schüttelte den Kopf. Seine Atmung wurde immer harscher. Er versuchte sich zu beruhigen. Wenn er einen Anfall erlitt, konnte er Rose nicht helfen. «Sie wird sich jeden Knochen in ihrem Körper brechen …»

Palash schüttelte seinen Arm. Sein Griff erreichte durch seine intensive Konzentration ein noch nie dagewesenes Maß an Ekligkeit. «Das wird sie nicht. Chimären sind ausgezeichnete Flieger und haben fast die Fähigkeiten von Drachen. Das war es, was Daakshi dir zu sagen versuchte.»

Ein Schrei erklang hoch über ihnen.

Raghis Blick fuhr nach oben.

«So klingt Überschwang», sagte Palash zufrieden. «Schau sie dir an.

Ist sie nicht großartig? Noch ein paar Tage und sie wird stark genug sein, um dich zu tragen.»

Raghi schüttelte den Kopf. Er fühlte sich benommen. «Ich glaube, ich muss mich setzen», sagte er.

«Ja, so siehst du aus.»

Raghi war zu erschöpft, um starrköpfig zu sein. Wie am Tag zuvor setzte er sich auf die Plattform. Den Rücken an die geschlossene Tür gelehnt, verschränkte er die Arme und starrte auf die Kuppen der vorgespannten Drachenpferde. Es gab wenig mehr zu sehen. Die langweilige Ebene schien sich bis zum Horizont zu erstrecken, und der bleierne Himmel filterte jegliche Heiterkeit und Wärme aus dem Tageslicht. Nicht einmal die leuchtenden Farben der Vardos und das fröhliche Klingeln der unzähligen Glöckchen hoben seine Stimmung.

Raghi fühlte sich schrecklich und verwirrt.

Plötzlich stoppte der Vardo.

Raghi schreckte aus seinem düsteren Brüten hoch. Er hatte keine Ahnung, wie viel Zeit vergangen war, seit Palash die Zügel übernommen hatte. «Was ist los? Sind wir da?»

«Nein. Ich wollte nur deine Aufmerksamkeit erregen. Steh auf und schau nach vorne. Halt dich an dem Griff an der Wand da fest, damit du nicht runterfällst.»

Als sein fragender Blick unbeantwortet blieb, gehorchte Raghi.

«Inzwischen musst du dich fragen, warum wir gerne reisen. Sieh selbst.»

Der Vardo setzte sich in Bewegung. Alles sah genauso aus wie zuvor. Oder doch nicht? Was war das für ein Luftwirbel vor ihnen? Er ähnelte den Hitzeschwaden, die aus der sonnenverbrannten Wüste aufstiegen.

Sie fuhren durch den Wirbel. Raghi keuchte.

«Wir haben gerade die Grenze zum Frühling überschritten. Der Winter ist vorbei. Jetzt beginnt das Leben wieder.»

Raghi traute seinen Augen nicht. Um sie herum erstreckte sich ein Blumenmeer, das sich mit dem üppigen Gras um den Platz zum Wachsen stritt. Die Blüten tanzten in der sanften Brise wie ein bunter Ozean. Und die grauen Wolken waren verschwunden, als ob sie nie existiert hätten. Ein tiefblauer Himmel erstreckte sich bis zu den Bergen in der Ferne und umrahmte die diamantgleiche Sonne. Ihre Strahlen erwärmten Raghis Seele.

Er lehnte sich hinaus, um hinter den Vardo zu schauen. Überall Blumen. Die tristen Ebenen des Winters waren verschwunden.

«Das ist unglaublich. Aber wie ist das möglich? Ich dachte, der Frühling wäre eine Zeit, kein Ort.»

Palash nickte. «Ich werde es dir erklären, da du nicht nach Einzelheiten fragtest, als ich zuvor über das Reisen sprach. Aber zuerst schau nach vorne, dort über den Ohren des linken Drachenpferdes. Siehst du den großen zerklüfteten Berg, der alle anderen überragt, und den Wald auf seinen Ausläufern?»

«Ja.» Raghis Fernsicht war ausgezeichnet, so wie offenbar die des Ghitains.

«Das ist heute unser Ziel. Aeriels Quellen. Jetzt setz dich hin. Und schau auch immer wieder auf die Umgebung, während ich rede. Der erste Frühlingstag ist immer spektakulär.»

Raghi gehorchte.

«Erinnere dich daran, wie ein Kind eine Blume zeichnet, Raghi. Zuerst malt es einen Kreis. Dann fügt es die Blütenblätter in gebogenen Linien hinzu, ähnlich einem Frosch, der entlang der Außenseite des Kreises hüpft. Das ist im Wesentlichen die Art und Weise, wie die verschiedenen Ghitainsippen im Uhrzeigersinn um Eterna reisen. Der König der Könige und die Königin der Königinnen reisen mit ihren Sippen entlang des inneren Kreises. Weniger wichtige Clans wie unserer reisen entlang der Blütenblätter. In regelmäßigen Abständen berührt unsere Route den inneren Kreis. Dann treffen wir uns mit dem König der Könige oder der Königin der Königinnen. Da sie weniger Strecke zurücklegen müssen und somit schneller fahren, sehen wir jeden Herrscher etwa zweimal im Jahr. Verstehst du das Grundkonzept, das ich beschreibe?»

«Ja, obwohl es mir fast Knoten ins Hirn knüpft.»

Palash grinste. «Es wird noch komplizierter. Wenn unser Clan sich mit einer anderen Sippe des äußeren Kreises treffen will, können wir für eine Weile auf dem inneren Kreis reisen, bis sich unsere Routen treffen. Danach biegen wir wieder auf den äußeren Kreis ab — nicht unbedingt zurück auf unseren früheren Platz. Wenn wir den Platz wechseln, müssen sich die anderen Clans neu arrangieren und die entstandene Lücke schließen, damit das Gleichgewicht gewahrt bleibt, und so weiter. Ich weiß, das klingt schrecklich schwerfällig und verwirrend, aber das ist es nicht. Die Ghitains haben dieses Konzept über Tausende von Jahren perfektioniert. Und ohne den Platz zu wechseln, würde unsere Sippe stets die Grenze des Frühlings überschreiten, was langweilig wäre.»

Raghi hatte mit seinen Fingern in die Luft gezeichnet, während er die Informationen verarbeitete. Schließlich nickte er. «Weiter.»

«Jedes Jahr im Frühjahr treffen sich alle Ghitains in der Nähe von Eterna zu einer großen Zusammenkunft und Feier. Während dieser Tage machen wir jede mögliche Art von Geschäften, von Heiratsverhandlungen bis hin zum Tausch von Pferden. Dieses Treffen wird in ein paar Wochen stattfinden, und wir sind auf dem Weg dorthin.»

Also kehrte er nach Eterna zurück, dem Ort, den er am meisten verabscheute. Raghi blinzelte, aber das Gefühl der Orientierungslosigkeit blieb. Wie würde das Eterna dieser Zeit aussehen? Würde er etwas erkennen? Der Vulkanausbruch lag Hunderte, wenn nicht gar Tausende von Jahren in der Zukunft.

Und dann die Reiserouten der Ghitains! So ein kompliziertes Konstrukt, offensichtlich ohne besonderen Grund.

Raghis Nacken kribbelte. Im Uhrzeigersinn. Palash hatte sich sehr präzise ausgedrückt. Und nichts begann einfach so. Sogar die Urdrachen hatten sich gelangweilt, bevor sie ihren Wettbewerb begannen, der zur Schöpfung der Welt führte.

«Was passiert, wenn die Ghitains aufhören zu reisen?»

Palash schenkte ihm ein warmes Lächeln — das Lächeln eines Lehrers, der stolz auf seinen Schüler war. Raghi hatte noch nie zuvor eins erhalten. Er kannte nur den Hass seiner Eltern und die grenzenlose Verachtung des Meisters.

«Der Lauf der Zeit kommt zum Erliegen.»

Wie konnte Palash so ruhig sprechen? Eine solche Aussage sollte von Donner und Blitzen begleitet sein. Und Erdbeben ...

Raghi schluckte. «Wie ist das möglich?», fragte er, seine Stimme ein Quieken.

Palash zuckte die Schultern. «Wir wissen es nicht. Unsere Rasse ist alt, und unsere Ursprünge gingen im Nebel verloren, der den Anbeginn der Zeit verhüllt.»

«Aber es ist wahr? Wenn ihr stoppt, stoppt auch die Zeit.»

Der Geist zögerte. «Es gibt unterschiedliche Überzeugungen unter den Ghitains. Einige halten das für eine Geschichte. Andere behaupten, dass alle Ghitains anhalten müssen, um den Lauf der Zeit zu beeinflussen. Wiederum andere bestehen darauf, dass jeder einzelne Ghitain es tun könnte. Was ich sicher weiß ist, dass es seit Menschengedenken nicht versucht wurde. Und dann sind da noch die Treppen der Ewigkeit. Der König, der sie erschuf, hatte Ghitainblut und benutzte Ghitainzauberei. Wenn er die Magie unseres Volkes in den Bau der Treppen leitete, ist vielleicht nichts mehr davon übrig.»

Egoistischer Bastard! Stiehlt einfach einem ganzen Volk die Daseinsberechtigung.

«Ihr wisst es also nicht.»

«Nein. Und wir haben nie nach einer Antwort gesucht. Gerade du solltest uns am besten verstehen. Trotz deiner Widersprüchlichkeit scheinst du den sicheren Ort dessen, was ist, nie zu verlassen.»

Das klang nicht nach einem Kompliment. Aber nie darüber nachzudenken, ob das Gras auf der anderen Seite grüner war, hatte Raghi durch die Phasen seines Elends — auch bekannt als sein Leben — gerettet.

«Träume können viel wichtiger sein als die Realität», bestätigte er.

«Das ist wahr. Genießen wir also den Frühlingstraum um uns herum. Es sind nur noch ein paar Stunden bis nach Ariels Quellen. Und um dorthin zu gelangen, müssen wir die Sümpfe durchqueren. Hier, nimm wieder die Zügel. Kein junger Mann sollte diese Chance verpassen sich zu beweisen.»

«Sag mir so etwas nicht. In meinem früheren Leben habe ich keine Chance verpasst, Mist zu bauen», beschwerte sich Raghi und nahm die Zügel an.

Innerhalb weniger Augenblicke wurde das Kutschieren anspruchsvoll.

Raghi versuchte ein Gefühl für ihre Lage zu bekommen. Er kannte Sümpfe gut. Auf den Inseln des Eismeeres waren sie reichlich vorhanden und das ganze Jahr über tödlich. Während der wärmeren

Jahreszeit bestand die Gefahr stecken zu bleiben und zu verhungern oder in einem der trägen Teiche zu ertrinken. Der Winter war noch problematischer. Viele der Sümpfe und versteckten Teiche froren ein, aber einige wurden von warmen Quellen gespeist, manche davon sogar giftig.

«Ich war mir sicher, dass du uns in den Tümpel da fahren würdest», sagte Palash nach einer Weile und zeigte nach links. «Wie hast du ihn bemerkt? Du scheinst zu wissen, was du tust.»

Trotz seiner herausragenden Fahrkünste fand Raghi es schwierig, das vor ihnen liegende Areal zu beurteilen, die Drachenpferde zu dirigieren, den heftig schaukelnden Vardo zu kontrollieren und gleichzeitig die Frage zu beantworten.

«Ich kenne Sümpfe, obwohl jene der Tundra sich beträchtlich von diesen hier unterschieden. Flache Bereiche sind am gefährlichsten, weil sie Teiche verbergen. Bäume führen dich ins Verderben, weil du denkst, dass ihre Wurzeln den Boden stabilisieren. Aber das ist nie sicher. Gras mit groben, hüfthohen Halmen bildet dicke und ineinander verwachsene Polster, die den Boden einigermaßen stabilisieren.»

Der Vardo schlingerte mit quälender Trägheit, als eins seiner Räder in den Sumpf abrutschte. Raghi hasste das Gefühl und war trotzdem froh, dass alles so langsam ging. Sein Rennwagen hätte sich bereits überschlagen.

Er trieb die Drachenpferde an und brachte den Vardo wieder auf trockenes Land. «Und es hilft, in der Wüste Rennen gefahren zu sein. Sand ist ein teuflischer Betrüger, der dich bei deinem ersten Fehler umbringt.»

Ein Alarmruf erklang zu ihrer Rechten.

Palash seufzte. «Meera und ihr Mann stecken fest. Man sollte meinen, sie hätten ihre Lektion aus den anderen zwanzig Mal gelernt.»

Über ihnen stieß die Leitstute der Drachenpferde einen durchdringenden Schrei aus. Das Tier war selbst hoch am Himmel leicht zu erkennen — sein muskulöser Körper dunkler als die der anderen, fast nachtschwarz, und immer umgeben vom roten Schimmer, der auch tief in ihren Augen brannte.

Die Herde flog zu dem hübschen grünen Vardo, der auf die Seite zu fallen drohte.

«Und als ob die Pannen der letzten Jahre nicht schon schlimm genug gewesen wären, haben sie sich dieses Mal in eine lebensgefährliche Lage manövriert.» Palash klang zerstreut.

Raghi war sich nicht sicher, ob der Geist eine Antwort erwartete oder mit sich selbst sprach. Fasziniert beobachtete er die Rettungsbemühungen und behielt dabei das Sumpfland vor seinem Fahrzeug im Auge.

Vier Drachenpferde bissen direkt unter dem Dach in die Ecken des umkippenden Vardos und richteten ihn auf. Ihre Flügel verursachten Sturmböen, die das Gras in ihrem Umkreis flach drückten.

Die Fahrerin, Meera, trieb die Pferde an. Die Tiere versuchten ihre Hufe aus dem Morast zu ziehen — und scheiterten.

Von überall erklangen Schreie. Jene Ghitainfamilien, die sich am nächsten beim Unglücksort befanden, sprangen von ihren Fahrzeugen und rannten auf ihre in Not geratenen Sippenmitglieder zu.

Nur ein freies Drachenpferd blieb übrig. Es versuchte in den Schaft des festgefahrenen Vardos zu beißen und ihn nach oben zu ziehen, um die Pferde anzuheben.

«Verdammt, das wird wirklich gefährlich. Und das wird nie funktionieren. Ich sollte …»

Ein weiterer Schrei zerriss den Himmel. Raghi kannte nur jemanden, der so rief.

Desert Rose. Sie war den Drachenpferden gefolgt und beobachtete, in sicherer Entfernung schwebend, ihre Rettungsversuche.

Raghi zog die Zügel zu sich.

«Halt auf keinen Fall an, Junge!», bellte Palash. «Wenn dieser Vardo einsinkt, dauert es ewig ihn zu befreien — wenn wir Glück haben. Wir müssen aus den Sümpfen raus, dann unsere Drachenpferde abspannen und sie zurückschicken.»

Raghi trieb seine Tiere an, ein Auge auf die Unfallstelle.

Was hatte Rose vor? Die Chimäre hatte das über dem Gespann schwebende Drachenpferd gerammt und seinen Platz eingenommen. Ihre vorderen Klauen griffen in die Mähnen der Pferde, ihre hinteren schlossen sich um ihre Schwanzwurzeln.

«Sie wird sich umbringen!», schrie Raghi, als er ihre Absicht erkannte.

Palash antwortete nicht, ein klares Zeichen dafür, dass seine Ängste begründet waren.

Desert Roses weiße Schwanenflügel schlugen immer schneller. Selbst aus der Entfernung erkannte Raghi, wie sehr sie ihren Körper belastete. Die Venen unter ihrem goldenen Fell wölbten sich wie Stränge.

Das freie Drachenpferd deckte die Hinterteile der festsitzenden Pferde mit Feuersalven ein. Ihr Wiehern vereinte Angst, Schmerz und Überraschung.

Roses schwache Flügel schlugen immer schneller. Der dabei entstehende Luftzug traf Raghi wie Sturmböen, obwohl er dreißig oder vierzig Schritte entfernt war. Es musste ein Trick des Lichts sein, aber die Chimäre schien größer zu werden. Auch ihre Spannweite dehnte sich aus.

Das Drachenpferd wiederholte seine feurige Aufforderung und schrie so durchdringend, dass Schauer über Raghis Wirbelsäule rasten und Eiskristalle sich in seinen Adern bildeten.

Die Pferde gaben alles und rissen ihre Hufe aus dem Sumpf, fanden aber keinen Halt auf dem trügerischen Boden.

«Sie kann den Vardo nicht auch noch ziehen», flüsterte Raghi, die Augen auf Desert Rose gerichtet.

Die Chimäre schien anderer Meinung zu sein. Sie gab die Schwänze der Pferde frei und neigte ihren Körper nach vorne, so dass ihre Flügel sie nach oben und vorne trieben, anstatt nur nach oben.

«Ich glaube, sie kann, Junge», flüsterte Palash.

Der Lärm war schrecklich. Jeder Flügelschlag von Desert Rose und den Drachenpferden, die nach wie vor die Ecken des Vardos ausrichteten, heulte wie ein Wintersturm. Das Holz und Eisen des Fahrzeugs ächzte unter der Belastung, und die Zugtiere keuchten.

Mit einem plötzlichen Ruck begann sich das Fahrzeug zu bewegen. Für jeden Schritt, den die Pferde nahmen, rutschten sie drei Viertel des Weges zurück, aber allmählich zogen sie den Vardo aus dem Sumpf.

Es dauerte lange, bange Minuten, bis sie wieder auf sicherem Boden waren.

Desert Rose ließ los und schoss mit einem trillernden Schrei, der von den Bergen am Horizont widerzuhallen schien, in den Himmel hoch. Dann flog sie weg.

Sie verließ ihn.

Benommen beobachtete Raghi Kaea mit Meera und ihrem Mann. Zuerst presste sie die beiden an ihr Herz. Dann stemmte sie die Hände in die Hüften und hielt ihnen eine Standpauke, die ihre Ohren klingeln ließ.

Die Szene verschwand hinter Raghi, als er weiterfuhr.

13

Sie brauchten nicht lange, um das Sumpfgebiet hinter sich zu lassen.

«Lass uns auf die anderen warten», schlug Palash vor.

Raghi gehorchte stumm.

«Desert Rose wird zurückkommen», versuchte der Geist ihn zu trösten.

Raghi war nicht in der Stimmung für eine Diskussion. «Wenn du das sagst.»

Er sprang vom Vardo und ging zu seinen Drachenpferden, streichelte ihre Nüstern und legte seine Stirn gegen ihre. Während er den sichersten Weg durch das sumpfige Gelände gesucht hatte, hatten sie ihren Teil der Verantwortung getragen und die Fahrtrichtung immer wieder korrigiert, um ihre Fracht vor einem Missgeschick zu bewahren.

Sie stupsten gegen seine Hände und seinen Bauch und hüllten ihn in zärtliches Feuer. Er hatte sich den Respekt der wilden Kreaturen verdient, weshalb sie ihm ihre sanfte Seite zeigten.

Raghi drehte sich um, um seine Umgebung zu überprüfen. Die Sümpfe endeten an einem flachen Bergrücken. Der Boden unter seinen Füßen war glatter, fester Fels. Von seinem Aussichtspunkt aus führte ein grasbewachsener Hang hinunter in ein bewaldetes Tal. Die Dächer einer Siedlung blitzten durch das Laub. Raghi sah mehrere hohe Gebäude, die an Festungen oder Rathäuser erinnerten, und verzierte Strukturen ähnlich den Tempeln von Eterna. Kleinere Gebäude verteilten sich in der Umgebung.

Die Schönheit des Frühlings tauchte alles in Farbe und Licht. Der Ort wirkte sehr einladend.

Der erste Eindruck konnte täuschen.

Raghi richtete seine Aufmerksamkeit wieder auf die Pferde.

Bald näherten sich bimmelnde Glöckchen, stapfende Hufe und das Knarren von Holz und Metall. Kaea und Baz hielten neben dem Tiervardo.

Raghi ignorierte ihre prüfenden Blicke.

Als alle Ghitains aufgeschlossen hatten, nickte Kaea Naveen zu, der seinen Vardo neben ihrem angehalten hatte. Der Prinz erhob sich und stieß eine Art jauchzendes Trällern aus. Für Raghi klang es wie ein Raubvogel im Drogenrausch.

Aufgeregte Rufe schallten durch das Dorf. Plötzlich wimmelte die Umgebung von Menschen. Raghi sah Kinder, die in ihre Richtung rannten.

«Die Ghitains sind hier!» «Endlich!» «Sie sind pünktlich dieses Jahr …»

Kaea fuhr weiter. Die anderen Familien folgten.

Raghi bemerkte den Vardo, der fast verunglückt wäre. Meera, seine Fahrerin, kauerte wie ein Häufchen Elend auf dem Sitzbrett. Raghi tat sie leid. Er wusste aus eigener Erfahrung, dass einige Fähigkeiten unerreichbar blieben, egal wie sehr man sich bemühte. Schwertkampf in seinem Fall. Alle anderen hatten die Bewegungen mit Leichtigkeit erlernt. Er hatte selbst nach Jahren intensiven Trainings wie ein Idiot gewirkt, der sich gleich an der scharfen Waffe verletzen würde.

Naveen wies Raghi mit einem Winken an, neben ihm zu fahren.

«Die Kinder können wild sein», erklärte er.

«Wild» war eine Variante, die Situation zu beschreiben. Raghi fand «völlig außer Kontrolle» besser geeignet. Die kleinen Affen waren überall. Einige kletterten zu ihm und Naveen auf die Vardos. Andere versuchten sogar, sich auf den Rücken der Schecken und Drachenpferde zu setzen. Ob andere Ghitains das gleiche Problem hatten, konnte er nicht sagen, weil er seine ganze Aufmerksamkeit aufs Fahren konzentrieren musste. Es war wahrscheinlich nicht der beste Auftakt in einem neuen Dorf, wenn einer der kleinen Dummköpfe als Matsch unter seinen Rädern endete.

Raghi knirschte mit den Zähnen.

«Setz ein fröhliches Gesicht auf und denk daran: Wir dürfen unsere Kunden nicht töten», flüsterte Palash ihm ins Ohr, wobei die Energie des Geistes wie ein kaltes, feuchtes Handtuch gegen Raghis Wange und Hals presste.

«Igitt! Verschwinde!», beschwerte sich Raghi.

Palash gluckste nur.

«Mit wem redest du?», meldete sich ein kleiner Junge vorlaut. Das Kind stand neben Raghi auf der Plattform, als ob es dorthin gehörte, und belegte den gleichen Raum wie Palash.

«Mit einem Geist», flüsterte Raghi und vertiefte seine Stimme.

Er erhielt nicht die erwartete Reaktion.

Das Kind quietschte vor Freude, kletterte über seine Beine und sprang vom Vardo. «Einer der Ghitains kann mit Geistern reden!», rief er.

Seine Erklärung erregte Freudengeschrei.

«Du hast gerade ein neues Handwerk für dich geschaffen, Junge», sagte Palash. «Und die Dorfbewohner halten dich für einen Ghitain. Das ist ein wichtiger Schritt, wenn du zu uns gehören willst.»

Selbst wenn das wahr wäre, brauchten Raghis Herz und Seele noch ein Zuhause. Und das fand er nicht in der Wahrnehmung von Fremden.

Sie fuhren auf die weitläufige baumbestandene Wiese, die an die hübsche Siedlung grenzte. Egal wo Raghi hinsah, er sah liebevoll gepflegte Häuser und blühende Gärten. Die gut genährten Dorfbewohner wirkten glücklich. Ihre Kleidung war fast so fesch wie die der Ghitains, wenn auch weniger extravagant und grell.

Er fragte Naveen danach, als sie die Pferde des Prinzen abschirrten. Die Ghitains hatten ihre übliche Wagenburg gegen den Uhrzeigersinn gebildet. Ihr Eingang war dem Dorf zugewandt.

«Aeriels Quellen ist wohlhabend, so wie die meisten Dörfer auf unserer Reiseroute. War das zu deiner Zeit anders?»

«Ja. Diese Art von Reichtum und sichtbarem Wohlbefinden war

selten. Nur wenige Menschen verhungerten, aber Nahrungsknappheit und Armut betrafen viele.»

Naveen sandte ihm ein schiefes Lächeln. «Seltsam, nicht wahr? Alle hoffen immer auf eine bessere Zukunft, besonders wenn sie wegen der Wahrsagerei zu meiner Mutter kommen. Vielleicht sollten wir in der Vergangenheit nach dem Glück suchen.»

Naveens ganzes Wesen strahlte Schmerz aus. Raghi berührte den Ellenbogen seines Freundes. Er wusste nicht, woher der Impuls kam, da er sonst stets Abstand hielt.

«Was passiert jetzt?»

Der Prinz schüttelte seine Traurigkeit ab. «Wir werden unseren Jahrmarkt aufstellen, woraufhin die Dorfbewohner zu uns kommen, um sich zu amüsieren und Handel zu betreiben. Ich schlage vor, dass du zuerst nur zuschaust. Wenn du etwas findest, das du beitragen kannst, besprich deine Idee mit mir. Es gehört sich nicht, das Handwerk einer anderen Familie zu kopieren oder zu stehlen.»

ALS NAVEEN alle Vorbereitungen abgeschlossen hatte, ging Raghi zu Chandanas Vardo, um seine kleine Schwester zu holen. Mallika quietschte vor Freude, als er sich über ihren Korb beugte.

Violet, die von Kissen gestützt halb saß, beobachtete ihn mit einem Lächeln. «Ich bin stolz auf dich, Raghi», sagte sie.

Ein warnendes Prickeln lief über Raghis Wirbelsäule. «Deine Worte sagen das Eine, deine Augen etwas anderes. Wann immer du mich anschaust, senkt sich ein Schleier über ihren Ausdruck. Zuerst war er nicht da, aber jetzt wird er mit jedem Tag schlimmer.»

Seine Stimme klang spröde und verletzt. Raghi hasste sich selbst für seine Schwäche. Er hatte länger als ein Jahrzehnt ohne seine Nana gelebt. Ihre Meinung sollte ihm nichts mehr bedeuten.

Sie war blass geworden, erwiderte aber seinen Blick. «Dabei geht es nicht so sehr um dich, sondern um mich. Es war unwahrscheinlich, dass ich dich jemals wiedersehen würde. So schienen die Dinge, die ich dir sagen muss, keine Rolle mehr zu spielen. Aber nun tun sie es und lasten mit jedem Tag schwerer auf meiner Seele.»

Eine solche Eröffnung konnte nur Kummer und Verrat nach sich ziehen.

«Das kann sein, aber ich will sie heute nicht hören. Am besten nie.» Seine Nana war der einzige gute Mensch in seinem Leben gewesen. Raghi wollte nicht, dass sich das änderte.

Er ging, Mallika auf seinen Armen.

Sie starrte mit großen Augen um sich und freute sich über alles. Für sie verbarg Raghi den Schmerz in seinem Herzen und setzte eine glückliche Maske auf. Während er Snowy melkte, lag sie an seiner Seite im Gras, gluckste und strampelte — und trainierte mit ihren winzigen Fäusten Aufwärtshaken. Obwohl er nichts über Babys wusste, ahnte er, dass es nicht mehr lange ging, bis sie zu sitzen und krabbeln begann.

Raghi fuhr zusammen, als er eine Hand auf seiner Schulter spürte.

«Ganz ruhig, Junge. Ich wollte dir nur sagen, wie gut du das alles machst.» Über sich sah er Baz' freundliches Gesicht. Seine Haut wirkte fast schwarz gegen das grelle Sonnenlicht. «In weniger als einer Woche hast du die Wut und den Schmerz deiner kleinen Schwester vertrieben und sie zum Lachen gebracht. Das war eine schwierige Aufgabe.»

Weshalb lobten ihn heute alle? Raghi konnte sich nicht erinnern, etwas Besonderes für Mallika getan zu haben. «Ich hatte einfach nur Glück. Und lob mich nicht. Ich werde früh genug alles vermasseln.»

Baz, der noch immer seine Schulter hielt, schüttelte sie sanft. «Hab ein wenig Vertrauen zu dir. Du hast dir dieses unglaubliche Lächeln hart erarbeitet.» Er zeigte auf das Baby.

Raghis Herz wurde weicher. Er lehnte sich vor, um Mallika hochzuheben und sie an seine Brust zu drücken. Ihre Ärmchen streckten sich nach oben, wie wenn sie ihn umarmen wollte. Dabei trafen sie auf den Drachen, den er noch immer wie eine Halskette trug. Sie staunte das kleine Tier an.

Baz bemerkte es auch. «Wie geht es dem Stinkdrachen?»

«Ehrlich gesagt, weiß ich das nicht. Manchmal muss ich überprüfen, ob sie noch atmet.»

«Die Zeit wird es weisen. Das tut sie immer. Nun halte ich dich nicht länger davon ab, deine kleine Schwester zu füttern. Sonst isst sie deine Tunika.»

Raghi bemerkte, dass die Kleine eine Falte des Stoffes in der Faust und im Mund hatte. «Ja, ich beeil mich besser, bevor sie beißt.»

Die ersten Dorfbewohner spazierten ins Ghitainlager, das die Atmosphäre eines Jahrmarkts annahm. Raghi, der sich auf die Plattform von Naveens Vardo zurückgezogen hatte, konnte alles überschauen. Eine Gruppe von Ghitains machte fröhliche Musik in der Nähe des Eingangs. Vor den meisten Vardos hatten die Familien Stände mit ihren Waren aufgebaut. Die Stände bestanden aus ein paar Brettern und Dekorationselementen oder einer einfachen, hochkant aufgestellten Kiste. Mit ein paar bunten Stoffstreifen, Blumen, Spiegeln oder Gold- und Silberlitzen verwandelten die Ghitains sie in Schmuckvitrinen. Raghi begann zu begreifen, wie durch liebevolle Achtsamkeit Magie entstand.

Als Mallika fertig gegessen hatte, setzte er sie auf seine Oberschenkel, so dass sie ihren Rücken an seinen Bauch lehnen und gemeinsam mit ihm den Jahrmarkt verfolgen konnte.

Ein gut aussehender älterer Mann mit einem Korb am Arm schlenderte vorbei. Nach einem Moment des Zögerns sprach er Raghi an. «Verkauft der Schnitzer seine Waren nicht mehr?»

Raghi starrte ihn an und versuchte die Frage zu verstehen. Als Palash neben dem Mann erschien, begriff er.

«Ich fürchte, der Schnitzer starb vor einer Weile.»

Die Miene des Mannes füllte sich mit tiefer Traurigkeit. «Wie kann das sein? Er war immer so stark und gesund.»

Er musste eine besondere Stellung unter Palashs Liebhabern eingenommen haben, denn der Geist starrte ihn voller Sehnsucht und mit Tränen in den Augen an.

Mitgefühl erfüllte Raghis Herz. Schmerz war etwas, das er verstand und nie kleinreden würde. «Es tut mir sehr leid. Er muss ein wunderbarer Mann gewesen sein.»

Der Mann wischte sich verstohlen die Wangen ab. «Das war er. Aber wenn er tot ist, wem gehört dann dieser Wagen? Ich dachte, Ghitains geben sie nie weiter.»

«Naveen, Palashs Neffe. Ich kenne die Einzelheiten nicht, aber ein sterbender Ghitain kann sein Heim jemandem vererben, den er für würdig hält.»

Der Mann nickte nur. Er ging zur Wand des Vardos und berührte die Schnitzereien. Seine Augen überliefen mit Tränen, und er neigte den Kopf, bis seine Stirn auf dem Handrücken ruhte. Seine Schultern zitterten.

Palash ging zu ihm und versuchte seine Schulter zu berühren. Seine Hand ging durch den lebenden Körper hindurch. Sein Geliebter erschauderte.

Der Geist wandte sich an Raghi. «Sag ihm, dass er mir von all meinen Liebhabern der Liebste war!», verlangte er.

Raghi schüttelte den Kopf und konzentrierte sich auf Mallika. Nachrichten aus dem Jenseits weiterzugeben war eine schlechte Idee. Er hatte gesehen, wie Ghost Singer, einer seiner Freunde in der Gilde, es versuchte. Die Empfänger reagierten immer mit Schmerz, Wut oder Unglauben. Niemand war je dankbar gewesen.

«SAG ES IHM!» Der Geist nutzte seine gesamte mentale Kraft, um ihn anzuschreien.

Die Macht des Befehls jagte einen heftigen Schauer durch Raghis Körper und ließ seine Zähne klappern, aber er hielt den Blick immer noch gesenkt.

Schnelle Schritte näherten sich — zwei Menschen.

Das Gras raschelte, als sich der trauernde Mann den Neuankömmlingen zuwandte. «Meine Königin, mein Prinz», sagte er steif.

«Bürgermeister Sander», grüßte ihn Kaea, ihre Stimme sanft. «Ich habe nach dir gesucht. Es tut mir leid, dass ich dich nicht früher fand.»

Ihre Worte lösten die Spannung. Raghi hob den Kopf.

«Es gibt keinen Grund, sich zu entschuldigen. Der junge Ghitain hier hat mir die schlechte Nachricht mitfühlend überbracht. Wie ist es passiert? Ich wusste nicht, dass er krank ist.» Der Bürgermeister sah immer noch sehr traurig aus, schien aber von neuer Entschlossenheit erfüllt.

Raghi fragte sich weshalb. Um weiterzuleben? Um die Wahrheit über Palashs Tod zu erfahren?

Kaea wandte sich an ihren Sohn. «Naveen, kannst du den Jahrmarkt für mich überwachen? Ich muss mit Bürgermeister Sander unter vier Augen sprechen.»

Der Prinz nickte.

«Raghi, bitte begleite den Bürgermeister und mich zu meinem Vardo.»

Raghi rutschte von der Plattform und folgte ihnen, Mallika in den Armen. Er war neugierig, wie das Zuhause der Königin innen aussah. Auf der Außenseite zeigte das Fahrzeug viele Nuancen von Lila. Seine Ornamente waren silbern bemalt.

Das Innere kam völlig überraschend. Alle Oberflächen bestanden aus schlichten, weiß getünchten Brettern. Der lavendelfarbene Vorhang an der Tür stellte den einzigen Schmuck dar.

«Ich bin eine Seherin und meine Kunden suchen Klarheit und Offenbarung. Ich kann nicht in einer unordentlichen Umgebung arbeiten», erklärte Kaea, als Raghi und der Bürgermeister sie überrascht ansahen. «Setzt euch hin.»

Kaea zeigte auf den winzigen runden Tisch beim Eingang, der von vier Stühlen umgeben war. Darauf erhob sich eine substanzielle, mit einem weißen Samttuch bedeckte Beule, wahrscheinlich ihre Kristallkugel.

Sie gehorchten.

Während Kaea am Herd Tee für alle einschenkte, unterzog Raghi Bürgermeister Sander einer aufmerksamen Musterung. Es war leicht zu verstehen, warum Palash sein Herz an diesen Mann verloren hatte. Sander musste etwa fünfzig Jahre alt sein, besaß aber die Haltung und den schlanken Körperbau eines jüngeren Mannes. Graue Strähnen durchzogen sein volles schwarzes Haar. Trotz seiner Trauer wirkte sein attraktives Gesicht auf zeitlose Art weise und freundlich. Die meisten Menschen hätten sich ihn als Vater gewünscht. Raghi klassifizierte ihn als interessanten Liebhaber.

Kaea stellte ihnen die Teetassen hin, schloss die Tür und setzte sich. «Es gibt keine rücksichtsvolle Art, das zu sagen, Bürgermeister. Palash wurde ermordet.»

Ihre Worte schockierten Raghi. Wie konnte sie das wissen, wenn der Geist selbst sich nicht sicher war? Sein Blick ging zu Palash, der ihm gegenübersaß.

Palash reagierte genauso schockiert wie er.

Sander schien nicht überrascht. «Ich zog das ebenfalls in Erwägung. Er war stark und gesund. Hast du einen Verdächtigen?»

Kaea schüttelte den Kopf. «Nein. Bevor wir weiterreden, müssen wir noch etwas anderes ansprechen. Ist dir aufgefallen, dass das Baby ständig auf etwas schaut?»

Das hatte die Königin bemerkt? Raghi war beeindruckt.

«Sie scheint auf den leeren Stuhl zwischen uns zu starren. Warum ist das wichtig?»

«Pass auf.» Kaea sagte etwas zu Palash. Die Worte klangen wie das Kauderwelsch, das der Meister und die Altvorderen zur Diskussion von Geheimem verwendeten. Raghi hatte es trotz intensiver Bemühungen nie entschlüsseln können.

Der Geist erhob sich und trat hinter den Bürgermeister. Mallikas Blick folgte ihm unentwegt.

Sander wurde blass. «Du willst mich verarschen.»

«Als Raghi sich meinem Clan anschloss, brachte und lehrte er uns eine außergewöhnliche Fähigkeit, die kein Ghitain jemals zuvor besaß. Ich teile dir das aus zwei Gründen mit. Erstens musst du als Bürgermeister über jene Aspekte unserer Präsenz Bescheid wissen, die bei den Dorfbewohnern für Aufsehen sorgen könnten. Hiermit ehre ich dein Vertrauen in uns, indem ich dir sage, dass wir mit einem Geist reisen. Zweitens hat Raghi eine Nachricht für dich.» Sie nickte ihm zu.

Raghi hielt es immer noch für eine dumme Idee, aber er gehorchte. «Palash sagte mir, dass du ihm von all seinen Liebhabern der Liebste warst.»

«Und dass es mir zutiefst leidtut, dass ich ihm das zu Lebzeiten nie gesagt habe», flüsterte der Geist.

Raghi gab auch diesen Teil der Botschaft weiter.

Sander lächelte traurig. «Die Botschaft ist willkommen. Sie ändert jedoch nichts an der Tatsache, dass ich den Rest meines Lebens allein verbringen werde. Ich bat Palash wiederholt zu bleiben. Er wollte nie hören.»

«Das Schicksal pflügt für jeden Einzelnen von uns einen Weg, dem wir folgen müssen. Wenn wir uns weise verhalten und auch Glück haben, leben wir unser Dharma und machen das Beste aus unserer Lebenszeit. Verlieren wir uns jedoch in der Dunkelheit von Wut und Schmerz, hält Karma uns gefangen und zwingt uns dazu, unsere Fehler auf ewig zu wiederholen. Palash war dazu bestimmt zu wandern, so wie es dir bestimmt ist, an einem Ort zu bleiben. Diese Spannung gab der tiefen Liebe zwischen euch zusätzliche Kraft.»

Sander senkte den Blick. «Ein Adler stirbt, wenn er nicht mehr fliegen darf. Was wirst du wegen deines Verdachts tun, meine Königin? Versuchst du, den Mörder zu finden?»

«Ja, aber das wird wahrscheinlich sehr schwierig. Geheimnisse schützen unsere Gemeinschaft wie Puffer. Diese Geheimnisse aufzudecken, um die Wahrheit zu erfahren, könnte diesen Clan zerstören.»

Der Bürgermeister nickte nachdenklich. «Bevor Aeriels Quellen zu dem heutigen, wohlhabenden Dorf wurde, musste ich mich mit mehreren Mordfällen auseinandersetzen. Jeder erforderte eine andere Strategie, um ihn zu lösen. Und es gab immer Konflikte.»

«Apropos Konflikt, Bürgermeister. Du weißt, wie sehr ich deine Meinung und weitreichenden Verbindungen stets geschätzt habe. Es ist mein Eindruck, dass die Dunkelheit an Kraft gewinnt. Täusche ich mich?»

Sander zögerte. Mit langsamen Bewegungen griff er in die Halsöffnung seiner Tunika und zog ein Lederband mit einem massiven goldenen Anhänger heraus, den er abnahm und vor sich auf den Tisch legte. Der Anhänger hatte die Form von drei stilisierten Wellen. Ein Symbol für das Wasser, das aus den Quellen des Dorfes floss?

«Ich spreche jetzt als Mann und nicht als Bürgermeister dieses Dorfes. Respektierst du das, Kaea?»

Die Königin nickte.

«Dann muss ich dir eine schreckliche Geschichte erzählen.»

14

«Ich kam nicht in Aeriels Quellen zur Welt, sondern in den Bergen weit westlich von hier. Die Dorfbewohner sagen mir auch heute noch, dass ich mit einem schwachen Akzent spreche, den ich selbst nicht höre. Die Berge sind ein wilder und in vielerlei Hinsicht düsterer Ort. Das Problem ist, dass die Region als eines der letzten Verstecke der Unsterblichen dient — Menschen, die aussehen wie wir, die aber nie eines natürlichen Todes sterben werden.»

Sander nahm die Tasse mit seinem Tee und blickte hinein. Seine Finger zitterten.

«Als Kind konnte ich nicht sagen, wer sterblich war und wer nicht, aber die alten Leute wussten es aufgrund ihrer Beobachtungen. In ihrer Jugend waren einige Männer und Frauen ebenfalls jung gewesen und blieben es, während um sie herum die Menschen alterten und starben. Diese Unsterblichen stellten kein Problem dar. Als ich das Erwachsenenalter erreichte, hatte ich die meisten identifiziert. Einige zählten sogar zu meinen Freunden. Sie benahmen sich wie wir und lebten wie wir. Der einzige Unterschied war, dass sie härter arbeiten mussten, um ihrem Leben einen Sinn zu geben. Wenn eine Ewigkeit von Tagen und Nächten vor dir liegt, spielt es dann eine Rolle, was du tust oder nicht? Dennoch nahmen sie am Dorfleben teil. Und niemand sprach jemals davon, dass zwei verschiedene Arten von Menschen zusammenleben, ganz so als wären sie gleich. Wie Palash mir erzählte, folgt die Gemeinschaft der Ghitains ähnlichen Regeln hinsichtlich offener und geschlossener Geheimnisse.»

Kaea nickte, ihre volle Aufmerksamkeit auf Sander gerichtet. «Ich nehme an, andere Unsterbliche versuchten nicht sich anzupassen.»

Sander seufzte. «Nein. Einige waren verzweifelt oder hatten den Verstand verloren. Weitere lebten als Gesetzlose in den abgelegensten Teilen der Berge. Leider gab es auch andere. Die Legende besagt, dass alle unsterblichen Menschen Nachkommen der Drachenfürsten sind. Hast du schon von ihnen gehört?»

«Ja. Den Legenden zufolge starben die Urdrachen, die Schöpfer des Multiversums, irgendwann. Die Drachenfürsten übernahmen ihre Aufgaben. Ich habe im Lauf der Jahre verschiedene Geschichten gehört. Die meisten berichten, dass die Drachenfürsten sterbliche Menschen wie du und ich waren. Die Vorsehung erforderte es, dass sie sich mit den Drachen verbanden und unsterblich wurden.»

Sander nickte. «Das ist die Geschichte. Aber du und ich haben genug gesehen, um zu wissen, dass kein Prozess jemals ohne Fehler abläuft und dass kein Herrscher seine Linie unter Kontrolle halten kann. Es wird immer Bastarde geben, ob durch Zufall, Absicht oder Verrat. Menschen laufen vor der Verantwortung davon und was auch immer. Die Drachenfürsten sind vielleicht verschwunden, aber Spuren ihres Blutes lassen sich überall im Multiversum finden. Und so müssen sich ansonsten gewöhnliche Menschen ohne jegliches Vorbild der Unsterblichkeit stellen. Diejenigen, die über eiserne Willenskraft verfügen, schaffen es und finden Nischen für sich, so wie die Unsterblichen in meinem Geburtsdorf. Die Sensibleren verlieren den Verstand, und einige von ihnen werden richtig böse.»

Raghi, der mit tiefer Faszination zugehört hatte, räusperte sich. «Bei allem Respekt, warum? Unsterblich zu sein bedeutet doch nur, dass man nicht sterben muss, oder?»

Kaea wackelte mit dem Kopf. «Denk an die magischen Tiere und ihr Dilemma, Raghi. Es ist nicht so, dass sie nicht sterben müssen. Sie *können* nicht sterben. Nicht bevor sie Tausende und Abertausende von Jahren alt sind. Stell dir vor, das würde dir passieren.»

Er wusste, dass er nicht der Hellste war, und dass gespieltes

Verstehen eine gute Strategie in seiner Lage war. Aber nagende Zweifel zwangen ihn weiterzufragen. «Ist Unsterblichkeit so schlimm, solange du nicht der Einzige deiner Art bist? Wenn niemand dich töten kann, bist du unverwundbar.»

Sander lächelte und berührte Raghis Schulter. «Du bist fast noch ein Kind, Junge, und hast jedes Recht, so zu denken. Aus deiner Sicht stimmt dein Argument. Bitte nimm es einfach zur Kenntnis, wenn wir Älteren dir sagen, dass sich deine Meinung im Lauf der Jahrzehnte ändern wird.»

Raghi sah die Wahrheit in den dunklen weisen Augen des Mannes. Er senkte seinen Blick. «Es tut mir leid, dass ich unterbrochen habe.»

Nun berührte ihn auch die Königin, indem sie ihre Hand über seine legte. Was war mit diesen Leuten los? War er im Zeitalter der Zuneigung gelandet?

Kaea spürte sein Zurückweichen und nahm ihre Hand weg. «Fragen zu stellen ist eine gute Sache. Falls jemand dir etwas anderes erzählt hat, war das ein Idiot. Fahr fort mit deiner Geschichte, Sander.»

Der Mann seufzte. «Ein Unsterblicher wurde abgrundtief böse. Wir wissen nichts über seine Herkunft oder wie alt er ist. Es ist möglich, dass er nicht einmal aus unserer Zeit stammt. Die Leute nennen ihn einen Reisenden, was bedeuten kann, dass er die Treppen der Ewigkeit hinauf- oder hinunterging. Er sammelte Wissen, Reichtum und Macht und wurde zum Herrn über sein eigenes Königreich in den westlichen Bergen. Ich sah es selbst, als ich jung war und mit meinen Freunden durch die Wälder streunte. Wir wagten es nicht, die Grenze zu überschreiten, sondern erhaschten Eindrücke von den umliegenden Gipfeln. Es erschien mir ein düsterer und abstoßender Ort. Falls dort jemals Glück existierte, war es schon lange verschwunden.»

Sanders Worte besaßen echte Macht. Aus irgendeinem Grund sah Raghi den Ort in seinem Kopf, als wäre er dort gewesen, sogar Details wie eine abweisende Burg, die über einem Abgrund thronte. Der gesamte Berg und die Burg bestanden aus — konnte das sein? Menschlichen Knochen und Schädeln?

Raghi schauderte.

«Der Reisende fand keine Freude an dem, was er erreicht hatte. Stattdessen hatte er nur einen Wunsch — zu sterben. Er versuchte immer wieder sein Leben zu beenden, aber als Unsterblicher blieben seine Versuche erfolglos. Dann hatte er eine Idee. Die Kräfte, die ihn erschaffen hatten, sollten ihn auch vernichten. So fing er sich einen Drachen und forderte von dem Tier, dass es ihn tötete. Es weigerte sich. Und seitdem liefern sie sich einen nicht enden wollenden Kampf. Als Junge konnte ich oft nachts nicht schlafen, weil das von Qualen erfüllte Gebrüll des Drachen durch die Berge hallte.»

Kaea starrte Sander bestürzt an. «Was für ein schreckliches Verbrechen! Wie lange geht das schon so?»

«Seit jeher — das heißt, dass niemand in meinem Dorf es weiß. Das Problem ist, dass Dunkelheit im Lauf der Jahrhunderte ihren eigenen Schatten erzeugt. Irgendwann ist der Schatten stark genug, um unabhängig von seinem Schöpfer zu existieren. Ich fürchte, das passiert gerade. Im gesamten bekannten Multiversum gibt es Unruhen. Wahrscheinlich meinst du das, wenn du von der Dunkelheit sprichst, die an Kraft gewinnt. Wenn der Konflikt nicht endet, wird er all unsere Errungenschaften zerstören, vielleicht noch nicht in diesem Zeitalter, aber sicher im nächsten.»

Raghi zuckte zusammen, als der Stinkdrache um seinen Hals plötzlich zitterte. Er legte eine Hand über ihren winzigen Körper und freute sich trotz seines Schocks über die Bewegung. Angesichts ihrer Stille wusste er nie, ob sie gestorben war und sich nur wegen seiner eigenen Körperwärme warm anfühlte. Mit einem Seufzen entspannte sie sich.

Sander und die Königin ignorierten ihn. Wahrscheinlich dachten sie, dass er sich fürchtete.

«Bitte sei vorsichtig, Kaea», verlangte Sander. «Alles, was ich dir bisher gesagt habe, kann der Einbildung eines alten und desillusionierten Mannes entspringen. Aber es ist eine Tatsache, dass der Reisende sein Königreich verlassen hat. Er und seine Schergen waren vor Kurzem hier in Aeriels Quellen. Sie erschreckten meine Leute, indem sie durch das Dorf streiften und nach etwas suchten. Wenn du ihnen begegnest, sei so vorsichtig wie möglich.»

Die Königin knurrte. «Ich habe meinen eigenen Krieg mit gewalttätigen Drecksäcken geführt. Glaubst du, dass ich mich nicht behaupten kann?»

«Du kannst, und genau das ist das Problem. Du darfst sie unter keinen Umständen herausfordern. Die Dunkelheit, die mit ihnen reitet, ist furchtbar. Ich konnte in ihrer Gegenwart kaum atmen.»

Sanders Worte hallten in der anschließenden Stille wider.

Kaea starrte auf ihre geballten Fäuste. Zum ersten Mal wirkte die stolze Frau unsicher, und Raghi entdeckte die immer noch gegenwärtigen Anzeichen des Missbrauchs, den sie einst erlitten hatte.

Er kannte diese gut, nachdem er sie bei sich und den anderen Lehrlingen beobachtet hatte. Die Wunden und Prellungen heilten, obwohl einige Narben hinterließen. Aber die Haltung und Miene eines Menschen erholten sich nie. Spuren blieben für immer sichtbar in den minimal zusammengezogenen Schultern und einer bestimmten Leere im Gesicht und in den Augen. Ohne Grundvertrauen wurde die geistige und körperliche Präsenz eines Menschen spröde.

«Hast du eine Ahnung, wonach der Reisende und seine Männer suchten?», fragte Kaea schließlich, ihre Stimme ausdruckslos.

«Nein. Wegen seiner Geschichte und Situation würde ich sagen, dass es ein Heilmittel sein muss, das seine Unsterblichkeit beendet. Du weißt selbst, wie Betroffene auf den kleinsten Hoffnungsschimmer reagieren.»

Kaea atmete zischend aus. «Ja. Und wehe denen, die er im Besitz des Heilmittels glaubt. Wenn er so verzweifelt ist, wie du sagst, wird er kein Nein als Antwort akzeptieren.»

«Genau.» Sander nahm die Lederkette mit dem Anhänger und legte sie sich wieder um den Hals. Er stand auf. «Mit deiner Erlaubnis werde ich dich jetzt verlassen. Meine Kraft für traurige Themen ist erschöpft.»

«Natürlich.» Kaea stand auf. «Ich werde dich hinausbegleiten. Raghi, bitte bleib noch einen Moment.»

Der Bürgermeister verließ den Vardo mit einem Abschiedsnicken für Raghi. Raghi nickte zurück, ein unbehagliches Gefühl in der Brust. Was wollte die Königin von ihm?

Er sah Palash an. Seit dieser seine Anwesenheit bewiesen hatte, saß er wieder auf dem leeren Stuhl und starrte ins Leere, ohne einmal seinen Geliebten anzuschauen. Er wirkte traurig und besiegt.

«Es tut mir leid», sagte Raghi.

Seine Worte holten Palash in die Gegenwart zurück. «Danke», presste er hervor und verschwand.

Die Königin kehrte zurück und setzte sich. Eine Weile lang betrachtete sie Raghi still. Offensichtlich bereitete sie die altbekannte Tirade über seine Unzulänglichkeit vor. Er wappnete sich. Er hatte die Missbilligung des Meisters ertragen, ohne mit der Wimper zu zucken, obwohl die Worte schmerzten. Kaeas Tirade würde tiefe Wunden reißen.

Die Königin überraschte ihn, indem sie ihn erneut berührte. Dieses Mal legte sie die Hand auf seinen Unterarm. «Wie sehr wünschte ich, ich könnte diesen Ausdruck aus deinem Gesicht vertreiben, Raghi. Ich habe ihn bei Naveen gesehen, als dieses Monster, das mein Ehemann war, noch lebte. Ihn bei dir zu sehen, tut nicht weniger weh, obwohl du nicht von meinem Blut bist.»

Das klang nicht nach dem Beginn einer Tirade. Was beabsichtigte die Königin?

«Raghi, du musst etwas für mich tun. Du schlägst dich gut und ich habe keinen Moment lang bereut, dass du nun mit uns reist. Dennoch gibt es etwas, das du lernen musst. Du stellst zu wenig Fragen.» Sie wartete einen Moment, bis er ihre Worte verarbeitet hatte.

Raghi zappelte unter ihrem prüfenden Blick. Seine Verletzlichkeit machte ihn wütend.

Kaea drückte seinen Unterarm. «Ssh. Es gibt keinen Grund wütend zu werden. Bitte, hör mir einfach zu. Deine Erfahrung lehrte dich, eine lebensüberdrüssige, affektierte Einstellung vorzutäuschen. Diese Maske bricht, wenn etwas dich verwirrt. Die Zeichen sind subtil, aber ich kann sie erkennen. Und sie gefährden die Menschen, die ich auf dieser Welt am meisten liebe. Du musst verstehen, was um dich herum vorgeht — für die Sicherheit von uns allen. Bitte stell mir also jetzt die Fragen, die du während unseres Gesprächs mit Sander unterdrückt hast.»

Meinte sie es ernst? Das konnte nicht sein. Er hatte auf die harte Weise gelernt, den Versprechungen anderer nie zu vertrauen.

«Bitte, Raghi», flehte sie fast.

«Was ist das Multiversum?» Die Frage rutschte aus seinem Mund, bevor er sie aufhalten konnte. Naveen hatte den Begriff in seinen Erklärungen mehrmals erwähnt und sich damit irgendwie auf diese Welt bezogen, aber Raghi hatte die wahre Bedeutung nie verstanden.

Kaea schien überrascht und musste nachdenken. «Wie hast du dich in deiner Zeit auf die Welt und alles, was sie umgibt, bezogen?»

«Es gab Eterna, was sowohl der Name des Kontinents wie auch der

Stadt in seiner Mitte ist. Ein Ozean mit vielen Inseln umgibt den Kontinent. Im Norden wird das Meer als Eismeer bezeichnet. Dort liegen die Eisinseln, wo ich geboren wurde. Ich glaube, sie nennen alles inklusive der Sterne das Universum, aber ich bin mir nicht sicher.»

Warum gab er das zu? Idiot!

Aber er war nicht mehr in der Lage seinen Redefluss zu stoppen. «Es tut mir leid, dass ich dumm bin. In der Gilde brauchte ich lange, bis ich Lesen und Schreiben konnte, und ich musste unglaublich hart trainieren, um all das Verpasste aufzuholen. Als ich das Gekritzel endlich entziffern konnte, blieb fast keine Zeit zum Lesen. Oder dann war ich so müde, dass ich über der Schriftrolle eingeschlafen bin.»

Kaea lächelte nur. «Das geschriebene Wort ist nicht alles, Raghi. Es gibt auch mündliche Traditionen und unsere Sinne. Es heißt, dass die größten Weisen die Rätsel des Multiversums in einer Höhle erkannten, ohne jemals einen einzigen Text gelesen zu haben. Was das Multiversum betrifft, so denke ich, dass der Schöpfungsmythos dir helfen sollte, es zu verstehen. Ich bin kein erfahrener Geschichtenerzähler, aber ich werde es versuchen.»

Kaea begann, in einer Art Sprechgesang zu berichten. Raghi war sofort fasziniert.

Zu Anbeginn der Zeit, weit weit in der Vergangenheit, gab es zwei Drachen, die zugleich männlich und weiblich waren. Sie lebten in der Ewigkeit – einem Zustand, in dem jeder neue Moment dem vergangenen glich und nie etwas geschah.

Weil den Urdrachen langweilig war und vielleicht auch schlicht, weil sie es konnten, veranstalteten sie einen Wettstreit, wer von ihnen der Ewigkeit die faszinierendere Gestalt geben konnte. So schauten sie tief in ihre Fantasie und ihre Träume und formten daraus das Weltengefüge mit all seinem Zauber. Und weil es keinen anderen Ort gab, an dem es existieren konnte, nahmen sie die süße Last wie ein Kind auf ihren Rücken und wurden seine Träger.

Mit dem Weltengefüge schufen sie vergängliche Lebewesen, bezaubernder, schauriger und wunderlicher, als wir sie uns je ausdenken könnten – und eine neue Generation von Drachen, deren Leben zwar ewig zu dauern schien, die aber trotzdem sterblich waren. Das mussten sie sein, denn nur so konnten sie das Werk ihrer Vorfahren verstehen. Die Urdrachen ernannten sie zu Beobachtern, um sich durch ihre Augen an ihrer Schöpfung zu erfreuen.

Zuerst schien alles gut. Das Weltengefüge entwickelte sich bestens dank der überschäumenden Lebenskraft und Magie, die ihm seine Schöpfer mitgegeben hatten. Doch neben all dem Wunderbaren entstanden auch unerwünschte Dinge, böse, abscheuliche Dinge, die die Existenz alles Sterblichen bedrohten und die es nicht geben durfte. Durch sie erkannten die Urdrachen, dass mehr als Beobachter nötig waren und sie riefen eine neue Art von Drachen ins Leben – die Bewahrer.

Waren schon die Beobachter teilweise sterblich, wurden es die Bewahrer umso mehr. So dauert das Leben der Beobachter gemäß der Überlieferung so lange wie das eines Sterns, während die Bewahrer nur so lange leben wie ein Gebirge, das Tropfen um Tropfen vom Wasser abgetragen wird.

Als erste Drachen waren die Bewahrer zudem eindeutig männlich oder weiblich, und die Urdrachen bildeten Paare unter ihnen. Jedes Paar herrschte über eine Anzahl von Welten, für deren Wohlergehen es verantwortlich war. Doch über die Äonen hinweg entstanden aus diesem Konstrukt Probleme. Nicht alle Paare harmonierten. Einzelne Drachen wiederum starben. Zwischen den Drachen bildeten sich neue Paare, und eine Anzahl unerlaubter Drachenkinder wurde geboren.

Was genau hiernach geschah, ist nicht überliefert, aber angeblich manifestierte sich die Dunkelheit in zwei Strömungen:

So gab es Drachen verschiedener Generationen, die dem Weltengefüge die Daseinsberechtigung absprachen. Als Zeitvertreib der Urdrachen hätte es nie so weit gedeihen, sondern nach Beendigung des Wettstreits wieder zerstört werden sollen. Sie verlangten die Vernichtung allen Lebens, inklusive ihres eigenen.

Dann erzählen die Überlieferungen auch vom König der Bewahrer, jenem Drachen, dem alle anderen seiner Generation Rechenschaft schuldig waren. Durch seine Intelligenz und seinen tadellosen Charakter galt er als Vorbild aller, doch sollte er tief fallen. Unfähig, seine hohen Ansprüche an sich selbst zu erfüllen, zerbrach er daran und wurde böse. In seinem Wahnsinn verführte er schließlich die Gefährtin eines anderen Drachens und zeugte mit ihr ein Kind der Schande.

Das Drachenkind wurde geboren, und es vergingen Jahrhunderte, während der Konflikt unter den Drachen sich durch Gehässigkeiten zuspitzte, bis eines Nachts der König der Bewahrer eine Prophezeiung empfing. Ihr Inhalt ist nicht bekannt, aber schrecklicherweise verleitete sie ihn dazu, alle jungen Drachen der vierten Generation zu suchen und zu töten. Es heißt, dass er in seinem Wahnsinn sogar seinen eigenen, legitim geborenen Sohn zerstörte.

Durch seine Gräueltaten löste er einen Krieg unter den Drachen aus, der das Weltengefüge in seinen Grundfesten erbeben ließ und viele Welten verwüstete. Als die Kämpfe schließlich endeten, zogen sich die überlebenden Drachen in geheime Verstecke zurück und erwarten dort seither schlafend das Ende der Welt.

Denn als schlimmste Konsequenz der Auseinandersetzungen wurde einer der beiden Urdrachen, auf denen das Weltengefüge ruht, vernichtet. Der andere, der fortan das Multiversum allein trug, hatte schwere Wunden erlitten. Es schien nur eine Frage der Zeit, bis alles, was uns umgibt, aufhören würde zu existieren.

Aber das sollte nicht sein, denn einer der Urdrachen hatte in seiner unendlichen Weisheit Vorkehrungen getroffen und heimlich einen Samen gepflanzt. Aus diesem Samen entstanden die Drachenfürsten. Sie beendeten den Konflikt und retteten das, was nicht mehr zu retten schien, und als der letzte Urdrache starb, existierte das Multiversum weiter.

So wie es das bis zum heutigen Tag tut.

«Nicht alles im Schöpfungsmythos ist relevant für deine Frage, Raghi», fuhr Kaea in ihrer gewöhnlichen Stimme fort. «Nachdem du nun aber die Legende kennst, wirst du verstehen, wenn ich das Multiversum als ein Sammelsurium von Welten beschreibe, die sich alle voneinander unterscheiden und ohne konsistente Logik erschaffen wurden. Die Urdrachen spielten mit den Elementen. Dabei erschufen sie die verschiedenen Welten und ihre Arten. Als Menschen können wir durch jene Welten reisen, die aus Erde, Luft und Wasser bestehen. Aber die Drachen erschufen auch Welten aus Feuer und Metall. Solltet ihr in deiner Zeit noch von der Hölle sprechen — das wäre so eine feurige Welt und die einzige, in der wir Menschen für kurze Zeit existieren können. In allen anderen verbrennt unser Körper sogleich zu Asche.»

Raghi nahm sich einen Moment Zeit, um die Fülle an Informationen zu verarbeiten. Er war insgeheim erleichtert, dass er folgen konnte, denn er wollte die Königin nicht enttäuschen. Aber ihm schienen immer noch wichtige Informationen zu fehlen. «Wenn ich dich richtig verstehe, ist alles, was wir um uns herum sehen, eine Welt. Wenn das wahr ist, wo sind dann die anderen?»

«Die einfache Erklärung und auch die einzige, die ich verstehe, lautet, dass alle Welten Inseln gleich im Meer der Ewigkeit driften. Schwellen — eine Art magische Portale — verbinden die verschiedenen Welten. Überschreitest du eine solche Schwelle, wechselst du von einer Welt in die nächste.»

Raghi hatte genug Probleme mit einer Welt umzugehen. Er verspürte keine Neigung andere zu besuchen, aber etwas ließ ihm keine Ruhe. Er beschloss, die Frage zu stellen. «Gibt es etwas Besonderes an Eterna? Zu meiner Zeit nannten die Menschen sie die Ewige Stadt, was seltsam erscheint. Auch wenn ich dumm bin, weiß ich doch, dass der Sand der Zeit fast alles verschluckt.»

Kaea nickte ernst. «Gut erkannt. Wir müssten einen Weisen nach der vollständigen Erklärung fragen, aber sie behaupten, dass Eterna das Zentrum des Multiversums bildet. Die Stadt ist die Heimat der Zeit.»

Und so viele Dinge machten plötzlich Sinn — einschließlich der Treppen der Ewigkeit und der Tatsache, dass die Ghitains im Uhrzeigersinn auf ihren Kreisen reisten.

«Ich glaube, mein Kopf explodiert gleich», gab Raghi zu.

Die Königin lächelte. «Das überrascht mich nicht. Besuch jetzt den Jahrmarkt. Morgen werden wir darüber sprechen müssen, was du dazu beitragen kannst. Heute darfst du einfach nur genießen.» Sie stand auf.

Raghi tat es ihr gleich.

Sie verließen den Vardo.

Raghi hatte eine letzte Frage. Er stellte sie am Ende der Treppe, als

Kaea im Begriff war wegzugehen. «Bei allem Respekt, meine Königin, warum batest du mich, an deinem Gespräch mit dem Bürgermeister teilzunehmen? Wäre Naveen nicht die bessere Wahl gewesen?»

Sie sah ihn mit ihren faszinierenden Augen an. Sie strahlten Freundlichkeit und Verständnis aus und schienen bis auf den Grund seiner zerschlagenen Seele zu sehen. «Nein, das wäre er nicht. Mit den Toten zu sprechen ist deine Gabe, Raghi. Kein Ghitain wird sie dir jemals wegnehmen.»

Und damit ließ sie ihn allein.

15

Raghi kehrte zu Naveens Vardo zurück und fragte sich, wie er den Tag verbringen sollte. Als Mallika gluckste, sah er überrascht auf das Baby. Er hatte das Äffchen auf seinem Arm vergessen.

«Hast du dich in Kaeas Vardo unsichtbar gemacht?», fragte er sie. Aber natürlich hatte er sich einfach an ihre Präsenz und ihr Gewicht gewöhnt. Solange sie nicht durch Treten, Heulen oder Erbrechen auf sich aufmerksam machte, war sie jetzt fast ein Teil von ihm wie ein dritter Arm oder ähnlich.

Es gab etwas, was er gleich jetzt in Naveens Abwesenheit tun musste. Er hätte es gleich erledigen sollen, als Palash seinen Verdacht erwähnte, aber das Leben bei den Ghitains war ebenso aufregend wie ermüdend und der Prinz etwas anhänglich.

Raghi betrat den Vardo und passierte den Knoten aus Stinkdrachen, inzwischen an ihre beleidigten Mienen gewöhnt. Er kroch in seinen Bettschrank. Dabei presste er Mallika sicher an seine Brust.

Die Teeprobe war leicht zu finden, ein Häufchen gerollter Blätter auf einem Brett des kunstvoll eingearbeiteten Schränkchens. Raghi trug einen leeren Behälter in seiner Tasche, ein winziges Glas mit Schraubverschluss. Mit einem Holzspatel aus seinem Vorrat schöpfte er die Teeprobe hinein.

Mallika wandte den Kopf und beobachtete, was er tat. Er musste vorsichtig sein, damit dem Baby nichts geschah. Einige Gifte waren stark. Um zu sterben genügte es, ihre Dämpfe oder ihren Staub einzuatmen.

Raghi holte seinen wertvollsten Besitz aus dem Beutel, einen Stein der Wahrheit. Er hatte ihn einem der verdorbenen Männer gestohlen, die der Meister netterweise für ihn getötet hatte. In seiner Handfläche wirkte er wie ein gewöhnlicher fingerförmiger Kieselstein.

Er steckte ein Ende in das Glas und wartete darauf, dass die Farbe des Steins sich veränderte.

Nichts passierte.

Verblüfft starrte Raghi auf die Teeblätter. Kaea und ihr Bruder hatten unabhängig voneinander die gleiche Ahnung gehabt. Konnten beide sich irren? Er bezweifelte es. Auftragsmörder überlebten durch ihre Instinkte.

Was sonst hätte als Träger für das Gift dienen können?

Oder funktionierte der Stein der Wahrheit nicht mit den Giften dieses Zeitalters?

Raghi zog ihn aus dem Glas und drehte das Ende nach oben, das mit dem Tee in Berührung gekommen war. Unabhängig von der Anzeige des Steins musste er eine vollständige Prüfung durchführen.

Er legte alles zur Seite, dann bettete er Mallika auf sein Kissen, damit sie zusehen, aber nicht davonrollen konnte.

«Das ist deine erste Lektion als Auftragsmörderin. Achte genau auf jede meiner Bewegungen», flüsterte er.

War das Interesse in ihren Augen? Sicher nicht. Das war nur seine Paranoia, die seine Wahrnehmung verarschte.

Raghi schmierte das Teepulver vom Stein auf ein Stück gebleichtes Pergament und führte jedes wissenschaftliche Experiment durch, das er kannte und für das er die erforderlichen Mittel in seiner Tasche trug.

Das Ergebnis blieb unverändert. Kein Gift. Zuletzt kostete er eines der gerollten Blätter.

Einfach nur ausgezeichneter und teurer grüner Tee.

Raghi schraubte den Verschluss aufs Glas und gab es in den Beutel zu seinen Besitztümern. Er würde es so lange behalten, bis er verstand, was vor sich ging.

«War der Tee vergiftet?», fragte ihn eine Stimme aus dem Nichts.

Raghi zuckte vor Schreck hoch und schlug mit dem Scheitel gegen die Unterseite von Naveens Bett.

«Verdammt, Geist, du bist mein Tod!», klagte er und rieb sich die schmerzende Stelle.

Mallika in ihrem behelfsmäßigen Bettchen kicherte.

Palash machte sich an den niedrigen Türpfosten des Bettschranks gelehnt sichtbar. Er wirkte abgekämpft, aber fokussiert. Raghi hatte den Eindruck, dass er sich für seinen Neffen allem stellen würde.

«Nicht soweit ich das beurteilen kann. Keiner der Tests reagierte. Wasser kann ein Gift aktivieren, Wärme ebenso. Oder es wirkt durch Berührung, Verschlucken, was auch immer. Wenn dieser Tee ein Gift enthält, kenne ich es nicht, und es wirkt auch nicht bei mir. Da du an Magie glaubst, könnte es sich um einen Fluch gehandelt haben?»

Palash schüttelte den Kopf und biss sich auf die geisterhafte Lippe. «Ich verfüge über Kräfte, obwohl sie nicht so stark sind wie die meiner Schwester. Einen Fluch hätte ich bemerkt.»

Es gab also Flüche? Verdammt!

Raghi seufzte verärgert. «Ich muss den Vardo durchsuchen, um nach anderen Trägern des Giftes zu suchen. Ich hoffe nur, dass Naveen mich nicht dabei erwischt. Es fühlt sich falsch an, als würde ich sein Vertrauen missbrauchen.»

Palash runzelte die Stirn. «Deine Gefühle ehren dich. Und du brauchst das nicht zu tun. Wie ich früher schon erklärte, müssen alle beseelten Besitztümer eines Ghitains nach seinem Tod zerstört werden. Aufgrund unserer Philosophie der liebevollen Achtsamkeit umfasst diese Liste mehr Dinge, als du dir vorstellen kannst. Vorräte erwähnte ich schon, aber auch Schmuck, Kleidung und Körperpflegeprodukte wie Bürsten und Schuhe sind betroffen.»

«Die Matratzen und die Bettwäsche?»

«Nur wenn Naveen ein Mädchen wäre. Da er ein Junge ist, kann er sie gebrauchen.»

Raghi rollte die Augen. Die Gebräuche der Ghitains würden für ihn nie einen Sinn ergeben. «Keine weiteren Erklärungen. Bitte schau einfach in die Schränke um sein Bett herum, ob da noch etwas ist, das dir gehörte.»

Palash gehorchte. «Nein», bestätigte er nach wenigen Augenblicken. «Nur Naveens Kleidung zum Wechseln und seine eigenen Dinge zur Körperpflege.»

Raghi kroch aus dem Bettkasten, Mallika wieder auf dem Arm. Er brauchte die Schränke im engen Wohnbereich um den Herd nicht zu öffnen und musste auch nicht in die Bänke schauen, die zugleich als Truhen dienten. Naveen hatte in den vergangenen Tagen alle davon geöffnet und sie hatten das gesamte Geschirr benutzt.

«Das bedeutet, dass ich mich geirrt habe», sagte Palash, seine geisterhafte Stimme matt.

Raghi schüttelte den Kopf. «Es bedeutet nur, dass wir deine Vermutung weder beweisen, noch widerlegen können. Ich würde mein Leben auf sie verwetten. All das Getue um liebevolle Achtsamkeit verleiht deinem Verdacht Glaubwürdigkeit.»

«Ich bin nur ein dummer alter Mann mit einem Kopf voller Unsinn. Ich sollte in die Ewigkeit gehen ...» Palash begann zu verblassen.

«Oh nein, das tust du nicht. Nicht so.» Raghi packte den Arm des Geistes und konzentrierte seinen Fokus, wie es ihm Ghost Singer einst beigebracht hatte. Von all den anderen Lehrlingen hatte nur er diesen Trick gemeistert, der den Geist daran hinderte zu verschwinden.

Raghi wusste, was ihn erwartete, und stählte sich, trotzdem schmetterte ihn die Welle der Übelkeit fast auf die Knie. Und es wurde noch schlimmer, als Palash seine mentale Kraft auf ihn konzentrierte.

«Lass mich los!», zischte der Geist. Seine Augen begannen rot zu glühen.

«Nicht bevor du mir nachsprichst: ‹Ich liebe meine Familie und werde nicht gehen, bis sie in Sicherheit ist.›»

Palashs Augen wurden zu einem Inferno. «Ich sagte, lass mich los.» Er entfesselte seine volle Kraft.

Raghi knirschte mit den Zähnen, als eisiges Feuer sein Blut auflodern ließ. Ein normaler Mann wäre auf der Stelle ohnmächtig geworden. Nicht er. Das war nichts gegen das, was er in der Gewalt der Altvorderen durchlitten hatte.

Aber er sollte Palash gehen lassen — zur Sicherheit aller. Dieser Geist war viel zu stark und fokussiert für diese Welt. Selbst zur Weißglut provoziert, richtete er seinen Angriff nur auf Raghi. Nichts davon erreichte Mallika, und kein Energiewirbel drang durch die Wände des Vardos nach draußen.

Zu seiner großen Überraschung stoppte Palash plötzlich, Schock und Ungläubigkeit auf seinem Gesicht. Er musste Raghis Schmerz gespürt haben. «Kind, ich ...»

«VERSPRICH ES!», befahl Raghi und versah dabei jede Silbe mit voller Konzentration.

Er erhielt ein kurzes Nicken. «Ich verspreche es», sagte Palash.

«Dann geh jetzt. Weil ich deine Anwesenheit keine Sekunde länger ertragen kann!», presste Raghi zwischen zusammengebissenen Zähnen hervor.

Er hatte Palash kaum losgelassen, da waren er und Mallika allein in Naveens Vardo.

Es dauerte lange, bis Raghi sich beruhigt hatte. Er vertrieb sich die Zeit, indem er von der Plattform von Naveens Vardo den Jahrmarkt beobachtete. Durch die Anwesenheit der Dorfbewohner waren die Geräusche des Lagers und die Musik lauter als sonst, aber im Vergleich zu den Standards von Eterna sehr gesittet. Die helle Frühlingssonne verstärkte alle Farben. Raghi schien in einem Kaleidoskop zu sitzen, bei dem die Vardos einen bunten Rahmen für die extravagant gekleideten Ghitains bildeten. Herausgeputzte Dorfbewohner drängten sich mit strahlenden Augen und einem glücklichen Lächeln um die Stände.

Der Anblick nährte seine ausgehungerte Seele. Jahrelang war er durch Eternas armseligste und verfallenste Gassen gestreift, trotzdem hatte er sich nie an die allgegenwärtige Armut gewöhnt.

Raghi schauderte. Palashs Macht strömte immer noch wie Eis durch seine Adern. Sie würde lange brauchten, um zu verblassen. Er hätte diese besondere Fähigkeit nicht einsetzen sollen. Ghost Singer hatte sie ihm nach dem Latrinenunfall beigebracht, damit Raghi sich gegen die Geister wehren konnte.

Was hatte ihn motiviert zu tun, was er am meisten hasste?

Raghi schnaubte. Naveen und seine Familie zu schützen.

Er sollte wirklich fortgehen, bevor sie ihm noch mehr bedeuteten.

Begeistertes Quietschen erregte seine Aufmerksamkeit und

versprach Ablenkung. Er rutschte von der Plattform und ging zur Rückseite von Naveens Vardo. Bei ihrer Ankunft in Aerials Quellen hatte Raghi den Tiervardo direkt dahinter abgestellt. Alle Luken standen offen, ihre Rampen montiert. Kinder und Erwachsene bewunderten die magischen Tiere.

Er bemerkte, dass die Phönixratte eine neue Kugel aus Holzstäben gebaut hatte, diesmal ohne seine Hilfe. Als sie in die Struktur huschte und in Flammen aufging, keuchte jeder vor Bewunderung.

Hatte er vorschnell geurteilt? Vielleicht hatte die Ratte nicht ihren Tod inszeniert, sondern ihre Aufführung geprobt. Wenn ja, bestand da ein Unterschied?

Die Leute zeigten zum Himmel. Der geflügelte Luchs kreiste über der Menge und zeigte seine beachtlichen Flugkünste. Er schien zu grinsen und sich zu amüsieren.

So spielte jedes Tier seine Rolle. Am beliebtesten waren die Doggycorns, die rundum schlabbrige Küsse verteilten.

Raghi wanderte weiter, neugierig was die Messe sonst noch bot.

Meera, die rotblonde Ghitainfrau mit den schwach ausgeprägten Fahrkünsten, verkaufte Schmuck vor dem nächsten Vardo. Sie schien eine außergewöhnliche Goldschmiedin zu sein. Ihre Halsketten und Broschen waren detailliert gearbeitet und wahre Meisterwerke.

Während sie ihre Waren verkaufte, kümmerte sich ihr Mann um die drei kleinen Kinder. Raghi bemerkte, dass schwere Brandnarben seine Hände und Finger überzogen. Kein Wunder, dass Meera fahren musste, obwohl sie sich nicht allzu sehr dafür eignete.

Der nächste Stand hielt Lederwaren feil — Gürtel, Beutel und Ähnliches. Der Handwerker plauderte lebhaft mit seinem wartenden Kunden und reparierte scheinbar nebenbei ein Pferdegeschirr. Seine Nadel schien zu fliegen, während er die aufgebrochenen Nähte schloss. In der kurzen Zeit, die Raghi ihn beobachtete, verkaufte er zudem mehrere Gegenstände und bewies so beeindruckende koordinative Fähigkeiten.

Raghi beherrschte trotz eifrigen Übens nicht einmal die Grundlagen des Jonglierens.

Während er den Vardos entlangschlenderte, Stand für Stand begutachtete und die Handwerkskunst der Sippe bestaunte, wurde ihm bewusst, dass er sich amüsierte. Am Jahrmarkt teilzunehmen war etwas anderes, als ihn nur zu beobachten. Als wäre ein Schleier gefallen, konnte er die Atmosphäre plötzlich mit allen Sinnen erleben.

Die Ghitains schufen eine entspannte Atmosphäre, welche die Dorfbewohner wie die milden und wohltuenden Strahlen der Frühlingssonne aufsogen. Wohin er auch schaute, strahlten ihm Licht und Farbe entgegen. Es roch köstlich nach Essen, und die Luft war erfüllt von Musik, Lachen und dem Geschnatter fröhlicher Stimmen. Jongleure und Akrobaten begeisterten die Menge mit ihren Possen, während auf der anderen Seite der Wiese, wo die Herde graste, eifrig verhandelt wurde.

Raghi beobachtete, wie ein elegantes fuchsfarbenes Pferd die Hand wechselte. Der neue Besitzer wirkte mit dem Handel genauso zufrieden wie der Ghitain, der die Goldmünzen einsteckte.

Er bemerkte auch die ungewöhnlicheren Aspekte des Lagers. Egal wie viele Menschen über die Wiese gingen, ihre Grashalme und Blumen blieben unberührt.

Es gab so viel zu sehen, dass die Zeit im Nu verging. Allzu bald wurden die Sonnenstrahlen länger, und als die Dämmerung hereinbrach, entzündeten sich die Lichter aller Vardos zugleich und entlockten den Dorfbewohnern bewundernde Laute.

Raghi war verzaubert. *Ich könnte mich an die Magie gewöhnen,* dachte er. In seiner Zeit war sie fast vergessen, was ihm ein großer Verlust schien. All die wunderbaren Dinge, die ihn umgaben, berührten ihn zutiefst und füllten eine Leere, die ihm nicht bewusst gewesen war.

Mallika griff nach den Lichtern, ähnlich fasziniert. Sie hatte stundenlang auf alles gestarrt und sich kein einziges Mal beschwert. Sie musste ausgehungert sein. Verdammt, wie konnte er ihre Bedürfnisse vergessen? Er musste zu Chandanas Vardo zurückkehren und sie füttern. Wie lange es wohl dauerte, bis ein Baby an Nahrungsentzug starb?

Raghis Nacken kribbelte.

Kampfbereit schaute er sich um und lauschte mit allen Sinnen. Er bemerkte sie vor allen anderen.

Sie betraten das Lager durch die Schatten zwischen den Vardos. Jeder einzelne Mann trug Schwarz und hatte seine Hand am Heft oder Schaft seiner Waffe. Geräusche der Bestürzung wurden laut, als sie die Menschen absichtlich überrannten. Dabei konzentrierten sie sich auf die Dorfbewohner und machten einen Bogen um die Ghitains.

Aus dem Augenwinkel bemerkte Raghi, wie einer der Männer sich ihm im Laufschritt näherte. Offensichtlich hielt ihn sein Angreifer wegen der gedämpften Farben seiner Kleidung für einen Dorfbewohner. Ihm blieb kaum Zeit zu entscheiden, wie er sich verhalten wollte — sich dem Bastard entgegenstellen oder den Idioten spielen. Aber er hatte keine Wahl. Mit dem Baby war Raghi nicht in der Lage zu kämpfen.

Sander hatte sich geirrt, als er diese Männer als gefährlich bezeichnete. Das waren kaltblütige Killer.

Raghi schloss die Arme schützend um Mallika und bereitete sich auf den Aufprall vor.

Der Mann rammte ihn hart. Und zischte vor Schmerz, als Raghis Ellenbogen ihn ungebremst in den Solarplexus traf.

Mit einem Wehlaut fiel Raghi auf die Knie und tat so, als wüsste er nicht, was geschehen war. Mit schlaffen Gesichtsmuskeln und wackelndem Kopf blinzelte er zu dem Mann hoch. Mallika heulte wie eine Todesfee.

Der Eindringling erstarrte mit halb gezogenem Schwert. Still wie ein Geist erschien ein zweiter Mann an seiner Seite. «Widerstand»?

Der erste Mann schnaubte und stieß sein Schwert zurück in die Scheide. «Nein, nur der Dorftrottel.» Er musterte Raghi ein zweites, längeres Mal. «Genauer gesagt, der Idiot des Clans. Das ist ein Ghitain. Das Gör auch.»

Um sie herum waren alle erstarrt. Eine unheimliche Ruhe hatte sich über den Jahrmarkt gesenkt, die Musik und das Lachen nichts als eine ferne Erinnerung.

Raghi war froh, dass Mallika die Gefahr zu spüren schien und ihr Geheul stoppte.

In der Stille bewegte sich eine türkisfarbene Gestalt. «Wer stört unseren Jahrmarkt?», erklang Kaeas majestätische Stimme. Ihr Blick schweifte über die Wiese und suchte nach dem Anführer der Meute. Raghi war überzeugt, dass sie ihn längst identifiziert hatte, aber Unwissenheit vortäuschte, um ihn zum Handeln zu zwingen.

«Das wäre dann ich», antwortete der Mann, der Raghi angerempelt hatte, spöttisch.

Er ging zu ihr.

Als er aufdringlich nah vor ihr stehen blieb, sprach Kaea wieder. «Das wäre dann ich, *meine Königin*», sagte sie mit eiserner Gelassenheit.

Er neigte den Kopf. «Das wäre dann ich, meine Königin.»

«Mein Name ist Kaea. Ich bin die Königin dieses Clans und die zweite Nachfolgerin der Königin der Königinnen. Wie ist dein Name?»

Der Mann lächelte. Es war das kalte Lächeln eines Raubtiers. «Ich trug im Laufe der Jahre schon viele Namen. Keiner von ihnen ist von Bedeutung.»

Raghi war nah genug am Austausch, um jede Nuance in der Miene und Haltung der Gegner zu beobachten. Kaea musterte das Gesicht des Mannes, und er hatte den Eindruck, dass sie ihn auch mit ihren anderen Sinnen prüfte. Die Fremde wartete regungslos, dass sie ihre Beurteilung abschloss.

Raghi hoffte, dass Kaea einen guten Eindruck gewann. Er war verwirrt. Abgesehen von einer ebenso erstickenden wie bedrohlichen Aura gab sich der Fremde keine Blöße. Vielleicht war es die engelhafte Schönheit des Mannes. Attraktivität reichte nicht aus, um sein Aussehen zu beschreiben. In vielerlei Hinsicht hätte er Raghis perfekter Bruder sein können. Groß, schlank und fit, mit hellwachen, dunklen Augen und welligem braunen Haar, das sich makellos um seine Schultern legte, war er Jederfraus und Jedermanns Traumprinz. Raghi fühlte sich wie eine ausgemergelte Lumpenpuppe in seiner Gegenwart.

Aber all die blendende Schönheit konnte nicht verbergen, dass irgendetwas mit ihm überhaupt nicht stimmte.

«Warum bist du in unserem Lager?», setzte Kaea ihr Verhör fort.

«Um es zu durchsuchen.»

Die Königin wartete. Als keine weiteren Informationen mehr kamen, fragte sie: «Wonach suchst du?»

Der Mann packte den Griff seines Schwertes. «Das geht dich nichts an.»

Kaea schaute sich um, traf die Augen ihrer Sippe und richtete dann die volle Macht ihres Blicks auf ihren Gegner. «Du hast die Erlaubnis, unser Lager zu durchsuchen — solange du nichts zerstörst oder beschmutzt und niemanden verletzt, weder Ghitain, Dorfbewohner noch Tier. Wenn danach etwas fehlt, das uns gehört, wird die Magie der Ghitains dich zur Rechenschaft ziehen.»

«Ah, die berühmte Magie der Ghitains», höhnte der Mann. «Wenn sie nur bei mir Wirkung zeigte.» Er wandte sich seinem Stellvertreter zu, der in Raghis Nähe geblieben war. «Ihr habt die Königin gehört. Durchsucht das Lager getreu ihren Bedingungen.»

Weitere Befehle erfolgten nicht. Die Eindringlinge, alle zwanzig oder dreißig, agierten schweigend wie ein Rudel Wölfe.

Schon nach wenigen Minuten war die Suche beendet. Der stellvertretende Kommandant meldete sich beim Anführer zurück und schüttelte den Kopf.

«Ich wünsche dir eine sichere Reise, meine Königin», sagte der Anführer spöttisch.

Er und seine Diener wurden eins mit der Dunkelheit, als wären sie nie da gewesen.

Raghi, der während der ganzen Szene knien geblieben war, erhob sich.

Naveen erschien an seiner Seite. «Bist du verletzt?»

Raghi schüttelte stumm den Kopf.

Zu seiner Überraschung umarmte ihn Naveen. «Der Hieb mit dem Ellbogen und deine Schauspielerei waren brillant», flüsterte er Raghi ins Ohr. «Behalte deine Rolle bei, bis wir sicher sind, dass sie nichts bei uns platziert haben.»

«Hungrig. Baby füttern», lallte Raghi.

«Ja, Mallika muss essen. Ich begleite dich.»

16

Sie verbrachten den Rest des Abends stumm an Chandanas Lagerfeuer. Als Raghi das Baby fertig gefüttert hatte, bat die Heilerin darum, Mallika halten zu dürfen, und presste sie wie einen Rettungsanker an ihre Brust.

Gegen Mitternacht schloss sich Kaea ihnen an. Sie und einige der Ältesten hatten das Lager durchsucht und Zeit in und um jeden einzelnen Vardo verbracht, während die Drachenpferde die Wiese absuchten.

Mit einem erschöpften Seufzen sank die Königin auf einen Hocker. «Es scheint, dass wir sicher sind. Wir verwendeten Magie, unsere Sinne und die Fähigkeiten unserer magischen Tiere. Nichts.»

«Wie genau hast du gesucht?», fragte Raghi und ließ die Rolle des Idioten fallen.

«Weißt du, wie man etwas mit mehr als den Augen verfolgt?»

Er schüttelte den Kopf. «Ich habe es nie geschafft, aber einige meiner Freunde konnten es. Sie sagten mir, dass sie etwas vor ihrem inneren Auge sehen, als ob sie eine andere Ebene der Realität wahrnehmen würden.»

«So in etwa funktioniert es. Die Energie dieser Männer unterscheidet sich von unserer, und genauso unterscheiden sich auch Gegenstände und magische Artefakte, die sie zurücklassen. Selbst wenn sie sie verbergen, sollten wir die verursachten Wirbel bemerken. Es sei denn, ihre Magie ist viel mächtiger als unsere.»

Die Leitstute der Drachenpferde kam zu Raghi und steckte ihre Nase in seinen Schal.

«Igitt, was tust du da!», murrte er und schüttelte sich. Im Gegensatz zu den weichen und elastischen Tasthaaren eines Pferdes stachen die der Drachenpferde wie Nadeln.

«Ich glaube, sie will zu dem kleinen Drachen um deinen Hals», sagte Kaea. «Lass sie. Drachenpferde haben normalerweise einen guten Grund für das, was sie tun.»

Raghi wickelte den Schal ab. Das Drachenpferd atmete zärtliches Feuer auf den kleinen Drachen. Trotz seiner nur schwachen Magie fühlte sich die Wärme wohltuend an. Raghi seufzte erleichtert.

Kaea rieb sich das Gesicht. «Ich glaube nicht, dass ich jemals so müde war. Sander hatte recht mit seiner Warnung. Diese Männer sind gefährlich.»

Nach Raghis Meinung waren sie mehr als gefährlich, aber er wollte die Königin nicht noch weiter beunruhigen. So schwieg er.

«Glaubst du, das war der Reisende, den Sander erwähnte?», fragte Naveen. Seine Mutter musste ihn über ihr Gespräch mit dem Bürgermeister informiert haben.

«Ich denke ja. Alles, was Sander uns erzählt hat, passt. Ich bin froh, dass er sich geweigert hat, mir seinen Namen zu nennen. Das bedeutet, dass ich ihm ein wenig Respekt abrang.» Sie bemerkte Raghis verwirrten Blick und fügte erklärend hinzu: «Im Lauf unseres Lebens wird unser Name Teil unserer Aura. Sie werden zusammengeschweißt. Willst du jemandem schaden, ist es äußerst hilfreich seinen Namen zu kennen.»

«Hast du seinen Namen herausgefunden, Mutter?», fragte Naveen. «Du musst es versucht haben.»

«Ohne Erfolg. Der Sand der Zeit hat ihn vor langer Zeit verschüttet. Alle seine Zeitgenossen sind entweder tot oder noch nicht geboren.»

Ein Name kam aus dem Nichts zu Raghi. Er schüttelte den Kopf und erregte Kaeas Aufmerksamkeit.

«Was ist los, Raghi?»

Er rieb sich die Schläfe. «Ich weiß nicht. Ich hörte gerade einen

Namen, als hätte ihn mir die Frühlingsbrise ins Ohr geflüstert. *Lyrrhode-nai.* Ich muss halluzinieren.»

«Lass mich das überprüfen.» Kaea sprang auf und rannte fast zu ihrem Vardo.

«Ich bin verwirrt. Will sie, dass wir ihr folgen?», fragte Raghi Naveen.

Sein Freund hob einen mahnenden Finger. «Geh niemals in den Vardo meiner Mutter, wenn du nicht eingeladen bist — wenn du deinen Seelenfrieden schätzt. Sagen wir einfach, ich war immer froh, wenn die Schränke geschlossen blieben.»

Das klang nach einem guten Ratschlag.

Kaea kehrte nach langer Zeit zurück, ihre Miene kalt und berechnend.

«Ich lag falsch», schloss Raghi.

«Nein, du lagst richtig. Und mit dem Namen des Mannes habe ich ein paar Fakten über ihn herausgefunden. Er ist ein Reisender auf den Treppen der Ewigkeit, wie Sander vermutete. Als ich die verschiedenen Intervalle seines Lebens zusammenzählte, endete ich bei dreiundzwanzigtausend Jahren. Das ist ungefähr so lange, wie dieser Mann versucht zu sterben.»

Naveen starrte sie an. Als er seinen Mund schloss, wirkte er betroffen. «Ich weiß nicht, was ich sagen soll, außer ‹armer Bastard›.»

Raghi versuchte, die Zahl zu begreifen. Er konnte rechnen, wenn er sich konzentrierte, auch mit so großen Zahlen, aber sie verstehen …

«Stell dir ein Reiskorn in deiner Hand vor, Raghi», sagte Kaea. «Das ist ein Jahr. Dann stell dir ein Fass voll Reis vor.»

Er schluckte. «Du hast gesagt, dass Unsterbliche sterben können, wenn sie alt sind. Zählen dreiundzwanzigtausend Jahre nicht als alt?»

«Nicht, wenn du sie mit den Lebenszeiten von Welten und Sternen vergleichst. Jene belaufen sich auf Millionen von Jahren.»

Er schauderte. «Ich beginne Sanders Standpunkt zu begreifen.»

Chandana erhob sich. «Wir sollten alle ins Bett gehen. Ich habe ein schlechtes Gefühl. Ich glaube, das alles ist noch lange nicht vorbei.»

«Hoffen wir, dass du dich irrst», antwortete Kaea leise. «Aber du hast recht mit dem Schlafen. Morgen müssen wir sehen, ob wir den Jahrmarkt retten können, oder ob der Reisende und seine Männer die

Dorfbewohner zu sehr erschreckt haben. Versucht, euch keine Sorgen zu machen. Was passieren muss passiert. Ich sehe euch alle morgen früh. Schlaft gut.»

Raghi und Naveen marschierten zum Vardo des Prinzen. Sechs kleine Köpfe hoben sich, als sie eintraten.

«Hallo, Stinkys», trällerte Naveen. «Geht es euch gut?» Er hockte sich hin und streichelte ihre unförmigen Körper.

Die kleinen Drachen umschwärmten ihn piepsend und quietschend und drängten ihre Körper an seine Hände. Angesichts ihres sonst hochfahrenden Verhaltens war ihre Liebesbedürftigkeit beunruhigend.

Raghi kniete nieder und hob zwei auf seine Arme. Sie schmiegten sich an seine Brust. Einer vergrub sogar sein Gesicht in der Beuge seines Ellenbogens.

Naveen schüttelte den Kopf. «Diese Männer! Ich denke, Sanders Geschichte über den misshandelten Drachen ist wahr. Alle Tiere verabscheuten ihre Anwesenheit, aber die Stinkys und die Drachenpferde reagierten zutiefst besorgt und nervös. Brutaler Missbrauch ist die dunkle Seite von liebevoller Achtsamkeit. Alles, was wir tun, manifestiert sich als Energie und formt unser Schicksal. Als Ghitains geben wir unser Bestes, um im Licht zu wandeln und dieses Licht mit allen Wesen um uns herum zu teilen. Lyrrhodenai und seine Männer nahmen vor langer, langer Zeit den dunklen Weg.»

Was er einst für mystischen Unsinn gehalten hätte, machte für Raghi inzwischen perfekten Sinn. Sein Magen knurrte.

«Du hast auch seit dem Frühstück nichts gegessen, oder?»

Raghi nickte. «Ist aber kein Problem. Ich bin es gewohnt, tagelang zu fasten. Du hast von den Eindringlingen gesprochen.»

Naveen erhob sich. «Ich habe nichts hinzuzufügen, außer dass ich hoffe, sie nie wiederzusehen. Und im Gegensatz zu dir betreibe ich keinen Selbstmissbrauch und muss essen. Setz dich hin und nimm die kleinen Biester. Ich werde etwas zubereiten.»

Raghi fand sich mit sechs Stinkdrachen auf seinem Schoß und in seinen Armen und einem siebten um den Hals wieder. Langsam wurde es lächerlich.

Naveen entzündete das Feuer im Ofen, stellte eine Bratpfanne darauf und schlug vier Eier hinein. «Wir haben auch einen Laib Brot.

Am Nachmittag tauschte ich Vorräte mit den Dorfbewohnern. Und hör auf, so schuldig dreinzuschauen. Du trägst zu unserer Gemeinschaft bei, indem du den Tiervardo fährst — und das außergewöhnlich gut, möchte ich betonen. Da du mir bei der Erfüllung meiner Aufgaben hilfst, kann ich dich ernähren und werde es tun.» Naveen grinste wie ein Wahnsinniger. Die Belastung des Tages schien ihren Tribut zu fordern.

Raghi runzelte die Stirn. «Du siehst so nett und harmlos aus, bist aber eine Nervensäge. Im Gegensatz zu deiner Mutter, die furchteinflößend wirkt, aber sehr freundlich ist, solange man sie nicht provoziert.»

«Ah!» Naveen sandte ihm einen verschmitzten Blick. «Sie hat dich bereits um den Finger gewickelt. Ich fragte mich, wie lange sie braucht.»

«Hat sie nicht!»

«Hat sie doch.» Naveen zog den Tisch aus seinem Versteck und behielt gleichzeitig die Eier im Auge. Er eilte zurück zum Herd, um zwei Teller vorzubereiten, stellte einen vor Raghi und setzte sich auf die gegenüberliegende Bank. «Kannst du einen Arm aus dem Drachenknoten auf deinem Schoß befreien, um zu essen?»

Raghi musste erheblichen Widerstand überwinden, schaffte es aber. Die kleinen Biester hatten starke Klauen. «Ich hoffe, sie zerreißen mir nicht die Kleider. Besitztümer sind mir normalerweise nicht wichtig, aber sie scheinen auf ungekannte Weise genau zu mir zu gehören — auch wenn sie nur geliehen sind.»

«Das sind sie nicht. Mutter hat sie dir gegeben. Hast du auf deine Knie geschaut, nachdem der Reisende dich umgerannt hatte?»

Raghi schüttelte den Kopf und tat es jetzt, indem er den Knoten aus Drachen aus dem Weg hob. Er fand keinen einzigen Fleck.

Naveen zwinkerte. «Ghitains haben Stil und Klasse. Das ändert nichts daran, dass das Leben im Freien mit viel Schmutz verbunden ist. Da kommt ein wenig Magie wie gerufen.»

«Das war es, was ich beobachtete, als deine Mutter und Chandana neben Violet knieten. Ihre Kleider trockneten sofort!»

«Genau. Jetzt iss. Ich kann deinen Magen von hier knurren hören.»

Raghi gehorchte.

«Mit einer Hand zu essen sieht kompliziert aus. Willst du nicht auch die zweite befreien?», neckte ihn Naveen nach ein paar Bissen.

«Ich könnte, aber die kleinen Tiere fühlen sich gut an.»

«Ich weiß.» Der Prinz wurde ernst. Er schien etwas auf dem Herzen zu haben, weil sein Blick immer wieder zu Raghis Gesicht zurückkehrte. «Ist dir klar, wie sehr du dich seit deiner Ankunft verändert hast? Du wirkst viel ruhiger und selbstbewusster. Mein Scherz hat dich nicht verärgert. Und du hast weder hyperventiliert, noch bist du auf mich losgegangen.»

Sein Freund hatte recht. Und er hätte verschwinden sollen, solange noch Zeit war.

Raghi zuckte die Schultern. «Ich kann es nicht erklären. In meinem früheren Leben fühlte ich mich immer wie ein Fremder. Aber in dieser Zeit und an diesem Ort und bei deiner Sippe ... es ist, als ob ich hier hingehöre und mich selbst sein kann.»

Das versuchte der Mann auf den Treppen mir zu sagen. Seine Aussage klang so unwahrscheinlich. Und doch ist sie wahr geworden.

«Das gehört auch zur Philosophie der Ghitains. Wir versuchen jeden so zu akzeptieren, wie er ist. Meine Mutter ist hervorragend darin. Trotz der harten Zeiten, die wir erleiden mussten, bin ich sehr dankbar ihr Sohn zu sein. Es ist nicht immer einfach. Wenn ich mir andere Familien ansehe, wünsche ich mir, dass wir nicht durch all die Dunkelheit und Verzweiflung gewandert wären, aber ohne sie würde Mutters Licht nicht so hell leuchten. Und ich merke gerade, dass ich plappere und zu viel verrate.» Naveen schob seinen leeren Teller weg.

Nachdem auch Raghi fertig war, erhoben sie sich. Die kleinen Drachen hatten sich entspannt, so dass er sie an ihren gewohnten Platz vor dem Herd legen konnte. Er half Naveen, das Geschirr zu waschen und den Vardo aufzuräumen. Dann gingen sie zu Bett.

Der Traum begann sogleich, nachdem Raghi die Augen geschlossen hatte.

WENN MÖGLICH WIRKTE die Lichtung noch düsterer als zuvor. Der dunkle Himmel presste auf sie nieder. Der Schnee war zertrampelt und schmutzig wie nach einem Kampf und schien zu tauen. Raghi hörte rund herum Wasser tropfen.

Er trat zu der großen Holzwanne, sein Herz angsterfüllt, und atmete erleichtert auf. Die Lichtung war ihm leer und von allen lebenden Seelen verlassen erschienen. Doch da lag sie, zusammengerollt wie ein Kind.

Oder ein winziger Hund in seinem übergroßen Bett.

Raghi grinste. Wo kam dieser Gedanke her?

«Najira?», rief er sie leise.

Sie reagierte auf seine Stimme mit leichten Bewegungen, wachte aber nicht auf.

Er sollte sich irgendwo hinsetzen und warten. Das erschien ihm wenig wünschenswert. Trotz seiner Toleranz für eisiges Wetter fühlte sich Raghi bis auf die Knochen ausgekühlt.

Die Bettwäsche sah warm und weich aus.

Ob es ihr etwas ausmachte?

Raghi kletterte hinter ihr in die Wanne und wünschte sich, dass der Stoff die gleichen Vorteile zeigte wie die Kleidung der Ghitains. Da sie sich in unbekanntem Gebiet befanden, würde er auf keinen Fall seine Stiefel ausziehen.

Sein Wunsch funktionierte, aber anders als erwartet. Als er seinen Fuß über den Rand der Wanne hob, verschwanden wie durch Magie alle Schmutzflecken auf dem Leder. Er hätte über einen weißen Marmorboden tanzen können, ohne Spuren zu hinterlassen.

Er akzeptierte sein Glück, kletterte in die Wanne und legte sich hin.

Seine Wange fand einen bequemen Platz auf dem Kissen hinter Najiras Kopf. Ihr Haar kitzelte seine Nase. Unergründlicherweise erinnerte ihn ihr angenehmer Geruch an die Doggycorns.

Er hob die Decke an und bewegte sich ein wenig näher, wobei er darauf achtete, sie nicht zu berühren. Sie zitterte und reagierte auf den kalten Luftzug. Raghi breitete sorgfältig die Decke über sie beide. Ihm fielen bereits die Augen zu.

Er schlief in seinem Traum ein.

17

Am Morgen war Desert Rose immer noch weg.

Raghi stand auf der Plattform von Naveens Vardo und musterte die Umgebung. Es war ein schöner Frühlingsmorgen. Der Himmel zeigte fast die Farbe von Kornblumen. Weißer Dunst schwebte über der blühenden, taubenetzten Wiese und tanzte in der Brise. Das weiche Sonnenlicht ließ alles funkeln.

«Nichts?», fragte Naveen, als er von der Besprechung mit seiner Mutter zurückkam.

«Nichts», bestätigte Raghi.

«Das tut mir sehr leid.»

Der Prinz schloss sich Raghi in seiner Wache an, als ob gute Absichten die Chimäre zurückbringen könnten. Aber liebevolle Achtsamkeit schien in diesem Fall nichts zu nützen.

«Mutter entschied, dass wir den Jahrmarkt wie gewohnt am Mittag eröffnen. Wenn die Dorfbewohner nicht auftauchen, können wir ihn jederzeit wieder schließen. Du kannst mir mit den magischen Tieren helfen. Violet fühlt sich viel besser und wird sich mit deiner Zustimmung heute um Mallika kümmern. Sie sagte mir auch, ich solle dir sagen, dass du das Baby gerne jederzeit füttern oder holen kannst.»

Raghi runzelte die Stirn. «Ich bin verwirrt. Will sie sich um Mallika kümmern oder nicht?»

«Sie will. Gleichzeitig möchte sie verhindern, dass du denkst, dass sie dir das Baby wegnimmt. Sie kennt nur den alten Raghi, der immer gleich das Schlimmste annimmt.»

«Danke für die moralische Unterstützung. Du lässt mich wie einen unerträglichen Idioten erscheinen.»

Naveen lächelte ihn an. «Liebevolle Achtsamkeit bedeutet auch, geliebten Menschen die Wahrheit zu sagen, wenn sie ihnen nützt.»

Raghi wand sich. Liebe war ein schwieriges Thema. Während andere sie im Überfluss von ihren Familien erhielten, hatte er nur Hass und Missbrauch gekannt. Und in der Gilde hatte der Meister diejenigen herausgepickt, die Zuneigung füreinander zeigten, und sie gequält. Faya und Emilio waren seine Hauptziele gewesen, aber es gab auch andere wie die beiden Lehrlinge, die sich ineinander verliebt hatten.

«Darf ich Stinkys Zustand überprüfen?», fragte Naveen und tat, als hätte er Raghis Schweigen nicht bemerkt.

Raghi nickte.

Der Prinz griff in sein Halstuch und berührte den kleinen Körper. «Ich verstehe nicht, wie das funktioniert, aber du scheinst ihr gutzutun. Ihre Atmung ist freier, und ihr Körper fühlt sich weniger steif an. Wenn du sie noch ertragen kannst, behalt sie weiter bei dir. Der Moment wird kommen, in dem sie dich freigibt und ihrer eigenen Wege geht.»

«Sie kann bleiben», bestätigte Raghi. Das kleine Tier machte sich kaum bemerkbar, so dass er es die meiste Zeit vergaß. «Was sind unsere heutigen Aufgaben?»

Die Arbeit würde ihn davon abhalten, über Desert Rosen nachzudenken — und über den Abgrund, der sich in seiner Seele aufgetan hatte. Er vermisste sie so sehr, dass ihre Abwesenheit ihm körperliche Schmerzen verursachte. Dauernd tauchten Erinnerungen auf … an das ungeschickte Jungtier, das sie gewesen war und das andauernd seine Köpfe und Klauen entwirren musste … wie er ihr nachts in der Wüste beigebracht hatte zu fliegen, allein mit dem Mond und dem Wind, während alle anderen, selbst die Monster, schliefen.

Sie hatte seine Einsamkeit geteilt und sie mit glücklichen Momenten erträglich gemacht. Jetzt war sie weg — wahrscheinlich für immer.

«Keine Aufgaben, sondern Spaß! Wir. Gehen. Heute. Ins. Badehaus!», sagte Naveen, jedes Wort betonend. «Meine Freunde kommen mit uns. Warte nur! Du wirst es lieben.»

Raghi bezweifelte das. Aber alles war besser, als allein zu sein und der endlosen Leier von Traurigkeit und Verlust in seinem Kopf zuzuhören.

Wie schon bei ihrem Jagdausflug kamen Naveens Freunde zusammen an.

Charu eilte zu Raghi, wobei seine feisten Wangen und sein pummeliger Körper bei jedem Schritt wackelten. «Es tat mir so leid, als deine Chimäre wegflog. Ist sie wieder da?»

Die Frage fühlte sich an wie ein Schlag in den Bauch. Alles Blut strömte aus Raghis Gesicht. Die jungen Ghitains um ihn herum zischten.

Charu erblasste und bedeckte seinen Mund. «Oh je, das hätte ich nicht fragen sollen! Es tut mir leid. Ich habe so sehr gehofft, dass sie wieder da ist.»

Shaiv zischte noch einmal. «Hast du dich genügend im Fettnapf gewälzt, oder möchtest du noch ein drittes Mal?»

Charus Füße tanzten vor Aufregung. «Ja! Ich meine, nein! Oh, komm schon. Du weißt, was ich sagen wollte.»

Die anderen Ghitains rollten die Augen.

Shaiv berührte Raghis Schulter. «Meine Familie und ich drücken dir die Daumen. Genau wie Naveens Familie und fast alle anderen im Lager. Ich weiß, das macht es nicht einfacher, aber ich wollte es dir nur sagen.»

Raghi erwiderte Shaivs Blick kurz und nickte. «Danke.»

Charu unterbrach ihren stillen Moment. «Die Bäder warten. Sind wir bereit zu gehen?», quietschte er so laut und hoch, dass alle zusammenzuckten, und klatschte in die Hände. «Ich war schon lange nicht mehr in Aeriels Badehaus und kann es kaum erwarten mich verwöhnen zu lassen.»

Das klang verdächtig.

Sie machten sich auf den Weg ins Dorf. Um sich von seiner Traurigkeit abzulenken, beobachtete Raghi die Beziehungsdynamik der jungen Ghitains. Charu watschelte voraus und plapperte vor sich hin wie ein Affe. Naveen und Shaiv folgten in ihrem eigenen Tempo und gingen entspannt Seite an Seite, ohne zu reden. Ahriman war bei ihnen, hielt sich aber dennoch von ihnen fern. Etwas in ihrer Vergangenheit hatte einen Keil zwischen ihn und die anderen getrieben, oder vielleicht nur zwischen ihn und Naveen.

Soll ich Naveen danach fragen?

Raghi seufzte. Nein. Seine Neugier konnte nur gegen die Ghitainregel des Wegschauens, solange man nicht zum Hinschauen eingeladen wurde, verstoßen.

Das Dorf erwies sich als so reich, wie Raghi es erwartet hatte. Seine ansehnlichen Häuser waren aus Stein erbaut, die größeren mit Säulen, Vordächern und gemeißelten Fensterrahmen geschmückt. Kopfstein pflasterte die Hauptverkehrsader.

Das Badehaus sah aus wie ein Palast.

«Moment mal!» Raghi blieb wie angewurzelt stehen.

Alle drehten sich um, um ihn anzusehen.

«Was ist los, Raghi?», fragte Charu.

«Ist das ein Badehaus oder ein Bordell?»

Naveen errötete. «Es ist beides, aber wir gehen nur ins Badehaus.»

Das beruhigte Raghi nicht. «Und was dann? Endet das hier im großen Rudelbumsen?» Seine Hand beschrieb einen Kreis, der alle einschloss. «Nicht, dass es mir was ausmacht. Ich will es nur wissen.»

Jetzt erröteten alle.

Naveen räusperte sich. «Unsere Bräuche würden das erlauben, falls das deine Frage ist. Wenn wir das Badehaus besuchen, spielen wir höchstens herum und necken uns gegenseitig. Willst du mehr tun?»

Wann und wie war dieses Gespräch so außer Kontrolle geraten?

«Nein!», knurrte Raghi. «Deshalb meine Frage. Ich war schon an solchen Orten. Reinzugehen ist einfacher, als wieder rauszukommen.»

Naveens Lächeln kehrte zurück. «Wenn du mit uns zusammen bist, musst du dir keine Sorgen machen. Wir hatten noch nie Probleme.»

Keine wirkliche Beruhigung, aber das Badehaus erwies sich als zahm und gepflegt — und zutiefst beeindruckend.

In Raghis Eterna besaß alles und jeder zwei Gesichter, und das perfekte versteckte nie ganz die Hässlichkeit seines dunklen Zwillings. Dadurch entstand eine alles überlagernde Spannung — klebrig wie Staub, der sich nicht abwaschen ließ. Der Effekt konnte subtil sein wie der harte Glanz in den lockenden Augen einer Kurtisane, oder ein Hauch von Bedrohung, der sich einem romantischen Stelldichein beimischte.

Bei anderen Gelegenheiten wurde der Schleier absichtlich zerrissen. Raghi hatte einmal miterlebt, wie die Wachen eines exklusiven Bordells einen unerwünschten Kunden öffentlich zu Tode prügelten. Der Bastard hatte jeden Schlag verdient, aber die stille und grausame Effizienz der Wachen hatte ihn danach noch lange Zeit beschäftigt.

Hier schien alles anders zu sein.

Dieser Ort fühlte sich einfach nur gut und entspannt an und bot all seinen Sinnen ein Fest. Schlanke Säulen stützten eine Decke hoch über Raghis Kopf. Weiß dominierte über zarte Naturtöne, und alles erschien rein und neu. Das Klingeln von gestimmten Windspielen erfreute sein Ohr, und irgendwo im Hintergrund toste leise Wasser, als ob der Ort einen Wasserfall beherbergte.

Raghi füllte seine Lungen mit der erfrischend feuchten Luft. Alle Anspannung schien ihn zu verlassen, und zum ersten Mal seit Jahren ließ das Engegefühl in seiner Brust nach.

«Was ist das für ein Duft?», fragte er. Etwas roch nach jedem wunderbaren Traum, den er je geträumt hatte.

Naveen grinste. «Etwas, das wir nach unserem Bad genießen können. Und mehr werde ich dir nicht verraten, sonst verderbe ich die Überraschung.»

Der Prinz ging zu einem Tresen und sprach mit der weißgekleideten Frau dahinter. Sie begrüßte ihn mit einem Lächeln. Die Ghitains schienen überall geschätzt zu werden, was Raghi für ein fahrendes Volk ungewöhnlich fand.

Naveen kehrte zurück. «Wir haben Glück. Sie haben ein eigenes Bad für uns.»

Sie folgten einem Baddiener durch weiße Gänge, während die Melodien der Windspiele und der wunderbare Duft ihnen folgten.

Eine einfache Bank stattete das kleine Vorzimmer aus. Der Baddiener ließ sie allein und schloss die Tür.

Alle zogen sich aus und hängten ihre Kleidung auf Haken an der Wand. Raghi zögerte.

«Was ist los, Raghi?», fragte Naveen.

«Ist dieser Ort sicher? Ich trage Dinge, deren Verlust ich mir nicht leisten kann.» Kein Auftragsmörder ließ je seinen Beutel zurück. Er bildete die Voraussetzung für sein Überleben.

«Er ist sicher. Es gibt jedoch einen kleinen Tisch im Bad, auf den du die für dich wichtigsten Dinge legen kannst. Die Erbauer dieses Ortes versuchten an alles zu denken, damit die Besucher sich entspannen und loslassen können.»

Raghi zog sich aus. Dabei achtete er darauf, dass sein Rücken zur Wand zeigte. Zum Abschluss legte er sich eines der großen Tücher, die das Badehaus bereitstellte, um die Schultern. Wenn das Ding auf seinem Rücken nicht wanderte, was es konnte, sollte es nun vor neugierigen Blicken verborgen sein.

«Du kannst deinen Lendenschurz ausziehen. Es ist keine Kleidung erforderlich!», sagte Charu, als er bemerkte, dass Raghi nicht ganz nackt war.

«Der Lendenschurz bleibt an seinem Platz.»

Niemand stellte seine Entscheidung in Frage.

Raghi war erleichtert, während seine Wertschätzung für die Ghitains und ihre Kultur wuchs. Ihr Brauch des Wegschauens entschärfte so viele heikle Situationen. Seit Naveens Eröffnung, dass sie das Badehaus besuchten, hatte er einen von Neugier und Gruppendruck angeheizten Willenskampf erwartet, und sich vor dem schrecklichen Gefühl gefürchtet, das solche Konfrontationen hinterließen.

Aber nichts.

Die vier Freunde gingen nackt voraus, jeder mit einem Badetuch in den Händen. Er folgte in seinem Lendenschurz.

Charu, der nackt noch fetter wirkte, quietschte vor Freude. «Ich kann es nicht glauben! Ich war mir nicht sicher, weil jede Tür im Flur gleich aussieht, aber das ist mein Lieblingsbad!»

Raghi schüttelte den Kopf, um das Klingeln in seinen Ohren zu vertreiben. Er hatte nicht gewusst, dass erwachsene Männer solche Laute ausstoßen konnten.

«Mein Freund, wenn du deine Stimme noch höher drückst, musst du mit den Fledermäusen reden, weil wir dich nicht mehr hören können», sagte Naveen mit einem schmerzerfüllten Lächeln.

Charu klatschte in die Hände. «Oh, ich kann sie höher drücken. Wollt ihr es hören?»

«Nein!», zischten Naveen, Raghi, Shaiv und Ahriman gleichzeitig.

Charu war nicht beleidigt, seine Aufmerksamkeit bereits wieder woanders. «Der Letzte im Wasser ist ein Langweiler!» Er warf sein Handtuch an die Wand, lief die Treppe hinunter, verlor das Gleichgewicht und klatschte mit dem Gesicht voran aufs Wasser.

Shaiv und Ahriman schüttelten den Kopf und folgten ihm mit Anstand.

Raghi nahm sich einen Moment Zeit, um den geräumigen, aus weißem Stein erbauten Raum zu mustern. Das ovale Becken in seiner Mitte war in den Boden versenkt. Darin befanden sich Bänke entlang den Rändern, und im Zentrum erhob sich ein steinerner Tisch. Es gab keine Fenster, sondern viele bogenförmige Nischen. Jede Einzelne wurde erhellt von einer Lampe, die mit dem magischen Feuer zu brennen schien, das auch die Ghitains verwendeten. Es verbreitete einen weichen, sonnenlichtähnlichen Glanz.

Es schien keine Verstecke zu geben.

Raghi ging um den Pool herum und überprüfte jeden Aspekt des Raumes. In einer Ecke bemerkte er eine versteckte Tür und öffnete sie. Dahinter befand sich ein eleganter Abort mit einem darunterliegenden Wasserlauf.

Naveen kam zu ihm. «Machst du dir Sorgen?», fragte er leise, damit seine Freunde es nicht hörten. Alle Geräusche des Badehauses waren vor der Tür geblieben. Nur das Wasser im Pool flüsterte, als ob es lebendig wäre.

«Nur berufliche Gewohnheit. Dieser Ort hat was.» Raghi atmete die warme, feuchte Luft ein. Sie trug den faszinierenden Duft, den er bereits im Empfangsbereich wahrgenommen hatte.

«Dann komm rein. Meine Freunde blamieren sich, indem sie auf deine Narben starren.»

Naveen hatte sie noch nie zuvor erwähnt.

Raghi legte seinen Beutel auf den bereitgestellten Tisch und folgte Naveen über mehrere Stufen in den Pool hinab, wobei er sein Handtuch im letzten Moment fallen ließ. Als Raghi drin war, erreichte das Wasser seine Brust. Sie schlossen sich den anderen Ghitains an, die sich um die

Steinplatte in der Mitte versammelt und ihre gefalteten Arme daraufgelegt hatten.

Raghi ahmte sie nach und erkannte, wie entspannend diese Position war. Sein Unterkörper trieb im warmen Wasser. Er fühlte sich schwerelos und leicht.

Der kleine Drache um seinen Hals seufzte und entspannte sich ebenfalls. Konnte es sein, dass es ihr gefiel, obwohl Stinkdrachen nicht gern nass wurden?

Raghi sank tiefer, bis das Wasser ihren kleinen Körper bedeckte. Etwas strich gegen seine Haut, und der Ring um seinen Hals bewegte sich wellenartig. Hatte sie gerade ihre Beine gestreckt?

Naveens Augen weiteten sich. «Sie kann unter Wasser atmen. Mir war nie klar, wie ähnlich diese kleinen Bestien echten Drachen sind.»

Keiner der anderen Ghitains kommentierte die Anwesenheit des Tieres.

Sie dösten schweigend. Für Raghi fühlte es sich seltsam an, bis er erkannte, wie wunderbar es war, einfach nur zu sein und nichts zu tun.

Nach etwa einer Stunde ertönte ein Gong, offenbar ein Signal. Die Ghitains räkelten sich faul.

«Tat das gut!», seufzte Charu, kreiste seine Hände und Unterarme und bewegte seinen Nacken. «Nun zum sozialen Teil. Was gibt es Neues?»

«Beim kommenden Ghitaintreffen in Eterna werde ich Eisha bitten, mich zu heiraten», sagte Shaiv. Er klang selbstsicher und gelassen, als ob ihn nichts je aus der Ruhe brachte.

Charu klatschte in die Hände. «Das ist großartig! Ich habe vor, Pahi zu fragen. Ich denke, meine Chancen sind hervorragend.»

Glückwünsche folgten.

Naveen gab sich Mühe begeistert zu klingen, doch er konnte seine Traurigkeit nicht verbergen. Ahriman schien ähnlich unglücklich zu sein.

Heirateten alle Ghitains so früh? Charu und Shaiv schienen etwa in Raghis Alter. Er meisterte kaum sein eigenes Leben und konnte sich nicht einmal vorstellen, eine Frau zu wählen und eine Familie zu gründen. Und Naveen war bereits verlobt …

Sollte er sie fragen, oder eher Palash?

«Könnt ihr mir mehr über eure Ehebräuche erzählen?», fragte Raghi.

Wann war er so höflich geworden? Früher hatten ihm Fragen als Waffe gedient, mit der er die Gelassenheit anderer Menschen zerstörte oder ihren Zorn schürte.

Alle schauten zu Naveen.

Der Prinz schien dankbar für die Ablenkung von seinen schwarzen Gedanken. «In diesem Zusammenhang basiert unser Verhalten nicht auf Bräuchen, sondern einem Konsens. Wir sind ein kleines Volk, das etwa eintausendfünfhundert Köpfe zählt. Wenn wir uns durch die Betten schlafen und Kinder mit zu eng verwandten Partnern zeugen, vergiften wir die bestehenden Blutlinien.»

Die anderen Ghitains nickten ernst.

«Dazu kommt die liebevolle Achtsamkeit, die uns ermutigt, unsere Energie bewusst und positiv zu lenken. Herumzuschlafen wäre das Gegenteil davon und würde unserer Energie und der unserer Sexualpartner schaden.»

Ein Stein schien sich in Raghis Magen zu bilden. Was bedeutete das für seine Energie? Hatte er seine Lebenskraft bei seinen wilden Eskapaden verausgabt? Gerne hätte er über Naveens Erklärungen gespottet. Das Problem war, dass sie ihm vollkommen logisch erschienen und das desolate Gefühl am Morgen danach erklärten.

«Beide Erkenntnisse sind tief in unserer Kultur verwurzelt», fuhr Naveen fort, ohne Raghis Bestürzung zu bemerken. «Als Ghitainkind beobachtest du, wie deine Eltern und alle um dich herum sie beherzigen, und imitierst diese Vorbilder instinktiv. Unsere Pubertät ist so schwierig wie die aller Jugendlichen, aber mit liebevoller Achtsamkeit als Leitfaden denkt man zweimal nach, bevor man etwas Dummes tut.»

Raghi konnte es nicht glauben. «Es gibt keine Regeln oder Verbote? Und das funktioniert?»

«Recht gut.» Naveen nickte. «Natürlich funktioniert es nicht perfekt. Nichts in der Natur tut das je. Auf tausendfünfhundert Ghitains verteilen sich drei Geburten, die nicht hätten passieren dürfen. Ich halte das für ein gutes Ergebnis.»

Es war ein ausgezeichnetes und fast unglaubliches Ergebnis. Die Zugehörigkeit zu einer wohlhabenden geschlossenen Gemeinschaft hatte ihre Vorteile. Das Konzept hätte in Raghis Eterna mit seinen gierigen Reichen und verzweifelten Armen nie funktioniert.

«Du lernst früh, welche Auswahl du bei der Partnersuche hast. Und wenn sich die verschiedenen Clans treffen, verbringen die ungebundenen Ghitains Zeit miteinander. Manchmal führt dies zu tief romantischen Liebesgeschichten. Die derzeitige Königin der Königinnen ist elf Jahre älter als ihr Mann. So lange hat sie gewartet, dass sie ihn heiraten durfte.»

«Das funktionierte? Und niemand beschwerte sich?» In seinen Albträumen hörte Raghi immer noch die Tiraden seiner Mutter, wie, wann und an wen sie seine dämlichen Schwestern verheiraten wollte.

«Nicht alle Ghitains fühlten sich mit der Situation wohl, weil so viele Dinge schiefgehen konnten. So erregte sie Aufmerksamkeit, obwohl gemäß unseren Bräuchen jeder hätte wegzuschauen müssen. Aber wenn du dein Leben auf liebevoller Achtsamkeit aufbaust, darfst du das Konzept nicht kritisieren und auch keine Ausnahmen machen. Am Ende kam alles bestens. Das Paar ist glücklich, hat mehrere Kinder und ist eine große Inspiration für uns alle.» Die Miene des Prinzen verfinsterte sich.

«Oh, Naveen, was wirst du tun? Ist Anjali zu Sinnen gekommen?»

Shaiv rollte die Augen, während Ahriman zischte. In seiner Unbedarftheit legte Charu stets den Finger auf die schmerzhafteste Stelle.

Naveen rieb die hässlichen Narben auf seinem linken Oberarm und seiner Schulter. Nach etwa einem Monat der Heilung waren sie zu weißen, gezackten Striemen verblasst. «Nein. Sie will mich nie wieder sehen.»

«Es tut mir leid», sagte Ahriman und berührte Naveens linke Hand, die auf der Steinplatte lag. «Das tut es wirklich.»

Die beiden sahen sich an. Naveen nickte und senkte seinen Blick.

«Ich denke, es ist Zeit zu gehen», sagte Shaiv.

In stiller Übereinkunft verließen die Ghitains das Bad. Raghi folgte zuletzt und wickelte das Handtuch um seine Schultern, sobald er es greifen konnte. Das Ding auf seinem Rücken war ruhig. Seine Anwesenheit verursachte in der Regel Spannungen auf Raghis Haut. Im Moment fühlte er nichts, als ob es weg wäre. Aber es war immer noch da, seine Anwesenheit wie ein Schmutzfleck in seinem Bewusstsein.

Raghi erwartete, dass sie das Badehaus direkt nach dem Ankleiden verlassen würden.

«Nun zu dem wunderbaren Duft, nach dem du gefragt hast.» Naveen öffnete die Tür zum Flur und trat hinaus.

Ein Baddiener erschien aus dem Nichts. Er führte sie weiter den Flur hinab und öffnete eine Tür an dessen Ende.

Sie betraten einen luftigen Raum, der in hellen, verträumten Farben gestrichen war — hauptsächlich in einem weichen Grün, Beige und Gelb. Die Einrichtung bestand aus niedrigen Tischen und bequemen Weidensofas. Weiches Licht fiel durch ein gewölbtes Oberlicht aus farbigem Glas. Darunter stand ein komplexes Wasserspiel.

Der Ort erinnerte Raghi an das Boudoir eines Bordells, aber ohne die zugrunde liegende Gewalt, Drohung und Gier.

Jeder von ihnen erhielt ein Glas mit einer fast transparenten Flüssigkeit.

Naveen hob es, damit Raghi den Inhalt besser sehen konnte. Er erkannte nur, dass dies kein gewöhnliches Wasser war. Es schimmerte in tausend verschiedenen Farbtönen, alle von ihnen so flüchtig wie ein Hauch von Möglichkeiten.

«Aeriels Quellen wurde von den Urdrachen, den Drachenfürsten oder denjenigen Mächten, die sich heutzutage um das Multiversum kümmern, gesegnet. Alle Quellen des Dorfes haben Heilkräfte. Aus einer entspringt die Essenz des Multiversums, welche die Drachen tranken, als sie noch existierten.»

Naveen verwirbelte die Flüssigkeit und betrachtete die Muster mit Ehrfurcht.

«Kein Sterblicher kann die Essenz trinken und überleben, unabhängig von ihrer Verdünnung. Diejenigen, die es trotzdem versuchen, sterben einen schrecklichen und unvorstellbar qualvollen Tod. Die Essenz fasziniert Heiler und Wissenschaftler seit Jahrhunderten. Es ärgerte sie, dass sie die Substanz nicht nutzen konnten — bis eine Heilerin hier in Aeriels Quellen eine Idee hatte. Wenn ich meine Handfläche in einen Tonklumpen presse, habe ich einerseits meine Hand und andererseits ihren Abdruck. Das Gleiche tat die Heilerin mit der Essenz. Frag mich nicht wie. Der Abdruck der Essenz ist für Sterbliche trinkbar und schmeckt wie das Destillat aller schönen Träume, die du je hattest.

Aber nur ein Fingerhut davon schmeckt gut. Trinkst du mehr, verwandeln sich die Träume in Albträume.»

«Und du hast ein volles Glas, weil …?», fragte Raghi, als Naveen nicht weitersprach.

«Weil wir es verdünnt trinken, um den Genuss zu verlängern. Wenn du es pur probieren möchtest, kannst du die Baddiener bitten, dir einen Fingerhut voll zu bringen.»

Raghi war es egal. Wie gut konnte das Zeug schon sein?

Als die Ghitains ihre Gläser im Gruß erhoben, tat er dasselbe.

Der erste vorsichtige Schluck veränderte seine Wahrnehmung für immer.

18

«Immer noch in den Wolken?», fragte Naveen grinsend, während sie die Rampen am Vardo der Tiere befestigten. Der geflügelte Luchs beobachtete sie aus seiner offenen Luke.

Raghi nickte, immer noch verwirrt. Die Essenz des Multiversums hatte sich als so außergewöhnlich erwiesen, wie Naveen behauptet hatte, und ihm einen langen Moment purer Glückseligkeit geschenkt.

Dann kehrte die Realität zurück und mit ihr der finstere Abgrund, der Raghi zu verschlucken drohte.

Es half nicht, dass alle in die Zukunft zu schauen schienen.

Bei seiner Rückkehr hatte er beobachtet, wie Violet die ersten Schritte nach ihrer Krankheit an Daakshis Arm ging. Das Lächeln und die strahlenden Augen der beiden sagten alles. Sie waren dabei, sich zu verlieben. Zwei von Naveens Freunden freuten sich darauf, ihre Mädchen zu heiraten. Und Desert Rose war dem Ruf ihres Schicksals in die Freiheit und ins Ungewisse gefolgt.

Nur er saß in der Vergangenheit fest. Nur hatte er einen widerlichen Dämon auf dem Rücken und keine Aufgabe in seinem verdammten Leben.

Raghi sah sich um und stellte sicher, dass niemand in der Nähe war. «Naveen, wie kann die Essenz des Multiversums einer Quelle in diesem Vardo entspringen? Basierend auf deinen Erklärungen über Aeriels

Quellen nahm ich an, dass sie extrem selten ist. Oder handelt es sich um eine andere Essenz?»

Naveen sah sich auch um, bevor er antwortete. «Es ist die gleiche, und mehr weiß ich nicht. Die Quelle befand sich schon im Vardo, als ich ihn fand. Mein Eindruck ist ...» Er zögerte. «Ich habe mit niemandem darüber gesprochen, also behalte es bitte für dich. Ich vermute, dass dieser Vardo eine eigene Welt im Multiversum darstellt. Da sie alle Formen und Größen annehmen können, ist die Annahme nicht so verrückt, wie sie klingt. Sollte sie jedoch wahr sein, habe ich noch nicht die Schwellen gefunden, die sie mit anderen Welten verbinden. Diese sehen aus wie Portale, die in leerer Luft hängen oder in Gewässern schwimmen. Wenn der Vardo eine eigene Welt ist, dann sollte mindestens eine existieren.»

Sie hatten gerade die letzte Planke mit erheblicher Mühe angebracht. Die Doggycorns kläfften und drängten sich in ihrer Luke und konnten es kaum erwarten, nach draußen zu kommen. All die winzigen Hufe, Pfoten und Schnauzen aus dem Weg zu schieben war ebenso unmöglich, wie eine Sandlawine mit bloßen Händen aufzuhalten.

«Machst du das nicht zu kompliziert?», fragte Raghi. «Dieser Vardo hat eine Tür, die ihn mit der Außenwelt verbindet. Eine Tür unterscheidet sich nicht so sehr von einem Portal, wie du es beschreibst, obwohl sie nicht in leerer Luft hängt. Und wenn alles möglich ist, würde mich eine Welt in einer Welt auch nicht umhauen.»

Naveen starrte ihn an. «Weißt du was? Ich denke, du könntest recht haben», sagte er.

«Aus dem Mund von Narren und Kindern werdet ihr die Wahrheit hören», zitierte Raghi aus den Aufzeichnungen eines Weisen.

Er kämpfte spielerisch gegen die Doggycorns, als er eine Berührung auf seiner Schulter spürte und, ohne nachzudenken, reagierte.

«Raghi, ich bin's!», hörte er in ersticktes Quietschen.

Verdammt, er hatte Naveen im Schwitzkasten!

Raghi schob den Prinzen weg. «Schleich dich nie wieder so an mich heran! Dachtest du, ich mache Witze, als ich dir von meinem Beruf erzählte?»

«Es tut mir leid», sagte Naveen und rieb sich die schmerzende

Kehle. «Ich wollte dich nicht erschrecken. Ich war nur besorgt. Du klangst so bitter.»

«Ich bin nicht verbittert. Ich bin so glücklich wie du», fauchte Raghi.

Naveen lächelte traurig. «Dann steckst du in großen Schwierigkeiten, mein Freund.»

Sie hatten keine Zeit ihre Diskussion fortzusetzen, denn die ersten Dorfbewohner trafen ein, darunter Sander, der Naveen winkte und auf sie zueilte.

«Mein Prinz, da deine Mutter mit Ratsuchenden spricht, werde ich es dir sagen. Aus Dorfbewohnern bestehende Wachtrupps beobachten das Dorf und alle Zugangswege über die Hügel und durch die Täler. Wenn der Reisende und seine Armee zurückkehren, werden die Wachen Alarm geben — das Horn eines Kuhhirten. Weißt du, wie das klingt?»

«Ja.»

«Auf dieses Signal hin werden meine Dorfbewohner den Jahrmarkt verlassen und sich in ihren Häusern verschanzen. Ich kann euch Ghitains nicht befehlen, wie ihr reagieren sollt, aber bitte unternehmt alle notwendigen Maßnahmen zu eurem Schutz.»

Naveen nickte.

«Was, wenn einer oder mehrere von ihnen sich einschleichen und wir sie hier entdecken?», fragte Raghi.

Sowohl Sander als auch Naveen starrten ihn mit großen Augen an. Zivilisten! Als ob ein so gerissener Mann wie Lyrrhodenai für alle sichtbar zurückkehren würde.

Nachdem Sander die erste Überraschung überwunden hatte, verengten sich seine Augen. «Du denkst wie ein Krieger.»

Raghi schnaubte. «Ich bin einer … mehr oder weniger.»

«Er hat recht, Bürgermeister.» Naveen klopfte sich auf die Nasenspitze. «Durch den Alarm willst du die Dorfbewohner in Sicherheit bringen?»

«Ja. Und gleichzeitig den Eindringlingen klarmachen, dass wir ihr Verhalten nicht einfach so akzeptieren.»

«Dann müssen auch wir Alarm schlagen, wenn wir sie entdecken.» Ein Doggycorn zu Raghis Füssen mochte nicht länger um Aufmerksamkeit betteln und katapultierte sich in Richtung seines Gesichts. Raghi fing es mitten im Sprung. Der Bürgermeister bemerkte seine blitzschnelle, instinktive Reaktion.

«Das sehe ich auch so. Ein schrilles Pfeifen sollte genügen. Können wir uns darauf einigen, mein Prinz?», fragte Sander.

«Ich werde meinen Clan informieren», bestätigte Naveen. «Wie wahrscheinlich ist es, dass der Reisende zurückkehrt?»

Sander zuckte die Schultern.

Raghi blickte nachdenklich über die Wiese. «Er kam in dieses Dorf, und dann kehrte er zurück zum Jahrmarkt der Ghitains. Da die Ghitains von außen kamen, scheint ihn etwas wie ein Leuchtfeuer hierher zu ziehen. Findet er das Gesuchte nicht dort, wo er sich gerade befindet, haben wir ihn nicht zum letzten Mal gesehen.»

Der Bürgermeister seufzte. «Das befürchte ich auch. Hoffentlich liegst du falsch. Ich werde meine Wachen über das zweite Signal informieren. Betet, dass die Glücksgöttin auf uns aufpasst.»

Er verabschiedete sich mit einem Winken.

Naveen rief einen Ghitainjungen zu sich. Der Prinz bat ihn, die Informationen über die Wachen und die Signale an die Sippe weiterzugeben.

Sie folgten dem Jungen mit den Augen, als er zur ersten Familie rannte.

«Naveen, im Badehaus sagtest du, dass es keine Drachen mehr gibt. Doch Sander behauptet, dass der Reisende einen Drachen gefangen hielt. Was hältst du von seiner Geschichte?»

«Wenn ich das nur wüsste. Wenn ich der Spur eines magischen Tieres folge, gibt es jedes Mal diese Hoffnung in meinem Herzen, dass es sich als Drache entpuppen wird, aber das war noch nie der Fall. Und es gab seit Ewigkeiten keine Sichtungen mehr. Das lässt mich denken, dass sie ausgestorben sind. Und dann kann das, was Lyrrhodenai gefangen hielt, kein Drache sein.» Er seufzte. «Wahrscheinlich werden wir die Wahrheit nie erfahren. Das gehört auch zum Leben eines Ghitains. Wir ziehen unsere Kreise, und wenn sie uns zu bekannten Orten zurückführen, sind Monate oder Jahre vergangen, und jeder hat sich weiterentwickelt. Das ist der Preis, den wir für unsere Freiheit zahlen.»

Danach blieb ihnen keine Zeit mehr zu reden. Die Dorfbewohner genossen das Fest, als ob der Überfall vom Vorabend nicht stattgefunden hätte. Gruppen von ihnen scharten sich um die magischen Tiere. Vor allem die Doggycorns zauberten ein Lächeln auf die Gesichter von Kindern und Erwachsenen.

Raghi orientierte sich an Naveens Verhalten und erkannte, dass die Tiere keinen Schutz brauchten. Am Nachmittag versuchten ein paar Kinder, mit einem Doggycorn davonzulaufen. Als es genug hatte, verschwand es aus den Armen seines Entführers und erschien wieder im Rudel.

Seine Aufgabe war es, die Faszination der Dorfbewohner zu steigern, indem er die Fähigkeiten der Tiere ins beste Licht rückte.

Er half der Ratte beim Bau eines komplexen Turms aus Holzstäben. Als dieser in Flammen aufging, seufzten die Dorfbewohner ehrfürchtig.

Der geflügelte Luchs apportierte gerne und erkannte rasch, dass Raghi aufgrund der als Auftragsmörder erlernten Wurftechniken Dinge höher schleudern konnte als Naveen. So brachte er ihm seine Lumpenkugel und Stöckchen.

Naveen zeigte den Menschen, wie man die riesige pelzige Heuschrecke und die Stacheleule streichelte, und unterstützte den kleinen Elefanten, indem er Formen hochhielt, die seine Seifenblasen zu Sternen oder Herzen formten. In einem übermütigen Moment hob er das Tier auf die Arme und wirbelte um die eigene Achse, während der Elefant trompetete und eine Säule aus bunten Blasen schuf, in der sie fast verschwanden.

Die Faszination in den Augen der Dorfbewohner hätte Raghi glücklich machen sollen. Aber kein freudiges Lachen und kein Ausdruck der Bewunderung konnte das schwere Gewicht von seinem Herzen heben. Der Schmerz, dass Desert Rose ihn verlassen hatte, überwog alles.

Als das Licht bereits nachließ, erweckte eine Auseinandersetzung vor dem Vardo der Heilerin seine Aufmerksamkeit.

«Ich verstehe deinen Schmerz, und es tut mir zutiefst leid, aber ich kann dich nicht töten!», rief Chandana viel zu laut für ein vertrauliches Gespräch.

Plötzlich war die Königin an ihrer Seite. Kurze Zeit später schloss sich Sander ihnen an. Weitere Männer folgten. Eine hitzige Diskussion begann.

Als die Königin Raghi winkte, stieß Naveen den Atem aus. «Ohoh, ich fürchte, dein Schicksal hat dich eingeholt», sagte er.

Raghi teilte die Befürchtung. Trotzdem gehorchte er.

Als er zur Gruppe trat, war es Chandana, die ihn ansprach. «Mari hier hat mich gebeten sie zu töten. Sie leidet an einer schlimmen, langsam fortschreitenden Form von Krebs.» Sie griff nach der Hand der Frau mittleren Alters neben ihr und nahm sie zwischen ihre beiden.

Die Frauen sahen sich an. In Maris Blick wirbelte ein verzweifeltes Verlangen, vermischt mit einem Hauch von Hoffnung. Chandana liefen Tränen über die Wangen, obwohl ihre Stimme ruhig und gelassen klang.

«In den letzten Jahren haben die Heiler von Aeriels Quellen alles versucht. Ich habe alles versucht. Aber unsere Hoffnungen wurden immer wieder enttäuscht. Nichts hilft, und weil Mari sonst stark und gesund ist, wird der Krebs Jahre, wenn nicht Jahrzehnte brauchen, um sie zu töten.»

Mari drehte den Kopf zu Raghi. Sie war eine mütterliche, schöne Frau, trotz der tiefen Linien, die der Schmerz in ihre Haut eingegraben hatte. «Man sagte mir, dass du das Handwerk eines Mörders gelernt hast und mich ohne Schmerzen töten kannst.»

«Ich fürchte, das ist nicht so einfach, Mari», sagte Sander, seine Stimme erfüllt von Mitgefühl. «Der Preis für ein Leben ist ein Leben. Wenn er deins nimmt, selbst mit deiner Erlaubnis, verliert er seins.»

Wenn er nicht helfen konnte, warum war er dann hier? Raghi sah Kaea an.

«Wir haben dich gerufen, weil auch absolute Verbote manchmal umgangen werden können», erklärte sie ernst. «Die Situation erfordert weitere Diskussionen. Sollten wir uns auf eine Lösung einigen, wärst du bereit Mari mit deinen Fähigkeiten zu einem schmerzfreien Tod zu verhelfen?»

Jeder Instinkt drängte ihn «Nein!» zu rufen.

Als er das Gesicht der Frau betrachtete, gab es nur eine Antwort: «Ja.» Er wusste um die Agonie und die Schwierigkeit, jede Stunde, Minute und Sekunde damit zu leben. Es war unglaublich, dass diese Frau so lange durchgehalten hatte, ohne verrückt zu werden.

Tränen fielen aus Maris Augen, und sie sank erleichtert in sich zusammen. «Ich danke dir!»

Sander ging zu ihr und nahm ihre Hände. «Ich wünsche mir so sehr, dass du deine Meinung ändern würdest, Mari. Du warst schon immer eine Stütze unserer Gemeinschaft, und ich kann mir nicht vorstellen, auf deine Offenheit und deine mitfühlende Weisheit zu verzichten. Aber ich verstehe auch, dass deine Last zu schwer geworden ist. Wir werden versuchen, es möglich zu machen. Ich weiß noch nicht wie, aber ich verspreche es dir.»

Er ließ sie los, um Platz für einen großen Mann zu schaffen, der bisher geschwiegen hatte — Maris Mann. Er legte ihr beschützend den Arm um die Schultern und führte sie zurück ins Dorf.

«Ist er damit einverstanden?», fragte Raghi, sobald das Paar außer Hörweite war.

Der Bürgermeister nickte. «Das ist er. Wie ihre ganze Familie. Sie wurden vor Kurzem Großeltern. Mari hat immer gesagt, dass sie ihr erstes Enkelkind sehen will. Nun, da dieses Ziel erreicht ist, schwindet ihre eiserne Entschlossenheit.»

Er seufzte und nickte den anderen Männern zu, die die Szene schweigend beobachtet hatten. «Wir werden jetzt gehen, um uns zu beraten, und bitten dich respektvoll, uns zu begleiten, Kaea.»

«Das tue ich.»

Die Königin ging mit ihnen.

Die Dämmerung brachte keine Probleme. Nach Einbruch der Nacht veränderte sich die Atmosphäre des Jahrmarkts. Die Ghitains räumten ihre Stände weg und entzündeten den Holzhaufen, den die einheimischen Jugendlichen in der Mitte der Wiese aufgeschichtet hatten.

Beim Eingang zum Lager bauten die Männer des Dorfes große Tische aus Böcken und Brettern, während ihre Frauen Handkarren mit Töpfen, Körben voller Essen und Geschirr herbeizogen.

Die Musiker der Ghitains begannen ihre fröhlichen Lieder zu spielen.

Raghi saß auf der Treppe zu Chandanas Vardo und fütterte Mallika. Er fühlte sich einsam.

Die Lichter der Vardos erhellten die Wiese und tauchten alles in ihren goldenen Glanz. Paare tanzten um die Musiker herum. Andere Teilnehmer versammelten sich an den Tischen, um zu essen und zu trinken. Kinder schienen überall zu sein. Melodien, das Prasseln der Flammen und fröhliche Gespräche erfüllten das Lager.

Chandana hatte sich einer Gruppe von lokalen Frauen angeschlossen. Ihre formalen Kleider unterschieden sich von denen der anderen Dorfbewohner und deuteten auf eine offizielle Funktion hin. Raghi vermutete, dass sie Heilerinnen waren.

Daakshi und Violet standen bei den Tischen und tauschten Blicke und Lächeln.

Naveen schloss sich Raghi an. Sein Gesicht zeigte eine Sehnsucht, die dem Schmerz in Raghis Herz ähnelte.

«Wird das Fest so gesittet bleiben?», fragte Raghi. In Eterna hätte sich ein solches Ereignis im Handumdrehen zu einer Orgie entwickelt.

«Ja. Ein Ghitainfest soll ein sicherer Ort für alle sein. Unsere Männer halten Ordnung im Lager, unterstützt von ausgewählten Einheimischen. Draußen patrouillieren die Drachenpferde. Und der für das Bierfass verantwortliche Dorfbewohner wird denjenigen, die bereits betrunken sind, kein weiteres Bier geben.»

«Ihr seid tolle Gastgeber. Alle wirken glücklich.»

«Ja, alle außer uns.» Naveen seufzte und setzte sich auf die gleiche Stufe wie Raghi. «Früher liebte ich Freudenfeuer. Jetzt machen sie mir Angst.» Er berührte seine linke Schulter.

Unsicher, ob er immer noch wegschauen musste, fragte Raghi: «Willst du mir erzählen, was passiert ist?»

Naveens dunkler Blick fand seinen. Nach einem Moment des Zögerns nickte er. «Aber lass uns zu meinem Vardo gehen. Ich brauche meine Dinge um mich, um über die Vergangenheit zu sprechen.»

Raghi stand auf und gab die Babyflasche in einen Eimer mit Seifenwasser. Darin sammelte Chandana Geschirr und Instrumente, die einer sorgfältigen Reinigung bedurften.

Mallika gluckste, als sie die kurze Strecke zu Naveens Vardo zurücklegten. Da er fast gegenüber vom Eingang parkte, schienen die Feierlichkeiten weit weg zu sein, und die Geräusche und Gerüche erreichten sie nur gedämpft.

«Hast du Palash gesehen?», fragte Raghi, besorgt, dass der Geist heimlich in die Ewigkeit gegangen war.

Naveen setzte sich auf die Plattform, den Rücken an die geschlossene Tür gelehnt. Raghi nahm den Platz neben ihm ein.

«Nicht mit meinen Augen, aber ich spürte seine Energie um den Bürgermeister herum. Ich glaube, er bleibt Sander unsichtbar nahe. Palash behauptete immer, ein wanderndes Herz zu haben, aber ich bin mir nicht so sicher. Die mir bekannten Liebhaber blieben immer die gleichen, solange ich mich erinnern kann.»

Der Prinz starrte in die Dunkelheit zwischen seinem Vardo und denen des äußeren Kreises. Ein Feuerstoß durchtrennte die Schwärze, als ein Drachenpferd leise wieherte.

Naveen entspannte sich. «Die Leitstute wird dafür sorgen, dass uns niemand zuhört», erklärte er.

Er schaute zu, wie Raghi mit Mallika spielte. Das Baby hatte entschieden, dass dies die Nacht war, um Klimmzüge oder Stehen zu lernen. Sie stemmte ihre Füße gegen Raghis Oberschenkel und packte seine Zeigefinger mit aller Kraft. Wenn er die Arme hob, stand sie auf und hielt sich mit erstaunlicher Kraft aufrecht. Tat er es nicht, zog sie und schaffte etwa die Hälfte der Bewegung. Angesichts ihres Alters stand sie erstaunlich sicher auf ihren kleinen Füßen.

«Wenn du so weitermachst, lernt sie lange vor dem normalen Alter laufen.»

«Ja, und dann wehe uns allen.» Raghi befreite seine Hände und kitzelte seine kleine Schwester.

Sie kicherte.

Naveen wurde wieder traurig. «Du wolltest wissen, was passiert ist. Mit deiner Erlaubnis werde ich den eigentlichen Vorfall in seinen Kontext setzen, da du unsere Kultur noch nicht so gut kennst.»

Raghi nickte.

Ein tiefes Seufzen gab Naveen die Kraft, seine Erzählung zu beginnen. «Solange wir reisen, bleiben Ghitainfamilien mehrheitlich unter sich. Dadurch wahren wir unsere Privatsphäre, obwohl wir fast aufeinander leben, und dadurch bleibt unser Clan eine Gruppe unabhängiger Familien, statt zu einer großen Familie zu verschmelzen. Gelegentliche größere Treffen wie vor zwei Nächten, als Daakshi und Chandana mit uns speisten, sollen etwas Besonderes sein. Das Gleichgewicht zwischen Nähe und Distanz zu wahren ist ein weiterer Aspekt liebevoller Achtsamkeit. Eine gesunde Gemeinschaft braucht Menschen mit unterschiedlichen Ansichten.»

Naveen wandte den Kopf, um das Fest auf der anderen Seite des Lagers zu betrachten.

«Wenn wir in einem Dorf ankommen, geben wir diese Distanz vorübergehend auf. In der ersten Nacht findet in der Regel ein ruhiges Beisammensein statt, bei dem wir uns mit den Dorfbewohnern treffen und Neuigkeiten austauschen. In der warmen Jahreszeit findet dies in Form eines Picknicks auf Decken im Gras statt. Dann sitzen alle beieinander und plaudern. Am zweiten Abend veranstalten wir eine Feier wie heute. Morgen werden alle die Gelegenheit für weitere Geschäfte nutzen, und am Morgen darauf packen wir zusammen und brechen auf. Das ist es, worum es im Leben eines Ghitains geht — den Lauf der Zeit sicherzustellen und sesshaften Menschen Freude und Ablenkung zu bringen.»

Mallika auf Raghis Schoß war erschöpft von ihren Possen. Er half ihr, sich an seine Brust zu schmiegen. Sie vergrub ihr Gesicht im Stoff seiner Tunika und schlief ein.

«Wenn zwei Ghitainclans sich treffen, feiern wir auch. Dabei geht es um unsere Freude und Ablenkung und darum, die Verbindung zwischen den einzelnen Sippen zu stärken. Vor etwa fünf Wochen trafen wir uns mit Anjalis Clan. Zusammengenommen umfassen unsere Clans etwa dreihundert Menschen.»

Naveen rieb seine linke Handfläche mit dem rechten Daumen, seine ganze Haltung unbehaglich.

«Du brauchst mir nicht davon zu erzählen, wenn es zu schmerzhaft für dich ist», erinnerte ihn Raghi.

«Ich möchte dir davon erzählen, aber es fällt mir schwer. Ich sehe alles vor meinem geistigen Auge, tue mich aber schwer damit, auf das Wesentliche zu fokussieren und die richtigen Worte zu finden. Dabei schmerzt mein Herz so sehr, dass ich mich fast nicht konzentrieren kann.»

Naveen senkte den Kopf und fing an, an seinen Fingern zu ziehen.

«Der Anlass — Anjalis und meine Verlobung — erforderte einen formalen Rahmen. Das bedeutet einen großen Kreis aus Teppichen, Kissen und Polstern um ein Lagerfeuer herum. Die Verlobten sitzen immer auf der linken Seite des Königs oder der Königin, dem Ehrenplatz. Es war später Winter, und trotz der kalten und kargen Umgebung sah alles perfekt und beeindruckend aus. Eiskristalle bedeckten jede Oberfläche und glitzerten im Licht der Vardos. Alle Familien hatten für das Fest gekocht. Ich war aufgeregt und glücklich und so sehr verliebt. Anjali, die zu meiner Linken in kostbares Gewebe und Pelze gehüllt saß, beobachtete die Lichter mit einem Lächeln auf ihrem Gesicht. Sie schien glücklich zu sein. Es war der schönste Abend meines Lebens.»

«Wenn du noch länger an dem Fingernagel herumfummelst, reißt du dir eine Wunde», rief Raghi Naveen in die Gegenwart zurück. Wenn sein Freund sich noch tiefer in seinen Erinnerungen verlor, fand er den Weg zurück vielleicht nicht mehr von alleine.

Naveen erschrak. «Ja, du hast recht.» Er schüttelte die Hände aus. «Das ist mehr oder weniger alles, woran ich mich erinnere. Es gab einen Knall, und ich verspürte schlimme Schmerzen in meiner linken Schulter und Seite. Als ich wieder zu mir kam, hatten sie Anjali weggebracht, um ihre Wunden zu versorgen. Als es ihr besser ging, weigerte sie sich mich zu sehen, egal wie oft ich es versuchte, und behauptete, meiner Liebe nicht mehr würdig zu sein. Ihre Familie sagte mir, dass ihr Gesicht verletzt war und sie sich für hässlich hielt.»

«Du hast sie danach nie wiedergesehen?»

«Nur einmal aus Zufall. Sie trug eine Augenklappe und versteckte den größten Teil ihres Gesichts hinter einem Schleier. Aber ich sah den Wundschorf um die Augenklappe und an ihren Händen.»

Raghi atmete aus, sein Herz schwer. «Also denkst du, dass ihre Wunden echt waren? Es tut mir leid, das zu fragen, aber als Meister des Betrugs weiß ich, wie leicht unser Verstand sich täuschen lässt. Wir sehen oft, was wir sehen wollen, statt das, was ist.»

Ghitains hatte die längste Zündschnur des Multiversums. Jeder andere Mensch wäre sogleich explodiert. Naveen überlegte ohne ein Anzeichen von Wut.

«Ich erinnere mich an keinen einzigen Moment des Zweifels, weder bei Anjali noch bei ihrer Familie. Damit meine ich die Momente, in denen man sich fragt, was eine andere Person wirklich gemeint hat. Ich bekam nie den geringsten Hinweis auf eine Lüge. Und Ghitains arbeiten stets mit dem, was sie finden. Von außen ist es unmöglich zu erkennen, wie viel Harz ein Ast in seinen Hohlräumen verbirgt. Scheite explodieren ständig. Dieser tat es nur im unglücklichsten Moment und mit mehr als der üblichen Wucht und zerstörte so meine Zukunft.»

Raghi war sich da nicht so sicher. Er hatte Verdacht geschöpft, als Palash Naveens Unfall beschrieb. Naveens Erzählung schürte nur die Flammen des Zweifels. Aber er wusste viel zu wenig, um seinen Verdacht zu äußern.

«Ich habe dir von meinen Narben erzählt. Erzählst du mir von deinen?»

Raghi schluckte. Naveen konnte nur alle meinen. Vertrauen mit Vertrauen zu erwidern schien fair. Sollte er es wagen?

Und war das nicht der seltsamste Moment dafür! Auf der anderen Seite des Lagers feierten Dorfbewohner und Ghitains. Die Plattform von Naveens Vardo schien zu einer anderen, viel dunkleren Welt zu gehören.

«Ich habe Narben — aus meiner Kindheit, von Verletzungen während meiner Ausbildung und von Strafen des Meisters. Die meiner Kindheit sind leicht zu erklären. Meine dummen Brüder und Schwestern kannten kein größeres Vergnügen, als mich zu quälen. Und mein Vater liebte es, mich in Truhen und Schränke einzusperren, dies unter dem Vorwand, mich von meiner Angst vor der Dunkelheit zu befreien. Ich verbrachte Stunden und Tage damit, mich aus diesen Kisten und Schränken herauszukratzen. Es gibt keinen einzigen Finger, den ich mir nicht gebrochen habe, und wenn du nach den Mustern suchst, die wir alle auf unseren Fingerspitzen haben sollten, wirst du sie bei mir nicht finden.»

«Und ich dachte, meine Kindheit wäre schlimm gewesen», sagte Naveen.

«Ich habe dir bereits von meiner Ausbildung erzählt, davon, der fette Idiot zu sein, dem nicht gelang, was alle anderen scheinbar mühelos fertigbrachten. Bleiben noch die Strafen …»

Und die schwärzesten Momente seines Lebens.

«Kannst du mir versprechen, deiner Familie nichts davon zu sagen? So wie du mein Tattoo geheim gehalten hast?»

Naveen nickte. «Schmerzensbrüder.»

Es wäre das erste Mal, dass er jemandem die ganze grausame Geschichte erzählte. Selbst Faya, Emilio und Ghost Singer, seine engsten Freunde, kannten nicht alle Details.

«In der Nacht, in der sich deine Familie versammelte, erzählte ich euch, wie ich den Meister dazu brachte, einige der mächtigsten Männer Eternas zu töten, und wie er mich den bösartigen Altvorderen zur Bestrafung gab. Ich erzählte jedoch nicht, wie sie mich bestraften. Sie begannen mit Vergewaltigung.»

Naveen sog zischend den Atem ein, unterbrach ihn aber nicht.

Raghi zögerte und versuchte seine Gedanken zu sortieren, was nicht funktionierte. «Ich weiß nicht, wie ich davon berichten soll, ohne die Verheerung kleinzureden, die ich in den Augen anderer Menschen gesehen habe. Damit meine ich insbesondere alle die Mädchen und Jungen, die auf die härteste Weise lernen mussten, dass der Mensch des Menschen Wolf ist. Deshalb werde ich die Worte aussprechen, wie sie erscheinen. Mir war die Vergewaltigung egal. Sie war schlimm, ja, vielleicht sogar sehr schlimm, aber als Lehrling der Mördergilde entwickelt man eine verdrehte Beziehung zu Schmerzen. Und da ich durch die dunkelsten und verkommensten Gassen Eternas gewandert war, gab es wenig, das ich nicht gesehen hatte. Wenn die Altvorderen es bei dieser Strafe belassen hätten, hätte ich sie abgeschüttelt, so wie man Scheiße von der Sohle seines Stiefels kratzt.»

Naveen saß wie versteinert. Nur seine Augen bewegten sich und versuchten im Schein des Vardos Raghis Miene zu lesen.

«Leider durchschauten sie, dass meine Schreie und meine Angst gespielt waren. Das gelingt nur wenigen, aber ein Gauner erkennt den anderen. Sie begannen mich ernsthaft zu foltern. In meinem Fall dauerte es eine Weile, aber sie sind hervorragend darin, deine tiefsten Ängste zu ergründen und mit ihnen zu arbeiten. Der Schrecken, den sie verbreiteten ...»

Raghi musste seine Erzählung abbrechen und nach Luft schnappen. Seine Brust hatte sich mit den ersten Anzeichen eines Anfalls verengt.

«Ich kann nur wiederholen, was du mir gesagt hast. Du musst nicht weitersprechen, wenn es zu schmerzhaft ist», erinnerte ihn Naveen, seine Stimme nur ein Flüstern.

«Ich möchte es dir erzählen. Aber wie du habe ich noch nie über meine schwärzesten Momente gesprochen.» Raghi versuchte, die Panik niederzuringen. Zu seiner Überraschung gelang es ihm. «Die Opfer der Altvorderen verlieren meist den Verstand. So fast auch ich, als ein Ruck durch meinen Körper ging und die Altvorderen vor Entsetzen schrien. Irgendwie zwang ich mich trotz des Blutverlustes und all dem, was sie mir angetan hatten, hinzuschauen — und da war es, das Ding, das du auf meinem Rücken gesehen hast. Es wütete durch die Reihen der Mörder und zerriss sie mit bloßen Händen. Zwei der fünf Anwesenden konnten fliehen. Die anderen drei endeten als blutiger Matsch, der Wände, Decke und Boden rot tränkte. Als es fertig gewütet hatte, befreite mich das Ding und trug mich an einen Ort, wo die anderen Lehrlinge meinen zerstörten Körper finden konnten. Sie flickten mich zusammen. Erst als mich einer von ihnen fragte, wann ich mein Tattoo stechen ließ, erkannte ich, wohin das Ding verschwunden war.»

«Es trennte sich von dir und kehrte dann als Tattoo zu dir zurück? Was für eine Art von Magie ist das?»

Raghi hatte sich die gleiche Frage gestellt, obwohl seine Formulierung weit weniger neutral ausgefallen war. «Ich weiß es nicht. Als es mir gut genug ging, um zu fliehen, hätte ich das wahrscheinlich tun sollen. Aber wohin? Egal wie sehr er sich auch bemüht, ein Auftragsmörder kann sich niemals aus dem Schatten des Meisters befreien. Es mag eine Weile dauern, aber er findet dich überall. Also blieb ich und provozierte ihn weiter. Er ergriff keine weiteren Vergeltungsmaßnahmen, was mich hätte warnen sollen. Ich dachte, ich hätte sein Interesse verloren. Aber dann betäubte er mich und übte mit einem Brandeisen und chirurgischer Präzision seine finale Strafe aus. Er hat mich nicht verstümmelt. Er hat nur dafür gesorgt, dass die geringste Regung von Begehren für immer unerträglich schmerzt.»

Naveen zischte mitfühlend. «Und deshalb blieb das Lendentuch an seinem Platz.»

Raghi nickte. «Damals gab er meine Ausbildung auf und fing an, mich als Hure herumzureichen.»

Naveen schlug sich mit der Faust auf den Oberschenkel. «Was für ein widerlicher Bastard! Warum macht niemand seinem Leben ein Ende?»

«Ich fragte mich das früher auch. Abgesehen davon, dass er verschlagen und fähig ist, läuft alles auf eine einfache Tatsache hinaus: Niemand will die Altvorderen entfesseln. Es gibt noch etwa sieben, und der Meister hält sie mit eiserner Hand unter Kontrolle. Sollten sie sich jemals befreien, werden sie wahrscheinlich die uns bekannte Zivilisation zerstören.»

«Aber das ist eine kurzsichtige Strategie. Er ist ein Mann und wird eines Tages sterben. Wie alt ist er und wie alt sind die Altvorderen?»

«Soweit ich weiß, sind sie Zeitgenossen und in ihren Fünfzigern oder Sechzigern. Aber das ist nur errechnet, ausgehend davon, wie lange er die Gilde schon führt. Niemand weiß es.»

Naveen lehnte seinen Kopf zurück gegen die Tür und richtete seine Augen auf das Fest, ohne es zu sehen. «Vielleicht sollte ich das nicht sagen, aber das Ausmaß an Verderbtheit, das du beschreibst, beunruhigt mich. Bist du sicher, dass dein Meister und die Altvorderen sterblich sind? Sie klingen sehr nach Sanders Reisendem.»

Raghi atmete zischend aus. «Bei den Göttern, ich hoffe, du irrst dich!»

«Das tue ich wahrscheinlich. Und ich hätte so etwas nie erwähnt, wenn Sander uns seine Geschichte nicht erzählt hätte. Seltsam wie eine einzelner Bericht das, was man glaubt, verändern kann.»

Raghi wusste keine Antwort darauf.

Sie saßen eine Weile schweigend da.

Raghi war dankbar für Naveens Anwesenheit. Das Elend liebte also doch Gesellschaft. Das hatte er noch nie zuvor erlebt. Vielleicht weil er zu beschäftigt gewesen war jeden zu vertreiben, der ihm Mitgefühl anbot.

«Naveen, wie wirkt sich Anjalis Ablehnung auf dein Leben aus, abgesehen von der Traurigkeit? Musst du ein anderes Mädchen zur Frau nehmen?»

Der Prinz schreckte aus seiner Zerstreutheit hoch. «Wie beim Herumschlafen geht es hier weniger um Regeln als darum, was für unser Volk von Vorteil ist. Da wir wenige sind, würden die Ghitains es begrüßen, wenn ich mir eine neue Gefährtin suchen würde. Aber Anjali und ich haben unsere tiefe Zuneigung nie verheimlicht. Jedes Mädchen, das ich umwerbe, wird sich als zweite Wahl fühlen. Das ist eine schlechte Grundlage für eine Beziehung.»

Naveen hatte recht. Er war am Arsch.

«Und du, Raghi? Was wirst du mit dem Rest deines Lebens anfangen?»

Jetzt war es an Raghi, mit leeren Augen aufs Fest zu starren. «Was ich gerade tue und was ich immer getan habe. Irgendwo am Rand sitzen und zusehen, wie andere eine gute Zeit haben, während meine Vergangenheit mein Herz zernagt.»

Naveen schnaubte. «Da ich bei dir sitzen werde, sollten wir wenigstens nicht einsam sein.»

19

Tropfendes Wasser und das Platschen von nassem Schnee weckten Raghi. Er hob den Kopf und blinzelte, um seinen Blick zu klären.

Er war wieder auf dieser verdammten Lichtung. Das Licht war so düster und grau wie zuvor. Nur diesmal taute der Schnee wirklich. Er fiel in großen Brocken von den Bäumen. Die Spitze jedes Zweiges erzeugte eine eigene Schnur aus Tropfen, einen nach dem anderen. Und der Teich drohte überzulaufen. Wenn es noch schlimmer wurde, verwandelte sich die Wanne, in der er geschlafen hatte, in ein Boot.

Seine Bewegungen weckten Najira. Sie setzte sich auf und rieb sich mit einer Hand die Augen, während sie mit der anderen die Decke vor ihrer Brust zusammenhielt.

Raghis Herzschlag stolperte.

Ihre leuchtend blauen Augen waren schlaftrunken, ihr Haar ein einziges Durcheinander, und auf einer Wange zeigten sich Abdrücke von den Falten ihrer Bettwäsche. Sie sah unglaublich jung und lieblich aus. Der Drang, die wilden Strähnen ihres Haares zu berühren und zu glätten, erwies sich als fast unwiderstehlich.

«Dein gefrorenes Herz taut», sagte sie, als sie den tropfenden Schnee bemerkte.

Ihre seltsame Stimme tötete die zarten Regungen seines Herzens. Sie klang, als hätte sie mit Eisenspänen gegurgelt.

«Ha! Ha! Ha! Urkomisch. Hast du eine Ahnung, wo wir sind?»

Sie sah ihn schief an. «Bist du taub?»

Richtig, bei früheren Gelegenheiten hatten sie festgestellt, dass dies ein Traum war. Er wusste immer noch nicht, was er von dieser Information halten sollte.

Najira ordnete ihr Äußeres mit wenig Erfolg. Ihr Haar sah noch schlimmer aus als zuvor.

«Lass mich das tun», sagte Raghi, packte ihre Schultern und drehte sie so, dass sie mit dem Rücken zu ihm saß. Er wünschte sich eine Bürste in die Hand.

Ihr wildes Haar enthielt Blätter, Dornen und Äste, als ob sie durch das Unterholz gerannt wäre. Raghi begann am Ende der langen Strähnen und löste den Schmutz sorgfältig heraus. Die Blätter konnte er leicht entfernen, aber für die Äste und Dornen musste er die Haarknoten mit den Fingern entwirren.

Es war ein langwieriger Prozess.

Sie ertrug seine Berührung, ohne zu klagen.

Er erkannte, dass er sie um Erlaubnis hätte bitten sollen. «Habe ich dich gerade erschreckt?»

«Nein, das fühlt sich toll an. Du hast meine Erlaubnis fortzufahren.» Sie grinste ihn über ihre Schulter an und drehte sich dann wieder nach vorne.

Als seine Hand versehentlich ihren Hals berührte, war ihre Haut eiskalt. Ohne ihr Kleid bot ihr nur die Decke Schutz vor der Kälte. Sie musste durchfroren sein.

«Wir sollten Kleidung für dich herbeizaubern. Was möchtest du anziehen?»

Najira zuckte die Schultern. «Was immer du willst.»

Er musste der Missy ein paar Regeln beibringen. «Es geht hier nicht um mich. Ich habe dich gefragt, was *du* magst. Eine Tunika, eine Hose und einen Umhang? Oder ein mit Pelz gefüttertes Kleid?»

Wieder das Schulterzucken, diesmal war er sicher, dass er sich den Hauch von Koketterie nicht eingebildet hatte. «Mir egal. Du wählst.»

«Wenn das so läuft, kannst du erfrieren.»

Sie fuhr herum, um ihn anzustarren. «Was für ein Mann bist du denn? Zuerst sagst du, dass ich friere. Jetzt weigerst du dich mir zu helfen.»

«Ich werde sicher nicht deine Dummheit fördern. Die Kräfte der Schöpfung gaben dir ein Gehirn und einen freien Willen. Benutze sie.»

Sie schniefte und wandte ihm den Rücken zu. «Wenn du so unfreundlich bist, erfriere ich lieber.»

Raghi schnaubte. «Es ist deine Wahl.»

Es schmerzte ihn, sie leiden zu sehen und nichts dagegen zu tun. In der Gilde hatten sich die älteren Lehrlinge um die jüngeren gekümmert, was Raghi immer noch seltsam fand, da Menschen sich unter Druck in Tiere verwandelten.

Jemand muss entschieden haben, dass liebevolle Achtsamkeit der klügere Weg ist, hörte er Naveens Stimme in seinem Kopf.

Raghi sah sich um. Sie waren allein. War das ein seltsamer Ort.

Najiras Zähne begannen erbärmlich zu klappern. Das Geräusch schien einen Dolch in Raghis Herz zu treiben.

Er kämpfte sein Mitgefühl nieder. Wenn er sich nicht sehr irrte, gehörte diese Missy zu jenen Menschen, die ihr Selbstwertgefühl auf der Meinung anderer gründeten und keinen eigenen Willen besaßen. Dieser Charakterzug war der schnellste Weg zur Katastrophe, wie ihre Wunden bewiesen.

Najira wurde unruhig. Ihre Glieder schüttelten vor Kälte.

«Ich würde gerne etwas Ähnliches wie du tragen», flüsterte sie schließlich.

Raghi unterdrückte ein Seufzen der Erleichterung. Besorgnis hätte beinahe über seine Entschlossenheit, nicht manipuliert zu werden, gesiegt.

«Welche Farbe?»

Ihr kalter Blick traf ihn. «Ich mag die Farben, die du trägst.»

Das konnte wahr sein oder eine weitere Manifestation ihres Verhaltensmusters. Egal. Ihre Antwort musste für den Moment genügen. Wenn er sie noch länger leiden sah, brach sein Herz.

Während er seine Eltern und ihre Brut verabscheute, hatte er die wilde Natur der Eisinseln, ihre schroffen, aber freundlichen Bewohner und ihre Kultur stets geliebt. Er erinnerte sich an die Kleider, welche die

Frauen im Winter trugen — einen mit Fell gefütterten Wollmantel mit schmaler Taille und schwingendem Saum, Wollleggins und einen voluminösen Umhang. Blau ähnlich dem Gefieder eines Blauhähers schien die perfekte Farbe für Najira. Raghi vervollständigte ihre Ausstattung mit vernünftigen Stiefeln, gestrickten Armwärmern mit Daumenlöchern und einem gestrickten Schal.

Sie streichelte zaghaft über den Stoff und die Strickwaren. Er hatte darauf geachtet, sich die beste Qualität vorzustellen, die er kannte.

«Danke.» Sie sandte ihm ein schüchternes Lächeln. Es enthielt die Schatten jedes Missbrauchs, den sie in ihrem jungen Leben erlitten hatte.

«Kein Problem», gab er zurück, seine Stimme rau vor unterdrückten Gefühlen. «Jetzt schau wieder nach vorne, sonst kann ich dein Haar in meinem Leben nicht von allen Knoten befreien.»

Das war eine Übertreibung. Nach vielleicht einer halben Stunde war er fertig und flocht die langen Strähnen zu einem Zopf, den er mit einem Lederband aus seinem Beutel zuband. Es bestand die Gefahr, dass er es irgendwann selbst benötigte, aber er wollte ihr etwas Echtes geben. Nicht so wie die Kleider, die er aus der leeren Luft herbeigewünscht hatte.

«Jetzt bist du vorzeigbar», sagte er. «Ich frage mich nur, wofür. Gibt es an diesem erbärmlichen Ort etwas zu tun?»

Najira drehte sich zu ihm um und grinste. «Mir fällt schon etwas ein.»

Ihre Arme gingen um seinen Hals, und sie küsste seine Lippen. Obwohl die Berührung unerwartet war, kribbelte Begehren über seine Wirbelsäule.

Nicht gut.

«Hey!» Raghi packte ihre Schultern und hielt sie auf Abstand. «Was soll das? Bist du verrückt?»

«Nein, ich wollte dir nur für die Kleidung und alles danken.» Sie schmollte. «Ich dachte, du wolltest es.»

«Ganz sicher nicht! Du hättest einfach Danke sagen können. Es gibt keinen Grund, sich wie eine Hure zu benehmen. Und sag mir nicht, dass du das nicht getan hast, denn ich war eine und weiß Dinge, die du hoffentlich nie lernen musst.»

Das brachte ihm einen langen und nachdenklichen Blick von ihr ein. «Du bist anders, als ich dich mir vorgestellt habe», sagte sie.

Er rollte die Augen. «Ich bin immer bestrebt zu enttäuschen und froh, dass ich es auch in deinem Fall geschafft habe. Ich frage mich nur, wie du Erwartungen haben konntest. Das ist mein Traum, nicht wahr?»

Sie zögerte, dann schüttelte sie den Kopf. «Es ist unser Traum», korrigierte sie ihn.

«Und was soll das bedeuten?»

Kaum dass er die Frage gestellt hatte, verblasste die Umgebung. Eine weitere Schlafphase endete.

RAGHI KROCH AUS DEM BETTSCHRANK, zog sich nackt aus und wusch sich. Durch ihre Nacht der Geständnisse musste er sich nicht mehr vor Naveen verstecken. Der Ghitainprinz blickte einmal auf seinen Schritt, zuckte mitfühlend zusammen und wandte seine Aufmerksamkeit anderswo hin.

Raghi erstarrte, als er spürte, wie sich das Ding auf seinem Rücken bewegte. «Was macht es?»

Naveen schluckte. «Es streckt den Kopf raus und schaut sich im Vardo um.»

«Bedroht es dich?»

Naveen trat näher heran. «Nein. Ich weiß, dass du mich gleich hassen wirst, aber halt für einen Moment still.»

Aus dem Augenwinkel sah Raghi, wie Naveen die Hand ausstreckte. «Du bist verrückt!», zischte er, wagte aber nicht sich zu bewegen. Das Ding trennte sich immer in Momenten heftiger Gefühlswallungen von ihm. «Nimm deine Hand weg!»

«Das werde ich nicht. Ich bin der Hirte der magischen Tiere. Das ist etwas sehr Ähnliches.»

Obwohl Naveen ihn nicht berührte, fühlte Raghi, wie ein Ruck durch seinen Körper ging. «Was machst du da? Sag mir, dass du es nicht anfasst.»

«Ich fasse es an», antwortete Naveen. «Und es gibt keinen Grund zur Angst. Es hat die Augen geschlossen und scheint meine Berührung zu genießen. Ich denke, du solltest es freundlicher behandeln. Es ist ein Teil von dir. Es zu verachten schadet euch beiden.»

Raghi wusste nicht, wie er reagieren sollte. Naveens Energie verursachte Gänsehaut auf seinem ganzen Körper. Die Berührung fühlte sich intim an, aber nicht sexuell aufgeladen. Sie vertrieb die Spannung in seinem Rücken, die sich zusammen mit dem Ding manifestiert hatte, und seither seinem Bewusstsein eine weitere allgegenwärtige Nuance von Schmerz hinzufügte.

Raghi hatte sich aus Not daran gewöhnt. Nun, da Naveens Berührung sie vorübergehend vertrieb, schien ein schweres Gewicht von seinen Schultern gefallen zu sein.

«Das Pfeifen in deiner Atmung ist weg», beobachtete Naveen. «Das Geräusch ist schwach, aber ich kann es bei jedem Atemzug hören. Meine Gabe scheint dir zu helfen. Wenn du erlaubst, können wir es heute Abend noch einmal versuchen.»

Raghi trat aus Naveens Reichweite. «Das ist nicht nötig», versuchte er zu sagen. Das letzte Wort kam gequetscht heraus, als der vertraute Schmerz wieder aufflammte.

Verdammt! Nach der kurzen Pause fühlte er sich noch schlimmer an als zuvor.

«Ich weiß, dass es jetzt wehtut, aber vielleicht kann ich mit der Zeit etwas verändern. Gelegentlich dauerte es Wochen, bis ich das Vertrauen eines magischen Tieres gewonnen hatte. Auch in deinem Fall scheint Geduld nötig.»

Raghi streifte seine Tunika über. «Ich werde darüber nachdenken», versprach er und erkannte, dass es ihm ernst war. Etwas an Naveen ließ ihn glauben, dass der junge Prinz mit seiner Freundlichkeit und seinem Fokus alles erreichen konnte.

Nachdem sie sich angezogen hatten, aßen sie ein paar Bissen Brot und gingen zum Vardo der Königin. Als das Fest in den frühen Morgenstunden endete, hatten sie Mallika zurück zur Heilerin gebracht, und Chandana hatte ihnen Kaeas Bitte um ihre Anwesenheit übermittelt.

Raghi hatte düstere Vorahnungen wegen des Treffens, versuchte sie aber zu ignorieren. Unterwegs hatte er keine Augen für die Schönheit des Lagers. Stattdessen suchte er mit Blicken den Himmel ab.

Immer noch keine Spur von Desert Rose.

Er musste sich daran gewöhnen, dass die Chimäre ihn mit den Erinnerungen an ihre gemeinsame Zeit und ein paar Federn in seinem Beutel zurückgelassen hatte.

Naveen an seiner Seite seufzte, als seine eigene Suche erfolglos blieb.

«Sie wird nicht zurückkehren», sagte Raghi und hasste die Trostlosigkeit in seiner Stimme.

«Es sieht so aus. Versuch trotzdem den Glauben nicht zu verlieren. Unsere Gedanken erschaffen unsere Zukunft. Solange du die Hoffnung nicht aufgibst, verbindet euch deine Liebe, und sie wird deine Gegenwart in ihrem Bewusstsein spüren.»

Wenn das nur wahr wäre.

Sie fanden Kaea in Sanders Gegenwart.

«Wir wissen jetzt, wie Mari sterben kann, ohne dass ihr Helfer die rechtlichen Konsequenzen tragen muss», sagte Sander ohne Einleitung. «Weder Chandana noch unsere Heiler können es tun, aber du als Außenseiter kannst es. Du hast dich bereit erklärt zu helfen. Kennst du ein Gift, das Mari trinken kann und das sie schmerzfrei tötet?»

Raghi nickte, obwohl er bereits wusste, dass er seine Zustimmung bis zum Ende seiner Tage bereuen würde.

«Brauchst du Zeit für deine Vorbereitungen?»

«Nein.»

«Dann komm bitte mit mir. Die Königin, der Prinz und die Heilerin der Ghitains werden als deine Zeugen auftreten.»

Raghi folgte Sander ins Dorf und am bekannten Badehaus vorbei. Ihr Spaziergang führte sie zu einem beeindruckenden Gebäude, das Raghi an die Universität von Eterna erinnerte. Große verglaste Fenster zeugten von hohen und geräumigen Sälen. Trotz seiner Größe wirkte das Gebäude anmutig und grazil.

Sie gingen hinein. Die ruhige Atmosphäre ließ die Sorgen der Welt weit weg erscheinen. Wie das Badehaus förderte auch dieser Ort das Wohlbefinden seiner Bewohner oder Gäste.

Aber nicht Raghis.

Seine Stimmung sank ins Bodenlose, als sie einen geräumigen kraterförmigen Hörsaal betraten. Um sein Zentrum herum erhoben sich zehn oder zwölf steile Reihen von Schreibtischen bis zur Decke.

Nur wenige Schreibtische waren besetzt. Zwanzig Augenpaare konzentrierten ihren stechenden Blick auf Raghi. Sie gehörten den formell gekleideten Frauen, die er während des Fests bemerkt hatte, und Chandana, die in der untersten Reihe Platz genommen hatte.

Er fühlte sich wie ein Kaninchen, umzingelt von einem Rudel Wölfe.

«Du bleibst hier», sagte Sander.

Der Bürgermeister folgte Kaea und Naveen, die sich neben Chandana setzten.

Eine Frau erhob sich mit strenger Miene, offenbar die höchstgestellte Heilerin. Sie sah aus wie Raghis Lehrer in der Gilde, wenn er sie mit seinen Leistungen enttäuscht hatte. In seinem Fall bedeutete das, immer wenn sie ihn zu Gesicht bekamen.

Verdammt, er hasste es, im Mittelpunkt der Aufmerksamkeit zu stehen! Einige seiner schlimmsten Albträume begannen damit, dass der Meister fragte: «Also, junger Lehrling, sag mir, was du über … weißt». Es half nicht, dass die ältere Heilerin sich kurzsichtig über ihren Schreibtisch nach vorn beugte, ähnlich einem Geier auf seinem Felsennest. Ihre Präsenz war beeindruckend und wohlwollend, aber ihr hohes Alter hatte ihren Körper gebeutelt.

Als sie sprach, überraschte ihn die Kraft und Schönheit ihrer Stimme.

«Junger Mann, ich habe dich hierher eingeladen, damit du unserem Rat der Heilerinnen dein Wissen über tödliche Gifte demonstrieren kannst. Da unsere Zeit knapp ist, bitten wir dich, eins auszuwählen und eine Anwendung vorzubereiten. Dafür kannst du die Geräte und Gegenstände auf dem Lehrerpult hinter dir nutzen.»

Raghi erkannte das Spiel, das sie spielten.

Es sei denn, das war eine Falle und sie wollten ihn austricksen. Er sah Kaea an. Sie nickte auffordernd.

Ihre Absichten spielten keine Rolle. Wenn das eine Falle war, dann konnte er es nicht ändern. Zeit, die Show zu beginnen.

«Ich wurde auf den Inseln des Eismeeres geboren. In seinen Gewässern leben drachenähnliche Kreaturen, die — statt durch die Luft zu fliegen — durch die bodenlosen Tiefen der Ozeane gleiten und sich von den Strömungen treiben lassen. Gelegentlich findet man am Strand ein totes Exemplar. Wenn das passiert, kann man das Gift aus dem Stachel am Schwanz des Tieres extrahieren. Getrocknet verwandelt es sich in weiße Kristalle, die leicht zu lagern sind.»

Raghi nahm eine winzige Flasche aus seinem Beutel. «Einige wenige Kristalle aus dieser Flasche töten einen Ochsen. Sie sind farblos und haben keinen Geschmack. Weder Hitze noch Kälte zerstören ihre Wirkung. Wer sie versehentlich einnimmt, schläft ein und wacht nie wieder auf.»

Zu den Gegenständen auf dem Lehrerpult gehörten ein leeres Glas und eine Flasche mit einer transparenten Flüssigkeit, offensichtlich Wasser. Raghi hob das Glas hoch. «Bei der Zubereitung einer Dosis muss man entweder einen nur für dieses Gift reservierten Spatel verwenden, den man danach in einem Glasbehälter aufbewahrt, oder gar keinen Spatel, da es fast unmöglich ist, das Gift abzuwaschen.»

Er maß geübt fünf winzige Kristalle in das Glas. Alle Lehrlinge konnten das Zittern ihrer Hände selbst in der furchteinflößenden Gegenwart des Meisters kontrollieren. Jene, die es nicht schafften, starben einen frühen und grausamen Tod.

Und war das Leben nicht ein einziger Scherz? Dieses Gift kannte er nicht aus der Gilde. Seine Mutter und sein Vater hatten damit ihre Feinde beseitigt. Seltsam, dass sie es nicht an ihm ausprobiert hatten, ihrem verhassten Sohn!

Er goss Wasser auf die Kristalle. Einmal herumwirbeln, dann ein weiteres Mal. Sie lösten sich auf. «Das Gift ist bereit», sagte Raghi.

Die alte Heilerin drehte den Kopf zum Eingang, wo ein Mann stand und wartete. Er öffnete die Tür, um Mari, ihren Mann und ihre Familie hereinzulassen.

«Ich sehe, du willst mich ein weiteres Mal um Hilfe bitten, Mari», sprach die alte Heilerin. «Das ist kein guter Zeitpunkt, aber ich verstehe deine Verzweiflung. Bitte komm zu mir. Du auch, junger Mann.» Sie nickte Raghi zu. «Und lass das Glas auf dem Lehrerpult stehen. Es ist zu riskant, mit einem so tödlichen Gift herumzulaufen.»

Raghi gehorchte und ging der alten Heilerin entgegen. Vorsichtig stieg sie die steilen Stufen zum Fuß der Treppe hinab. Er zwang sich, sich nicht umzusehen. Einen Moment später standen Maris Mann und Familie neben ihm. Die kranke Frau war nicht bei ihnen.

Es konnte sich nur noch um Augenblicke handeln.

«Mari, nicht!», schrie eine Heilerin in den oberen Rängen.

Raghi fuhr herum. Das Gift wirkte bereits. Mari brach zusammen.

Mit ihrem Tod brandete eine Welle von Geräuschen auf. Leute rannten herum und schrien, während die alte Heilerin Befehle gab. Maris Familie versammelte sich um ihre Leiche.

Dann herrschte Stille.

Maris Geist erhob sich aus seiner sterblichen Hülle. Sie weinte, und ihr Gesicht zeigte ein wildes Durcheinander von Emotionen. Raghi sah immense Erleichterung und etwa ebenso viel Traurigkeit und Bedauern. Dankbarkeit kämpfte mit Wut, Liebe mit Bitterkeit. Mit flüchtigen Fingern berührte sie jedes Familienmitglied.

Schließlich fand ihr Blick Raghis.

«Danke!», sagte sie, ihre Stimme stark für einen so neuen Geist.

Und verschmolz mit der Ewigkeit.

Raghi blinzelte. Während er das gerade Geschehene zu verarbeiten versuchte, kam ihm eine schmerzliche Erkenntnis. Der Meister hatte immer behauptet, dass Raghi eines Tages sein Schicksal erfüllen und zum Mörder werden würde, so wie es ihm bestimmt war.

Dieser Tag war gekommen. Und der Meister hatte gewonnen.

20

In jener Nacht sehnte sich Raghi nach dem Vergessen, konnte aber nicht schlafen. Er starrte auf die Bretter, die den Lattenrost für die darüberliegende Matratze bildeten. Durch den Spalt zwischen den Schranktüren drang ein sanftes Glühen, das alle Konturen definierte. Wie stets hatte Naveen ein Licht im Vardo brennen lassen.

Die Atmung des jungen Ghitains war vor langer Zeit tief und regelmäßig geworden. Er schlief immer sehr ruhig. Für Raghi hätte er sich gerne herumwälzen dürfen.

Zumindest hätte er dann etwas zum Zuhören gehabt.

Er starrte auf die Unterseite der Matratze, die er durch die Spalten zwischen den Brettern sehen konnte. Wie alles im Leben der Ghitains war sie farbig und zeigte das intensive Blau eines Abendhimmels.

Vielleicht sollte ich winzige Silbersterne anbringen, überlegte Raghi und hasste sich selbst, weil er dem eigentlichen Problem auswich.

Sein Leben war von Anfang an nicht einfach gewesen. Grausame Eltern und Geschwister, ein kränklicher Körper, der ihn beim geringsten Anlass im Stich ließ, und die triste und isolierte Lage der Königsburg bildeten den Kerker seiner Kindheit. Trotz dieser Zwänge hatte er nie aufgegeben. Andere hatten kein Recht zu entscheiden, wie er lebte und starb. Widerspruch diente ihm als Ersatz für Perspektiven. Und er hatte sich immer eingeredet, dass niemand ihn zu lieben brauchte — was nicht so gut funktionierte. Das Verlangen nach Zuneigung nagte an seiner Seele, solange er denken konnte. Aber dieses Nagen änderte nichts an der Tatsache, dass man sich an die einsamen Wege gewöhnen konnte, sogar an jene durch eine trostlose, kalte und düstere Wüste, die sich bis zur Ewigkeit zu erstrecken schien.

Aber seine Kraft war nicht unerschöpflich.

Heute hatte er sein Ehrenabzeichen zurückgegeben. Er war nicht mehr der einzige Auftragsmörder, der seine Lehre nie beendet und nie mit eigenen Händen getötet hatte.

Zu blöd, dass er erst jetzt erkannte, wie viel ihm diese einfache Tatsache bedeutet hatte! Und dass sie eine wichtige Säule seines Selbstwertgefühls bildete …

Gleichzeitig bereute er es nicht, Mari geholfen zu haben. Die Momente unerträglichen Schmerzes in seinem Leben waren gekommen und gegangen. Zu wissen, dass jedem Folterknecht irgendwann langweilig wurde, hatte ihm geholfen durchzuhalten.

Maris Schmerz hatte jede Sekunde und Minute ihres Lebens ausgefüllt. Dass sie unter diesen Umständen geistig gesund geblieben war, bewies ihre unbezwingbare Stärke, ihre Liebe zu ihrer Familie und die Liebe, die sie ihr zurückgaben.

Raghi stieß frustriert den Atem aus.

Das Leben war ihm schon immer kompliziert erschienen. Es galt so viele Regeln und sinnlose Rituale zu beachten. Und die meisten Menschen waren gierige Bastarde, die von den niedrigsten Instinkten angetrieben wurden.

Aber es gab eine zweite, andere Seite des Lebens. Wer das Glück hatte, auf jener Seite geboren zu werden, erlebte Liebe und Zuneigung, die dem ansonsten sinnlosen Tanz Bedeutung verliehen.

Durch ihre bloße Existenz veränderten diese Individuen die Welt zum Besseren.

So wie die Ghitains. Aufgrund seines Reichtums musste Aeriels Quellen das ganze Jahr über ein glückliches Dorf sein, aber die Fahrenden hatten den Dorfbewohnern zusätzliche Lebensfreude gebracht. Davon zeugten glänzende Augen, fröhliches Lachen und die entspannte Atmosphäre des vergangenen Festes.

Kein Wunder liebte es Naveen, ein Ghitain zu sein.

Raghi hingegen gehörte einfach zu dem nutzlosen Lärm, der diese Welt erfüllte und sich wie Staub über das Leben glücklicher Menschen legte.

Könnte er doch diese Tatsache seinem Beruf zuschreiben! Aber das wäre eine Lüge. Sein Dasein war ein Murks, aber viele andere Auftragsmörder erfüllten ihr Leben mit Sinn. Es würde immer Schafe und Wölfe geben, und die Mächtigen hatten immer schon die Schwachen ausgebeutet. Ein Instrument des Todes zu sein, musste deine Seele nicht beflecken.

Er erinnerte sich an Emilio, den Wolf des Südens, der vor ihm die Treppen hinuntergestiegen war. Emilio hatte das Leben eines schwarzen Ritters und barmherzigen Todesengels gelebt. Keins seiner Opfer musste je leiden. Und er fügte seinen Taten nie seine eigene Gerechtigkeit hinzu.

Wie hatte der Meister gewütet, als Emilio verschwand!

Er hatte sich sogar zum Narren gemacht, indem er in eine Geheimversammlung von Eternas Richtern eindrang, sie beschimpfte und verlangte, dass sie ihm seinen besten Auftragsmörder zurückgaben.

Ich frage mich, wie seine Reaktion auf mein Verschwinden ausfiel. Erleichterung? Verachtung? Hat er überhaupt bemerkt, dass ich weg bin?

Es spielte keine Rolle. Der Meister würde nie erfahren, dass er gewonnen hatte. Oder dass Raghi aufgegeben hatte.

Es war an der Zeit, es zu beenden.

In dieser Nacht.

Auf diese Weise konnte Raghi eine letzte Neugier befriedigen. Die Essenz des Multiversums. Naveens grausame Geschichten hallten noch immer in seinem Geist wider, und er wollte wissen, ob sie zutrafen.

Er kroch aus dem Bett. Als er an dem Knoten aus schiefen Drachenkörpern vorbeischlich, hob nur ein einziges Tier den Kopf und starrte ihn mit der üblichen Verachtung an. Die kleinen Bastarde schmollten, weil Naveen am Abend zuvor den Ofen nicht in Gang gesetzt hatte. Selbst ein bequemer Korb mit weichen Kissen hatte sie nicht beruhigt.

Oder sie betrachteten ihre gesamte Existenz als Enttäuschung.

Stellt euch hinten an, dachte Raghi.

Er öffnete lautlos die Tür und senkte sich über die Kante der Plattform auf die Wiese hinab. Die Treppe war keine Option. Jede einzelne

Stufe knarrte und stöhnte, und die Struktur des Fahrzeugs verstärkte die Geräusche wie eine Trommel.

Der Vardo der Tiere stand direkt hinter dem von Naveen.

Raghi machte einen Schritt und fuhr zusammen, als ihn ein unerwarteter Feuerstoß traf.

Die Leitstute der Drachenpferde war auf der Jagd, ihr Körper eins mit der Dunkelheit.

«Du hast mich fast zu Tode erschreckt», flüsterte er und streichelte ihre Nase. Zu schade, dass sie es nicht geschafft hatte. Aber dann könnte er das Geheimnis der Essenz des Multiversums nicht mehr ergründen.

Raghi sah sich um.

Seine letzte Nacht auf der Welt war dunkel und still. Der Mond verbarg sein Gesicht hinter den Wolken. Die Ghitains hatten aus Sicherheitsgründen alle Lagerfeuer gelöscht, wie sie es immer taten.

Mit der untergehenden Sonne war die Luft frostig geworden, trug aber dennoch das Versprechen des Frühlings und milder Tage.

Raghi ging zum Tiervardo und stemmte sich auf die Plattform hoch. Als er die Tür öffnete, flutete goldenes Licht heraus. Naveen ließ im Innern immer Lampen mit dem magischen Feuer der Ghitains brennen.

In dieser Nacht zeigte sich der Innenraum des Vardos als Stern. Einige Tiere ruhten allein in ihren Ecken. Andere Arten mischten sich. Der Katzenpanther und der Luchs bildeten einen einzigen Kringel, und der kleine Elefant kuschelte mit den Doggycorns, die alle auf einem Haufen lagen. Zum Glück waren diese Tiere unsterblich. Die untersten konnten unmöglich atmen.

Die Quelle mit der Essenz des Multiversums stand in der Mitte des Sterns.

Ähnlich wie das Innere des Vardos änderte sie ihr Aussehen nach Belieben. Raghi hatte bereits einen kunstvollen Brunnen mit Drachenfiguren, ein Natursteinbecken und verschiedene Arten von Schalen gesehen. In dieser Nacht entsprang die Quelle in einer schlichten, polierten Metallschale, aber ihre Form war außergewöhnlich — die untere Hälfte einer perfekten Kugel, die kniehoch über dem Plankenboden schwebte.

Raghi trat näher. Um ihn herum hoben die ruhenden Tiere ihre

Köpfe und folgten ihm mit ihren Blicken, aber selbst die quirligen Doggycorns blieben, wo sie waren.

War das ein Traum?

Raghi zwickte sich selbst.

Nein. Er war wach. Warum dann dieses seltsame Beobachten? Er las keine Missbilligung in ihrer Mimik. Desert Rose konnte … hatte das hervorragend gekonnt und ihm mit ihrer Verachtung unmissverständlich gezeigt, wenn sie ihn für einen Idioten hielt.

Die magischen Tiere beobachteten einfach jede seiner Bewegungen und schienen auf etwas zu warten.

«Was?», fragte er sie.

Einige Doggycorns wackelten mit dem Kopf und wedelten. Sonst keine Reaktion.

Raghi zuckte die Schultern. «Tut, was euch gefällt.»

Die Doggycorns und der Elefant ruhten auf weichen bunten Kissen. Raghi erinnerte sich, wie er an einem scheinbar fernen Morgen die zerrissenen zum Stopfen gesammelt und Naveen durch seine unbedachten Worte verletzt hatte. Was war mit den Kissen geschehen? Hatte der Prinz sie heimlich genäht?

Und warum dachte er in der Nacht seines Todes darüber nach?

Auf dem breiten Rand der Halbkugel stand ein silberner Kelch.

Ein Schauer rieselte Raghis Wirbelsäule hinab. Kein Tier benutzte ein solches Trinkgefäß. Das konnte nur bedeuten, dass sein Tod vorherbestimmt war.

Der altbekannte Widerspruchsgeist regte sich in seiner Seele. Wenn er dazu bestimmt war zu sterben, dann sollte er besser verschwinden. Er hatte nie getan, was andere von ihm erwarteten.

Er hörte Hufgetrappel hinter sich. Raghi schaute über die Schulter und erkannte, dass die Leitstute ihm ins Haus gefolgt war. Auch sie beobachtete ihn, ihre Augen voller Konzentration.

Raghi erkannte etwas. Er hatte immer erwartet allein oder durch die Hand von Folterern zu sterben, die ihn verachteten. In diesem seltsamen Vardo würde er unter Freunden sterben, nicht unter menschlichen Freunden, aber trotzdem unter Freunden.

Es war das beste Angebot, auf das er hoffen konnte.

Raghi griff nach dem Pokal. Unerwartet erschien Naveens Gesicht vor seinem inneren Auge. Der Prinz wirkte traurig und gebrochen.

Raghi schüttelte den Kopf. Er war ein Idiot. Naveen würde sich freuen, wenn er seinen Vardo wieder für sich allein hatte.

Er füllte den Kelch. Was hatte Naveen gesagt? Ein schrecklicher und unvorstellbar qualvoller Tod.

Er konnte nicht viel schlimmer sein als sein Leben.

Raghi trank den Kelch in einem Schluck leer und erkannte, dass er sich geirrt hatte.

Sein Bewusstsein war in Millionen Scherben zerbrochen. Sie fügten sich Bruchstück um Bruchstück wieder zusammen, und jede Verbindung durchbohrte seine Seele wie eine stumpfe Klinge.

Raghi fühlte sich schrecklich. Sein Körper brannte, als ob eine Bombe in seiner Brust explodiert wäre und seine Haut von innen versengte, und sein Kopf bestand aus einem einzigen Klumpen Schmerz. Während einem seiner ersten illegalen Wagenrennen hatte sich sein Fahrzeug überschlagen, und ein anderes Team war über ihn gerast. Damals hatte er sich nicht so geschunden und zerbrochen gefühlt.

Mit einem Stöhnen öffnete Raghi ein Auge einen Spaltbreit. Sein Kopf fühlte sich an, als würde er gleich platzen, und er halluzinierte. Warum sonst sollte Moos direkt vor seiner Nase wachsen?

Als er das zweite Auge öffnete, sah er dunkelblau und blinzelte. Das Moos war weiter entfernt, als er anfangs gedacht hatte, und das Blau gehörte zu Najiras Mantel. Sie saß im Dreck und hatte seinen Kopf auf ihren Schoß gebettet.

Er lag auf dem Bauch. Seine Kleidung war vom Schlamm und dem strömenden Regen durchtränkt.

«Warum träume ich? Ich habe mich gerade umgebracht», murmelte Raghi.

Najira hatte ihre Hand auf seinem Hinterkopf. Ihre Finger streichelten seine Kopfhaut. «Ja, das hast du», sagte sie.

Die Missy war nicht gut im Lügen. Trotz seines verwirrten Verstandes erkannte er, dass sie ihm etwas verheimlichte.

«Psst, alles zu gegebener Zeit», sagte sie, als er sich in eine sitzende Position hochstemmen wollte und scheiterte.

Ihre Berührung fühlte sich beruhigend an. Raghi ergab sich ihrer Liebkosung.

«Dein Haar ist sehr weich», beobachtete sie.

«Das kannst du nicht wissen. Es ist tropfnass», knurrte er.

Wie konnte man sich vom Sterben einen Kater holen? Allerdings hatten seine wenigen Versuche im Komasaufen nicht halb so schlimme Auswirkungen gehabt.

«Ich weiß eine Menge Dinge.» Sie klang nachdenklich.

Raghi versuchte, seinen Verstand wieder einzusammeln, und fokussierte auf das erste Thema, das sich ihm bot. «Deine Stimme klingt anders. Sie ist weniger metallisch als bei früheren Gelegenheiten.»

Ihre Hand ging zu seinem Hals und seinen Schultern. Ihre Berührung brachte Entspannung. «Ich versuche mich anzupassen. Ich bin froh, dass es funktioniert.»

Was auch immer sie damit meinte. Warum sollte es Anpassung erfordern, ein Mädchen zu sein?

Es sei denn, sie spielte eine Rolle.

Raghi hob den Kopf und versuchte etwas zu sagen. Der Sog begann, bevor er eine einzige Silbe hervorgebracht hatte.

Verdammt! Wie konnte das sein? Er wachte auf.

ZUERST HERRSCHTE STILLE. Dann flüsterten Kleider, als sich jemand bewegte. Ein tiefes Knurren erklang. Angst erfüllte Raghis Herz. Nur ein einziges Wesen grollte so. Der Dämon hatte sich von ihm getrennt.

Ein zweites Knurren gesellte sich zum ersten, dieses rumpelnd und pulsierend — und ebenso unverwechselbar.

Desert Rose.

Raghi versuchte die Augen zu öffnen. Es gelang ihm nicht.

«Bitte lass uns nach Raghi sehen», flüsterte Naveen irgendwo in der Nähe. «Du kennst mich. Du vertraust mir. Erinnerst du dich?»

Der Dämon knurrte wieder.

«Sei vorsichtig, Naveen. Das ist kein magisches Tier», sagte Kaea, ihre Stimme noch leiser als die ihres Sohnes. Ihr Tonfall deutete darauf hin, dass sie völlig konzentriert war — und im Kampf- oder Fluchtmodus.

«Wenn es kein Tier ist, was ist es dann?» Im Gegensatz zu seiner Mutter klang Naveen so furchtlos und unbekümmert wie immer.

«Etwas, das in diesem Zusammenhang nicht existieren sollte. Oder vielleicht doch, bedenkt man, was wir sehen. Ich weiß es nicht. Ich muss das überprüfen.»

Kleidung knisterte. Wieder knurrte der Dämon. Desert Rose überdeckte den Klang mit ihrem warnenden Rumpeln.

«Genau. Entspann dich einfach. Du weißt, dass ich Raghi nie wehtun würde, obwohl Raghi keine Bedenken hat sich selbst zu verletzen.»

Das klang bitter. Vielleicht hätte er doch auf diese letzte Regung von Zweifeln hören sollen.

Eine derbe Berührung zwischen seinen Schulterblättern. Desert Rose schnaubte ihm in den Nacken. Sie konnte sich wie eine verwöhnte Katze unmöglich machen.

Als das Schnauben nicht half, nieste sie.

Igitt! Er hasste es, wenn sie das tat! Und die Chimäre wusste es. Raghi hätte schwören können, dass sie das Niesen absichtlich herbeiführte, nur um ihn zu irritieren.

Seine Lebensgeister erwachten. Er stemmte sich auf die Ellbogen. Hände packten seine Oberarme und drehten ihn um.

«Raghi, du musst die Augen öffnen.»

Er gehorchte.

Naveens über ihm schwebendes Gesicht wurde leichenblass. «Mutter, das solltest du dir ansehen.»

Jetzt klang der Prinz verängstigt. Warum?

Die Königin erschien in Raghis Blickfeld. Sie erblasste auch, aber weniger als ihr Sohn.

«Hat er sich selbst vergiftet? Raghi, kannst du etwas sehen?»

«Ich kann perfekt sehen», flüsterte Raghi.

Die wenigen kurzen Worte kosteten viel Kraft. Raghis Blick ging zu

Desert Rose, die hinter Naveen aufragte. Sein Mädchen war gewachsen, ihr Körper so massiv wie der des Drachenpferdes an ihrer Seite. Da ihre Doppelhälse länger waren, musste sie beide wölben, damit ihre Köpfe nicht an die Decke des Vardos stießen.

«Wo kommst du her?», fragte Raghi sie.

«Wir wissen es nicht», antwortete Naveen. «Ich schlief, als etwas gegen die Außenwand des Vardos prallte. Ich schaute nach, sah sie und erkannte ihre Aufregung. Sie wollte, dass ich ihr folge. Sie führte mich zu dir. Meine Mutter war schon hier, weil deine Lebensmüdigkeit die Aura des Lagers zerfetzt hatte.»

Oh, ja. Naveen war wütend.

Es schien auch, als wären Mutter und Sohn beide hierher geeilt.

Kaea trug ein Hemd und weite Hosen aus weicher weißer Baumwolle und einen bunten Schal um die Schultern. Die gesunden Strähnen ihres langen grauen Haares fielen ihr offen bis Mitte Rücken.

Naveens Oberkörper war nackt. Er hatte sich nicht mit Anziehen aufgehalten und trug nur einen Lendenschurz.

Als Kaea sich bewegte, erfüllte ein neues Knurren den Vardo.

Raghi wandte den Kopf. Das Ding kauerte neben seiner Schulter. In dieser Position überragte es ihn und Naveen wie eine schwarze Gewitterwolke, aber der junge Prinz schien unbesorgt wegen der Nähe. Raghi hingegen fühlte sich unwohl — und das Ding gehörte zu ihm.

«Wir sollten zu meinem Vardo gehen», sagte Kaea. «Ich habe eine Ahnung, was heute Nacht vorgefallen ist, aber ich muss ein paar Fakten überprüfen. Oder willst du keine Antworten, Raghi?»

Wollte er Antworten? Er war sich nicht sicher. Andererseits hatte er versucht Selbstmord zu begehen, und das Multiversum hatte sein Opfer abgelehnt. Dafür musste jemand bezahlen.

«Ich zittere vor Erwartung», spottete Raghi.

Das trug ihm finstere Blicke aller Anwesenden ein, einschließlich seines Dämons.

21

«War es nicht seltsam, wie alle Tiere uns regungslos beobachteten?», flüsterte Naveen, als sie den Vardo verlassen hatten.

Ohne die Unterstützung seines Freundes hätte Raghi keinen einzigen Schritt geschafft. Seine Beine waren wie gelähmt und seine Sinne trüb. Die giftige Essenz des Multiversums hatte ihre Spuren hinterlassen. Bedeutete das, dass er seine verbleibenden Lebenstage als Krüppel verbringen musste? Das wäre so etwas von unfair.

Naveen schauderte. «Diese Nacht fühlt sich völlig falsch an. Als wir ins Bett gingen, war alles wie immer. Die Gerüche des Frühlings erfüllten die Luft. Eulen jagten. Die Bäume und das Gras raschelten in der Brise und durch die Bewegungen nachtaktiver Tiere. Jetzt ist der Winter zurückgekehrt, und alles scheint den Atem anzuhalten. Ich verstehe nicht, was du getan hast. Das Trinken der Essenz war schlichtweg dämlich, aber ich wusste nicht, dass es ein Sakrileg darstellt. Aber warum sonst sollte das Multiversum den Atem anhalten?»

«Weil etwas Außergewöhnliches passiert ist. Etwas aus den Legenden vom Anbeginn der Zeit. Es war kein Sakrileg, aber vielleicht die größte Torheit, von der wir je gehört haben.»

Kaeas deutliche Worte provozierten Raghis Stolz. «Ich bin immer gerne bereit, mein Schlimmstes zu geben.»

Naveen blieb wie erstarrt stehen. Raghi stürzte fast, weil er seine eigene Bewegung nicht rechtzeitig stoppen konnte.

«Hör auf!», zischte der Prinz. «Du verhältst dich wieder so, wie als du hier angekommen bist. Wir sind deine Freunde, obwohl du unsere Zuneigung nicht verdienst. Erweise uns wenigstens den Respekt, den wir verdienen.»

Raghi fühlte sich plötzlich mauseklein. «Du hast recht, und es tut mir leid.»

«Ich habe recht, und wir werden sehen, ob es dir tatsächlich leidtut. Tu mir einfach einen Gefallen und benimm dich. Sonst gebe ich meiner kochenden Wut nach und reiße dir den Kopf ab.»

Raghi nickte. «Verstanden.»

Während ihres leisen Gesprächs hatte Kaea das Lager mit Sorge beobachtet. Aber alle Wagen blieben dunkel, und nichts rührte sich.

Sie erreichten den Vardo der Königin. Er war unbeleuchtet. Baz stand als Schatten in der offenen Tür. Sein konzentriertes Starren verursachte Wellen der Energie auf Raghis Haut.

Er schauderte.

Sie gingen hinein. Kaea kam als Letzte mit einem geflüsterten Befehl an Desert Rose und das Drachenpferd.

Baz wich vor ihnen zurück, bis das Bettpodest seinen Rückzug stoppte. Er ließ den Dämon an Raghis Seite nicht aus den Augen. Die Umrisse des Ghitains verschmolzen mit der Dunkelheit im Inneren des Vardos. Nur die katzenartige Reflexion seiner Augen bewies seine Anwesenheit. Ihr Glanz veränderte sich nie. Musste Baz nicht blinzeln?

Kaea schloss die Tür. Eine Handbewegung entzündete das magische Feuer in mehreren Laternen.

Raghi schloss geblendet die Augen.

«Setz dich!», befahl die Königin.

Naveen schob Raghi auf einen der Stühle, die den zierlichen Tisch umgaben.

Es dauerte eine Weile, bis Raghi die Augen offen halten konnte. Er fand sich im Fokus aller.

Aus irgendeinem bizarren Grund erschien ihm die häusliche Szene seltsam. Hier saß er in einem der bekannten Vardos, aber der Ort schien nicht Teil der normalen Welt. Vielleicht lag es daran, dass die Vardos von Chandana, Naveen und sogar jener der magischen Tiere farbenfrohe, unübersichtliche Räume ohne gerade Linie oder rechten Winkel waren.

Wie bei Raghis früherem Besuch mit dem Bürgermeister war Kaeas Vardo undekoriert, und jede Oberfläche — abgesehen vom winzigen schwarzen Ofen und dem Hitzeschutz aus Metall dahinter — bestand aus weißen Holzlatten, hinter denen sich Regale und Stauraum verstecken mussten. Sogar die Bettwäsche war weiß.

Wie konnte der Ort so aufgeräumt sein? Um diese Zeit hätte Raghi erwartet, dass irgendwo Kleider hingen oder Schuhe aufgereiht standen, damit sie am Morgen wieder benutzt werden konnten.

Nichts.

Kaeas Starren begann ihn zu ärgern.

«Ich weiß, dass ich dämlich war. Könntest du mir bitte den Arsch aufreißen und es dann gut sein lassen?»

Baz und Naveen zischten. Volle Punktzahl für sein respektloses Benehmen!

«Das kommt später. Im Moment versuche ich zu entscheiden, ob ich dir vertrauen kann. Ob wir alle dir vertrauen können.»

Sie ließ das einsinken.

«Ich denke, wir können ihm vertrauen. Raghi geht immer den einsamsten, gegensätzlichsten und schwierigsten Weg, aber Ehre leitet seine Entscheidungen. Er wird unser Vertrauen nicht enttäuschen.»

Baz. Also steckte doch mehr in diesem sympathischen, stillen Mann.

«Naveen?» Die Königin sah ihren Sohn an.

«Ich denke, wir sollten ihm in den Arsch treten und ihn alles selbst herausfinden lassen. Er dachte keinen Moment lang an uns, als er die Essenz des Multiversums hinunterstürzte.»

Naveens Wut schmerzte schlimmer als alles, was Raghi je erlebt hatte. «Das ist so nicht wahr. Ich dachte an dich, bevor ich den Kelch nahm — und sagte mir, dass du froh sein wirst, deinen Vardo wieder für dich zu haben.»

Naveen schnaubte und wandte sein Gesicht ab.

«Welchen Kelch?», fragte Kaea.

Raghi wagte es, ihren Blick zu erwidern. «Da stand einer auf dem Rand des Brunnens.»

«Ich denke, du solltest nachschauen, und es auch ihm zeigen, Liebes», sagte Baz.

Mit einem schweren Seufzen ging Kaea zu einem ihrer Schränke und öffnete die Doppeltüren.

Das Innere des Vardos verschwand, und Raghis Augen wurden weit. «Was ist das?», keuchte er.

Kaea öffnete ihre Arme in einer ausladenden Geste. «In Ermangelung einer besseren Beschreibung: das Uhrwerk des Multiversums und all seiner Wesen. Du kannst die Treppen der Ewigkeit als Spirale aus Licht dort drüben sehen. Die dünnen leuchtenden Linien um uns herum, die sich umeinander winden, trennen, beginnen und enden, sind die Lebensstränge aller Wesen, die jemals sein werden. Das ist mein Handwerk. Ich bin eine Seherin von allem, was ist, war und Gestalt annehmen wird. Es wird auch als das Handwerk der Drachenfürsten bezeichnet. Es ist ein außergewöhnliches Geschenk und ein Segen, und zugleich der schlimmste Fluch, den man sich vorstellen kann. Ich sehe so selten wie möglich hin, denn wenn ich es tue, sehe ich immer zu viel. Was ich sah, kann ich nicht wieder vergessen, und es erfüllt mein Herz mit Traurigkeit. Kein Sterblicher sollte eine solche Gabe besitzen.»

Raghi starrte mit offenem Mund. Sein Nacken beschwerte sich, als er sich umsah und versuchte alles aufzunehmen.

Sie schienen in den dunkelblauen Nachthimmel gestürzt zu sein, direkt zwischen die Sternenhaufen, die sich um sie herum erstreckten. Aber im Gegensatz zu den Sternen waren die Lichter nicht weiß. Leuchtend orangefarbene Energielinien, umgeben von gelben und orangen Glitzerpunkten, bildeten die Treppen der Ewigkeit. Sie dehnten sich aus, so weit er sehen konnte, bevor sie sich in den Tiefen der Zeit oder worin auch immer verloren.

Die Lebensstränge schlängelten sich zu Tausenden, vielleicht auch zu Millionen, durch den Raum und existierten in verschiedenen Farben. Je nachdem, wohin er seine Aufmerksamkeit lenkte, kam ein bestimmtes Set in den Fokus. Eine beträchtliche Anzahl zeigte Brauntöne wie die Äste von Bäumen. Ihre Längen variierten. Einige waren lang, andere kurz.

«Das sind die Lebensstränge der sterblichen Menschen», erklärte Kaea.

Raghi erkannte, dass sein Fokus den Aspekt des Uhrwerks für alle Anwesenden veränderte, und fragte sich, ob das etwas bedeutete.

«Wenn du suchen würdest, könntest du meine, Bazs und Naveens finden.»

Das war definitiv etwas, das er nicht sehen wollte.

Andere, viel längere Lebensstränge leuchteten silbern. Es gab nicht so viele von ihnen, obwohl Raghi ihre Anzahl unmöglich schätzen konnte.

«Das sind die Lebensstränge der Drachen und aller Unsterblichen mit Drachenblut. Hier erwarte ich deinen zu finden.» Kaeas Stimme war zu einem Flüstern geworden.

Raghi fragte sich, ob er sie richtig verstanden hatte. Das war unmöglich. Das konnte nicht sein, oder? Er, ein Unsterblicher? Mit Drachenblut?

Das war absurd, albern, sinnlos, unmöglich …

Es ist das Einzige, was Sinn macht.

Wo kam diese kleine Stimme her?

In seiner Verwirrung achtete er nicht auf seine Atmung. Ein Erstickungsanfall umschnürte seine Brust und seinen Hals.

«Verdammt, Raghi. Hör auf damit und werde endlich erwachsen», zischte die Königin. «Ich habe dir gerade gesagt, dass du unsterblich bist. Das alles entsteht in deinem Kopf, verursacht durch deinen masochistischen Drang, dich selbst zu bestrafen. Selbst wenn du in der nächsten halben Stunde nicht atmen kannst, wirst du nicht sterben. Selbst wenn du nie wieder Luft holst, wirst du nicht sterben. Begreif das endlich und hör mit dem Drama auf.»

Kaeas harte Worte hatten die gleiche Wirkung wie ein Eimer Eiswasser. Sie vertrieben den Anfall, als hätte er nie existiert.

«Wie sicher bist du dir bei all dem?», forderte er sie heraus. Er war es gewohnt, als Narr betrachtet zu werden. Was ihn in seinem früheren Leben mit heimlicher Freude erfüllt hatte, beschämte ihn nun.

«Ziemlich sicher. Lass uns nachsehen.» Kaea streckte ihre Hand in die Dunkelheit zwischen den Lebenssträngen und konzentrierte sich.

Raghi spürte einen Zug in seinem Herzen.

«Tatest du das, nachdem ich dir Lyrrhodenais Namen sagte? Fühlte er, wie du seine Vergangenheit überprüftest?», fragte er alarmiert. Wenn ja, hatte er seine Freunde in schreckliche Gefahr gebracht.

«Ich tat es, und er fühlte es nicht. Niemand tut das. Ich frage mich, warum du es kannst.»

Bislang hatte sich ihr Blickwinkel auf das Uhrwerk nicht verändert, obwohl einzelne Teile wie die Treppen der Ewigkeit sich bewegten. Nun schien alles zu kippen und sich neu zu ordnen. Der visuelle Effekt war schwindelerregend.

«Hier kommt er», sagte Kaea.

Sie trieben durch den Raum zwischen den Lebenssträngen, bis sie einen hässlichen und unförmigen silbernen erreichten.

«Ich wusste von deinem Widerspruchsgeist, Raghi, aber ich wusste nicht, dass du auch schlampig bist. Dein Lebensstrang sieht aus wie die Schöpfung eines betrunkenen Silberschmieds», scherzte Naveen.

Kaea fing den Lebensstrang gegen ihre Handfläche, damit er nicht wegtreiben konnte.

«Shh, Naveen. Das ist kein Grund zum Scherzen, egal wie berechtigt deine Wut auf deinen Freund ist. Raghis Lebensstrang sieht so aus, weil sich ein zweiter darum windet. Aber das Wichtigste zuerst. So wie der Strang aussieht, sollte unten die Zukunft sein. Also müssen wir nach oben gehen, um in deine Vergangenheit zu schauen.»

Kaea zog am Lebensstrang, als wäre er ein Glockenzug. Die kleine Bewegung ließ sie nach oben driften. Davon ausgehend, dass «oben» sich dort befand, wo Raghis Kopf war.

«Ist die Vergangenheit immer oben?», fragte er und schloss die Augen, um den Schwindel zu kontrollieren.

«Nein, das Uhrwerk ordnet sich nach Belieben an. Nur wenn man sich einen Lebensstrang ansieht, kann man herausfinden, wo er beginnt. Wenn du in die Vergangenheit von jemandem schauen möchtest und dich vertust, siehst du den Tod der Person.»

Als Raghi die Augen wieder öffnete, hielt Kaea das zerbrechliche Ende seines Lebensstrangs fest. Es war braun geworden.

«Es ist, wie ich vermutet habe. Wenn du dir deinen Lebensstrang ansiehst, Raghi, wirst du erkennen, dass er mit etwa neun Zehntel Braun und einem Zehntel Silber beginnt. Wäre dein Leben normal verlaufen, hätte sich dieses Zehntel nie aktiviert. Du wärst erwachsen geworden, hättest das Leben eines sterblichen Mannes gelebt und wärst gestorben, als es Zeit dafür war.»

«Was ist passiert?», flüsterte Naveen. Seine Augen waren riesig.

Raghi konnte es sich vorstellen.

«Denk an das, was Raghi uns gesagt hat. Seine Eltern erkannten, dass ihr Kind anders war. Sie fürchteten, was sie sahen, und versuchten ihn zu töten. Der Grundcharakter eines Lebewesens ändert sich nicht. Wir tragen den Samen vom Moment unserer Zeugung an.»

«Sein Widerspruchsgeist und seine Sturheit ließen ihn überleben. Er weigerte sich ermordet zu werden», vermutete der Prinz.

«Ja.» Kaea ließ den Lebensstrang durch ihre Finger gleiten und beobachtete, wie der silberne Teil immer stärker wurde. «Soweit ich das sehe, starb Raghi in seiner Kindheit und Jugend etwa hundert Tode. Als er in unserer Mitte ankam, war nur ein kleiner Bruchteil seiner Sterblichkeit übrig. Indem du die Essenz des Multiversums trankst, Raghi, hast du diese letzte Spur weggebrannt und dich unsterblich gemacht. Deshalb haben sich deine Augen verändert, und deshalb scheint die Natur den Atem anzuhalten. Heute Nacht wurde ein wahrer Unsterblicher geboren.»

Das Uhrwerk des Multiversums arbeitete in reiner Stille. Als Kaea zu sprechen aufhörte, stürzte diese Stille auf Raghis Bewusstsein ein und füllte es aus. Der höllische Lärm, der Eterna am Markttag erfüllte, verblasste dagegen.

Denn in der Stille konnte er sich selbst denken hören.

Das konnte nicht sein. Das konnte einfach nicht sein. Konnte sein Leben noch schlimmer werden?

«Bedeutet das, dass ich auf ewig mit meinem beschissenen Ego leben muss?»

Naveen schnaubte, Kaea versteckte den Mund hinter ihrer Hand, und Baz drehte schnell seinen Kopf weg.

«Welchen Aspekt von ‹unsterblich› verstehst du nicht, Raghi? Du teilst jetzt das Schicksal des Reisenden, aber du hast dir das selbst eingebrockt», sagte Naveen bitter und starrte auf seine Hände. In einer anderen Zeit und an einem anderen Ort ruhten sie auf der Tischplatte in Kaeas Vardo. Im Uhrwerk des Multiversums schienen sie im Raum zu schweben.

Kaea ließ Raghis Lebensstrang los und ging zu ihrem Sohn. Ihre Hand fand seine Schulter. «Triff keine Annahmen, Naveen, bis wir so viele Details wie möglich kennen. Nach allem, was ich sah, wurde auch der Reisende nicht unsterblich geboren. Aber während Raghi ein Opfer war, scheint der Reisende Frevel begangen zu haben, um seine Unsterblichkeit zu erlangen.»

Raghi versuchte immer noch, das Geschehene zu verarbeiten. Es half nicht, dass sein Verstand sich im Kreis drehte und seine Gefühle mit ihm durchgingen. In den letzten Minuten hatte er jede Nuance zwischen Triumph, Verzweiflung und Ungläubigkeit durchlebt.

«Warum bezieht ihr euch immer auf meine Augen?», schaffte er es, eine Frage zu formulieren.

Kaea bewegte sich durch den Raum, griff in eine Schublade, die in der Dunkelheit des Multiversums nicht wahrnehmbar war, und brachte ihm einen Handspiegel. Sie schien das Innere ihres Vardos trotz des allgegenwärtigen Uhrwerks zu sehen.

Seine Augen waren purpurn geworden.

Mit ihrer neuen Farbe wirkte er noch verrückter als zuvor schon mit dem langweiligen Braun.

Er gab den Spiegel an Kaea zurück. «Ist das dauerhaft?»

«Unmöglich zu sagen. Basierend auf halb vergessenen Legenden, macht dich die Farbe zu einem Nachkommen der Urdrachen — dem sogenannten Ersten Blut. Sie hatten purpurne Augen und perlweiße Schuppen. Die Linie ist noch älter als die der Drachenfürsten. Abgesehen davon und erneut gemäß den Legenden ist die Abstammung von Drachen jedoch nicht von der Paarung einzelner Drachen abhängig. Es ist auch viel Magie im Spiel. Diese Magie gibt dem, was sein muss, Form.»

Wieder herrschte Stille.

«Wenn ich unsterblich bin, warum muss ich dann pinkeln?»

Naveen schnaubte voller Verachtung. «Auf Raghi ist stets Verlass, dass er alle unangemessenen Fragen stellt!»

Kaea hob eine Augenbraue. Im Gegensatz zu ihrem Sohn wirkte sie amüsiert. «Weil du genau wie jeder andere Mensch bist — mit zwei Unterschieden: Du wirst nicht altern, und nichts kann dich töten. Wenn du nicht isst, wird dein Körper abmagern, aber du wirst nicht verhungern, egal wie dünn du wirst und wie lange du nichts isst. Fällt morgen ein Berg auf dich und drückt dich flach, wirst du jeden Moment spüren, bis die Zeit den Berg erodiert hat. Danach wird dein Körper heilen, und du wirst wahrscheinlich wieder so aussehen, wie du es jetzt tust. Als Nachkomme der Urdrachen hast du möglicherweise Kräfte, die du entwickeln kannst. Aber noch ist alles offen, und du wirst es im Lauf der Zeit herausfinden müssen.»

So beschrieben klang unsterblich zu sein viel schlimmer als die Existenz eines sterblichen Menschen.

«Es ist kein Schicksal für Feiglinge, aber vielleicht, nur vielleicht, musst du nicht alles selbst herausfinden.» Kaea streckte die Hände aus und bewegte ihre Arme, als ob sie die Türen eines Schrankes schließen wollte.

Das Uhrwerk verschwand, und sie befanden sich wieder im Vardo der Königin.

«Baz?», forderte sie ihren Mann auf.

Er stieß sich vom Bettpodest weg und kam näher.

«Darf ich ihn berühren?», fragte Baz jemanden hinter Raghi.

Als Raghi aufblickte, wurde ihm klar, dass das Ding immer noch dort stand. Es antwortete Baz mit einem sanften Knurren.

Baz griff nach Raghis Kehle, aber seine Fingerspitzen landeten nicht auf seiner Haut. Stattdessen berührten sie den winzigen Stinkdrachen, den Raghi immer noch wie einen Halsreif trug.

«Herrin, bitte zeig dich.»

Raghi wartete darauf, dass etwas passierte, aber der kleine Drache reagierte nicht.

Nach einem langen Moment schloss Baz die Augen und atmete ein. Obwohl seine Finger Raghi nicht berührten, strömte ein Kribbeln von seinem Hals über seinen ganzen Körper.

«Herrin, bei allem Respekt, ich befehle dir, dich zu zeigen!»

Das Kribbeln nahm zu, bis Raghi aus seiner Haut zu springen

drohte. Plötzlich schien kaltes Wasser über seine Brust, Schultern und seinen Rücken zu fließen.

Baz trat zurück, bis er neben seiner Frau stand.

Ein Schatten materialisierte neben Raghi. Er nahm die Form eines Mädchens mit wirrem braunem Haar an, das einen dunkelblauen Umhang, einen taillierten Mantel und Leggings trug. Sie kam ihm bekannt vor, vielleicht weil sie wie die Frauen der Eisinseln gekleidet war.

Die Erkenntnis dämmerte. Er hatte sie mit diesem Kleid versorgt.

«Du bist das Mädchen aus meinen Träumen. Najira nanntest du dich.»

Kaea und Baz tauschten einen besorgten Blick.

«Kein Wunder war die Aura aufgewühlt», sagte Baz. «Wir luden einen jungen Mann und seine Familie in unsere Mitte ein, als sie unsere Hilfe brauchten. Mit ihnen kam ein Drache, der sich vor seinem Peiniger versteckt.»

Najira ein Drache? Die kleine Missy mit dem wilden Haar und den stets unordentlichen Kleidern? Unmöglich. Im Moment klebte Laub am Fell ihrer Manschetten, der Kapuze und des Saums. Raghi fühlte den Drang es zu entfernen.

Das Mädchen sah etwa vierzehn und hilflos aus.

Aber ihre Wunden und die Geschichte von Grausamkeit und Missbrauch, die sie erzählten … Konnte es sein?

«Herrin, spürtest du, dass Raghi ein Unsterblicher ersten Drachenbluts war, als du dich an ihn bandst?», sprach Baz Najira an.

Najira wandte sich Raghi zu, ihre Miene voller Sorge und Angst.

Er erhob sich und nahm ihre Hände, die wie die Flügel eines hilflosen Vogelkindes flatterten. Sie überraschte ihn, indem sie sie befreite und sich in seine Arme stürzte.

Könnte dieses zitternde Mädchen wirklich ein Drache sein? Ihr Körper war zerbrechlich, und obwohl er nicht hochgewachsen war, reichte ihr Scheitel nur wenig höher als seine Schulter.

Durch ihre Nähe öffnete sich ein Damm in seinem Kopf. Die Erinnerung an seine verschiedenen Träume stürzte auf ihn ein. Leider erinnerte er sich auch daran, welchen Beschützerinstinkt sie in ihm geweckt hatte.

«Du solltest antworten, Najira. Die Ghitains sind gute und gerechte Menschen.»

«Kann ich nicht einfach bei dir bleiben? Selbst als dieser Bastard direkt vor dir stand, konnte er mich nicht spüren. Bei dir bin ich sicher.» Sie schluchzte.

Der leise, hilflose Klang riss sein Herz fast in Stücke. Raghi vermutete, dass sie ihn zu manipulieren versuchte. «Wir können das später verhandeln. Im Moment ist Vertrauen angesagt.»

Hoppla, wann war er so vernünftig geworden?

Er klaubte sich ihre Hände vom Rücken, wo ihr Griff Striemen hinterlassen hatte, und drehte sie Kaea und Baz zu.

«Beantworte Baz' Frage», befahl er ihr. «Warum ich?»

Wieder das leise Schluchzen. Sie rieb sich mit den Knöcheln die Augen. «Deine Seele war die einzige, der ich je in meiner Dunkelheit begegnet bin. Bis dahin hatte ich gedacht, ich wäre ganz allein. Sie wirkte dunkel und hatte ihren eigenen Schatten. Aber sie war besser als nichts.»

Das klang nicht schmeichelhaft. «Übertreib es nicht mit dem Lob, sonst werde ich eingebildet.»

Sie sandte ihm einen finsteren Blick über ihre Schulter. «Du hast nach der Wahrheit gefragt. Nun musst du sie ertragen.»

Eine wütende Reaktion von Missy Waschlappen? Raghi hielt das für ein positives Zeichen.

Kaea räusperte sich. «Was meinst du mit deinem Alleinsein in der Dunkelheit, Herrin? Ich dachte, Drachen nehmen das Uhrwerk des Multiversums als Ganzes wahr — alles, was ist, war oder sein wird.»

Schluchz. «Wer immer dir das gesagt hat, hat dich falsch informiert. Und hör auf, mich ‹Herrin› zu nennen. Diese Anrede gehört sich für weise ältere Drachen. Ich galt immer als der dümmste und naivste der jungen.»

Ihr Eingeständnis überraschte Raghi. Sie hatten mehr gemeinsam, als er dachte.

«Du bist unverblümt ehrlich, Najira», bemerkte Kaea.

Der Drache zuckte die Schultern. «Warum sollte ich mir die Mühe machen zu lügen? Die Wahrheit kommt immer ans Licht. Wenn nicht früher, dann später. Ich bin dumm. Und ich bin naiv. Wenn dem nicht so wäre, hätte mich dieser hochmütige Mensch nie an sich gebunden. Und sag nicht seinen Namen. Er scheint mich nicht finden zu können, solange ich in Raghis Nähe bin, aber er hat überall und jederzeit Ohren.»

Kaea nickte. «Du wirst uns alles erzählen müssen, was dir passiert ist, aber nicht jetzt. Für heute Nacht reicht es mit dem Drama. Was also müssen wir noch dringend wissen? Versprichst du, alles zu tun, um meine Leute zu beschützen?»

Najira nickte, ohne zu zögern. «Das tue ich. Wenn er mich findet, werde ich nie wieder entkommen. Dieser Mann ist völlig verrückt und erfreut sich an Schmerzen, besonders an seinen eigenen.»

Baz und Kaea teilten einen weiteren langen Blick.

«Ist das, was hinter Raghis Schulter steht, ein Seelenschatten?», fragte Baz leise.

Najira warf einen Blick zurück auf das Ding und nickte. «Du solltest nicht zulassen, dass er sich so lange von dir trennt, Raghi. Sonst wird er stärker und stärker und verschmilzt irgendwann nicht mehr mit dir.»

«Warum sollte ich wollen, dass er mit mir verschmilzt?», fragte er.

«Weil er ein Teil von dir ist. Er wurde aus deinen dunkelsten Momenten geboren, als dein Hass und deine Abscheu für dich selbst deine Seele zu zerreißen drohten. Menschen sterben dann. Unsterbliche trennen sich zur Selbsterhaltung von dieser Dunkelheit und integrieren sie später wieder, wenn die Gefahr vorbei ist. Es ist nicht gut, dass sie so lange als eigenständiges Wesen existiert hat.»

Diese Erklärung machte Sinn und widerlegte Najiras Behauptung, dass sie dumm sei. Leider hatte Raghi keine Ahnung, wie er das Ding wieder mit seiner Seele verschmelzen konnte. Er war sich auch nicht sicher, ob er das wollte.

Ein Knurren hinter ihm bewies, dass jemand anders auch Zweifel hatte.

«Es gibt nichts, was wir im Moment dagegen tun können», fasste Kaea die Situation zusammen. «Ich schlage vor, dass sich alle zurückziehen, während ich dem König der Könige eine Nachricht schicke. Das alles kann ich nicht selbst entscheiden. Hoffentlich weiß er, was zu tun ist.»

22

Raghi folgte Naveen durch das dunkle und stille Lager zu seinem Vardo. Der Prinz sprach kein Wort. Außer ihnen regte sich nichts. Najira hatte sich wieder in eine Stinkdrachenkette verwandelt.

«Du kannst mit deiner Chimäre unter dem Vardo schlafen. Sie ist groß genug, um dich warmzuhalten», sagte Naveen knapp und ging hinein, ohne einmal zurückzuschauen.

Raghi seufzte. Er hätte wirklich auf diesen Moment des Zweifels hören sollen, bevor er die Essenz des Multiversums hinunterstürzte.

Er hatte Freunde in der Gilde gehabt, aber niemand hatte sich je so entspannt und gut angefühlt wie Naveen. Der junge Ghitainprinz hatte seine eigene Magie — eine, die Raghi sehr vermissen würde, wenn er es nicht schaffte, seine Dummheit wiedergutzumachen.

Er kroch unter das Fahrzeug. Desert Rose folgte. Sie war so sehr gewachsen, dass sie kaum Platz hatte, aber dank ihres geschmeidigen Löwenkörpers gelang es ihr. Als sie sich entschieden hatten, was wohin gehörte, lehnte Raghi gegen ihre Seite, ihr Herzschlag wie eine Trommel hinter seinem Rücken. Ihre Hinterbeine und Hälse bildeten einen schützenden Kreis um ihn.

«Ich habe dich so sehr vermisst», flüsterte er und streichelte ihren

Adlerkopf, den er an seine Brust gepresst hielt. «Bitte verlass mich nie wieder, nicht bis in alle Ewigkeit.»

Dumme Tränen! Er war zu alt, um zu weinen ... Er würde nicht weinen ... Diese Nässe in seinen Augen würde trocknen ...

Verdammt!

Er vergrub sein Gesicht in den weichen Federn ihres Halses. Die Chimäre hatte einen einzigartigen, staubigen Geruch. Er erinnerte ihn an alte Knochen, die in der unerbittlichen Wüstensonne bleichten, und an die winzigen Rosen, die nach der Regenzeit an stacheligen Sträuchern blühten. Daher ihr Name.

Ihr Drachenkopf umhüllte ihn mit zärtlichem Feuer. Es fühlte sich anders an als zuvor, stärker.

Raghi schlief ein.

DAS KNURREN von Desert Rose weckte ihn. Er lag an ihren warmen atmenden Körper gekuschelt. Warum fühlte er sich dann so schrecklich? Oh ja, in der Nacht hatte er versucht sich umzubringen, nur um herauszufinden, dass er dadurch unsterblich geworden war.

Das Fell unter seiner Wange gehörte Desert Rose. Aber wer lag hinter ihm und hatte einen Arm um seine Taille gelegt?

Raghi hob den Kopf.

Der Ärmel war smaragdgrün und die Hand auf seiner Brust dunkel. Naveen.

Jemand lachte leise. «Wehe mir, dass ich euer Zusammensein störe, aber ich muss das einfach fragen: Was zum Teufel macht ihr beide unter Naveens Vardo statt drinnen?»

Chandana.

Raghi wandte den Kopf, um sie anzusehen. Die Heilerin stand gebeugt da, um unter den Vardo zu schauen, und grinste von Ohr zu Ohr.

Warum wirkte sie wie ein Schatten? Stimmte etwas nicht mit seinen Augen?

Sein Geist klärte sich, und die Antwort wurde offensichtlich. Sein Sehvermögen funktionierte perfekt. Die Heilerin hatte sie bei Tagesanbruch geweckt. Der Himmel war noch kaum hell, und Tau benetzte das Gras.

Naveen zog seine Hand zurück und stemmte sich in eine sitzende Position. «Ich bin hier unten, weil ich total sauer auf Raghi bin und ihm befahl, mit seiner Chimäre unter dem Vardo zu schlafen», murmelte er. «Aber dann konnte *ich* nicht schlafen, wenn ich an *sie* hier draußen dachte, und als ich nach ihnen sah, ruhten sie friedlich.»

«Und so geselltest du dich zu ihnen, statt Raghi zu wecken und ihn hereinzubitten. Du bist und wirst immer ein weichherziger Idiot sein, Naveen.»

«Nein, bin ich nicht. Ich bin immer noch wütend genug auf Raghi, um ihn zu erwürgen.» Naveen kroch unter dem Vardo hervor, stand auf und streckte sich. Dabei zuckte er mehrmals zusammen.

Raghi folgte. Wenn nur sein Kater sich so einfach vertreiben ließe!

Chandanas Gesicht wurde ernst. «Ja, davon habe ich gehört. Deine Wut wird warten müssen. Wir brechen das Lager früher als sonst ab, weil Kaea heute so weit wie möglich reisen will. Sie schickte auch den geflügelten Luchs mit einer Nachricht zum König der Könige. Darin bittet sie ihn, uns auf dem inneren Kreis zu treffen. Da alle Clans auf dem Weg zum großen Treffen in Eterna sind, sollte dies rasch möglich sein.»

Raghi bemerkte, dass die Vorbereitungen für die Abreise rund um sie herum in vollem Gang waren. «Wie erklärt die Königin die Eile?», fragte er und sah Chandana an.

Ihre Blicke trafen sich an diesem Morgen zum ersten Mal, und sie erblasste.

«Die Augen?», fragte Raghi.

Chandana nickte und trat einen Schritt von ihm zurück. «Kaea weckte vor einer Weile alle und informierte auch den Bürgermeister von Aeriels Quellen. Sie behauptete, dass sie eine alarmierende Vision hatte und dass sie sich mit dem König der Könige über den Reisenden und die Bedrohung, die er für Ghitains und sesshafte Menschen gleichermaßen darstellt, beraten müsse. Sie glaubten es ihr.»

Naveen schnaubte. «Nicht für lange. Nicht, wenn sie Raghis neue Augenfarbe bemerken.»

Chandana sandte ihm einen warnenden Blick. «Die Königin und ich haben uns auch darüber unterhalten. Du darfst nicht zulassen, dass jemand deine Augen sieht, Raghi. In unserem Clan haben nur wenige Zugang zu Magie. Diejenigen, die keinen haben, könnten in Panik geraten. Entweder du behältst deine Kapuze immer oben, oder du versuchst, die Farbe deiner Augen zu ändern.»

Was meinte die Heilerin damit? «Wie das?»

Die Heilerin wackelte nach Ghitainart mit dem Kopf. «Alles Wissen über Drachen ist zur Legende geworden. Daher können wir nicht sicher sein, aber dein Drachenblut sollte dir Zugang zur Magie der Drachen verschaffen. Legenden behaupten, dass alle Drachen ihr Aussehen nach Belieben verändern konnten.»

Wie Najira, wenn sie sich in eine junge Frau verwandelte.

Das ist elementare Magie. Ein Drachenjunges könnte das tun, hörte er ihre Stimme in seinem Kopf und fuhr zusammen.

«Was ist gerade passiert?», fragte Chandana.

Etwas, das ihm nicht gefiel. Raghi hob einen Finger. «Warte.»

Wenn der Drache in der Lage war, per Telepathie mit ihm zu sprechen, musste sie ihn hören, wenn er antwortete. Aber wie funktionierte der Austausch? Seine Erfahrung mit Geistern bot wahrscheinlich eine gute Grundlage. Alles hing vom Fokus und der Ausrichtung der Energie ab.

Er tastete geistig nach ihr, seine Konzentration stark wegen der Wut und Scham, die durch seine Adern rasten. *Najira? Kannst du mich hören?*

Plötzlich erfüllte eine zweite Präsenz — *ihre* — sein Bewusstsein. Es war ein schreckliches Gefühl. Sein Kopf fühlte sich zum Platzen voll an.

Ja, antwortete sie.

Raghi war nicht bereit sich einschüchtern zu lassen. *Hörst du jedem meiner Gedanken zu?*

Ihre mentale Präsenz reagierte mit Spott und verursachte eine seltsame Welle in seinem Bewusstsein. *Das könnte ich, aber ich tue es nicht. Das Gedankenkarussell von euch Menschen ist viel zu anstrengend. Kaum jemand von euch kann seine Aufmerksamkeit auch nur für einen einzigen Moment fokussieren. Und eure Grundbedürfnisse und die Gier nach mehr überschatten alles.*

Ihre Bitterkeit ließ Raghis Wut verpuffen. *Versprichst du, dich von meinen Gedanken fernzuhalten?*

Wieder dieses gruselige Spotten. *Mit Vergnügen!*

Ihre Anwesenheit begann zu verblassen.

Warte! Kannst du mir mit meinen Augen helfen?

Sie antwortete nicht, aber sein Gesicht kribbelte.

Chandana zischte und schien bereit zu fliehen. «Warum kannst du das? Du hast nicht mal geübt.»

Es hatte also funktioniert. Raghi schüttelte den Kopf. «Ich kann das nicht. Sie tat es für mich.»

«Sag ihr, dass der Zauber nicht fehlschlagen darf. Ich werde euch nun euren Vorbereitungen überlassen. Ihr habt etwa fünfzig Minuten. Violet kümmert sich um Mallika, Raghi. Du konzentrierst dich darauf, den Tiervardos reisefertig zu machen. Alles andere ist im Moment zweitrangig.» Chandana drehte sich auf die Ferse um und rannte fast zu ihrem Vardo zurück.

Seltsam, dass die sonst so mutige Heilerin die alte Magie fürchtete.

Raghi wandte sich an Naveen. «Brauchst du Hilfe beim Anspannen der Schecken?», fragte er.

Der Prinz schnaubte. «Ich konnte so etwas allein, bevor du kamst. Ich bin sicher, dass ich noch über die erforderlichen Fähigkeiten verfüge.» Er ließ Raghi stehen, um seine Pferde zu holen.

In seinen Gefühlen verletzt konzentrierte sich Raghi darauf, den Vardo der Tiere vorzubereiten. Es war harte Arbeit die Rampen allein zu verstauen. Jede schien etwa so schwer wie ein Elefant — ein richtiger, nicht die Miniaturausgabe, die ihn durch ihre Luke in der Seite des Vardos beobachtete. Das Tier schien an einem Schluckauf zu leiden, denn es produzierte regelmäßige Spritzer aus Seifenblasen.

Raghi schob das liebenswerte kleine Gesicht ins Innere und achtete besonders darauf, dass der Rüssel nicht zwischen den Rahmen und den Laden der Luke geriet. Die letzte flüchtige Berührung des Tieres fühlte sich an wie eine Liebkosung.

Keines der anderen magischen Tiere zeigte sich, nicht einmal ein Doggycorn. Enttäuscht schloss Raghi ihre Luken.

Er spannte die beiden wartenden Drachenpferde ein.

Die Leitstute kam herbei, um zuzuschauen. Desert Rose begrüßte sie mit einem freundlichen Schnauben. Die Tiere rieben ihre Nasen aneinander und badeten gegenseitig ihre Gesichter mit zärtlichem Feuer.

Raghi beendete seine Vorbereitungen lange vor der festgelegten Abfahrtszeit. Um sich das Warten zu verkürzen, nahm er einen Striegel aus dem Kasten auf der Rückseite des Vardos. Da er ahnte, dass sie an diese Art von Aufmerksamkeit nicht gewöhnt waren, zeigte er dem ersten Tier den Striegel und wartete, bis es ihn ausgiebig beschnüffelt hatte. Dann begann er mit langsamen Bewegungen und wenig Druck entlang des schuppigen Halses. Das Drachenpferd stellte überrascht die Ohren nach vorn und drehte den Kopf, um ihn zu beobachten. Da es gleichzeitig versuchte, ihm den besten Zugang zu seinem Hals zu bieten, wirkte die Bewegung ungeschickt.

Raghi fand Zufriedenheit in den einfachen Momenten. Fell oder Schuppen, Mähne, Stacheln oder Flügel waren egal, solange er um die spitzen Stacheln herum auf seine Haut aufpasste.

Der Striegel entfernte den Staub und hinterließ einen schönen Glanz. Wie hatte er diese Tiere für schwarz halten können? Dunkelviolette Reflexe tanzten über die kastanienbraunen Schuppen und Stacheln des ersten. Das zweite zeigte ein rauchiges Dunkelgrau mit silbernen Reflexen.

Dann war es Zeit aufzubrechen. Raghi nahm seinen Platz im Konvoi ein, der sich durch Aeriels Quellen schlängelte. Die Hufe der Pferde und die stahlbeschlagenen Räder der Vardos verursachten einen unglaublichen Lärm auf dem Kopfsteinpflaster der Hauptstraße.

Trotz der sehr frühen Stunde standen die Dorfbewohner in jedem Fenster und winkten und bliesen ihnen Küsse zu.

Als sie an dem universitätsähnlichen Gebäude vorbeikamen, in dem sich der Hörsaal befand, entdeckte Raghi unter den vielen Frauen das hässliche Gesicht der alten Heilerin und wandte die Augen ab.

Ihre Absicht, einer Dorfbewohnerin zu helfen, hatte den letzten Nagel in seinen Sarg geschlagen.

Er hätte alles dafür gegeben, sein Schicksal nicht zu kennen. Der einzige positive Aspekt von all dem, was seit seinem Aufenthalt im Gebäude geschehen war, bestand aus der Rückkehr von Desert Rose. Sein Mädchen flog hoch oben am Himmel und spielte mit den Drachenpferden.

Sie passierten die Ausläufer des Dorfes. Die Gärten der letzten Häuser verschmolzen nahtlos mit dem dunklen Wald, der in der breiten Schlucht wuchs, in die die Ghitains fuhren.

Die fast senkrecht aufragenden Klippen, die dicht gedrängten Bäume und die schmale Straße sahen nicht vielversprechend aus. Sich selbst überlassen hätte Raghi es nie gewagt, das schwere Fahrzeug hineinzufahren. Aber die Ghitains bereisten diese Wege schon seit Jahrhunderten, wenn nicht gar Jahrtausenden. Wenn sie den Weg nicht kannten, wer dann?

«Du siehst aus, als könntest du Gesellschaft gebrauchen», sagte jemand.

Palash brauchte eine Weile, um sich auf seinem üblichen Platz zu materialisieren.

«Du auch», beobachtete Raghi. «Wie geht es dir?»

Der Geist saß im Schneidersitz. Vergessen war die sorglose Haltung, bei der ein Bein kühn von der Plattform baumelte.

Palash schnaubte und schüttelte den Kopf. «Ich weiß es nicht. Wütend? Verzweifelt? Fuchsteufelswild auf die Person, die mich getötet hat, angenommen, ich wurde tatsächlich getötet? Am Boden zerstört wegen der Beschränkungen dieser geisterhaften Nicht-Existenz? Verletzt, weil Sander nicht wollte, dass ich mich materialisiere?»

Raghi verstand diese Gefühle nur zu gut. «Es tut mir leid.»

«Das braucht es nicht, Junge. Das hat nichts mit dir zu tun. Und du hast genug eigene Probleme. Wenn ich es beenden will, kann ich jederzeit in die Ewigkeit gehen. Du musst es bis zum unendlich fernen, bitteren Ende durchziehen.»

Konnte der Geist noch direkter werden? «Danke, dass du mich daran erinnerst.»

«Ich werde das so lange tun, wie es nötig ist. Es gibt keine sanfte Art das auszudrücken, Raghi. Du musst dich deiner neuen Realität stellen. Auch darum geht es bei der liebevollen Achtsamkeit: Schau dir an, was ist, und stell dich den Tatsachen. Läufst du weg, wird das Ding, vor dem du fliehst, dich in den Arsch beißen und dich runterziehen.»

Das klang nach unbequemen, aber guten Ratschlägen. «Solange wir brutal ehrlich sind, macht mir Naveens Wut am meisten Sorgen.»

Raghi erwartete Hohn. Stattdessen nickte Palash.

«Das zeigt, dass du die richtigen Prioritäten hast. Die Freundschaft eines Ghitains ist kostbar, und die von Naveen die wertvollste von allen.»

Als ob das Problem so einfach wäre!

Raghi seufzte. «Das ist ein Aspekt. Aber es gibt auch andere, noch schwierigere — darunter die Erkenntnis, dass Naveen alt werden und sterben wird, bevor ich auch nur die Hälfte meiner Probleme erkannt habe. Ich habe ewig Zeit, er nur ein paar Jahrzehnte.»

Wann war er so offen und vertrauensvoll geworden? Aber Palash erinnerte ihn daran, wie ein Vater sein sollte. Und er hatte bereits so viel überlebt, dass ein Vertrauensbruch keine Rolle mehr spielte.

Palash wackelte mit dem Kopf als Signal, dass er anderer Meinung war. «Was du bisher beobachten konntest kratzt kaum an der Oberfläche dessen, was es heißt, ein Ghitain zu sein. Du erwähnst ein reales Problem, das aber vielleicht nicht so wichtig ist, wie du denkst. Sieh der Ewigkeit nicht in einem Zug ins Auge, Raghi. Unsterblich zu sein bedeutet, den aktuellen Moment mit Sinn zu erfüllen, dann den nächsten, und dann den darauffolgenden. Das ist liebevolle Achtsamkeit. Setz dir zum Ziel, dich heute mit Naveen zu versöhnen. Wenn es nicht gelingt, versuch es morgen noch einmal, und so weiter.»

«Das klingt nach einem Rat für einen Säufer, der seine Sucht bekämpfen will.»

«Und das ist es auch. Nur wird deine Droge Ewigkeit genannt und ist die gefährlichste von allen.»

Sie fuhren lange Zeit schweigend. Der Wald wurde mit jedem neuen Schritt der Drachenpferde dunkler, launischer und stiller. Bald bildeten die knarrenden Fahrzeuge und die Glöckchen am Zaumzeug eine Insel aus Lärm. Ihre Umgebung war unheimlich still.

Immergrüne Tannen ersetzten die Buchen und Eichen. Ihre moosbedeckten Äste schlossen sich über den Reisenden, bis sie den Himmel verbargen. Wasser tropfte von jeder Nadel und erzeugte einen eigenen eisigen Regenguss. Nebelschwaden wirbelten dicht über dem Boden und wickelten sich um jeden Halm und Stiel.

Hätte Raghi bei ihrer Abreise nicht die ersten Strahlen der aufgehenden Sonne gegen den klaren Himmel gesehen, hätte er angenommen, dass sie durch eine Winternacht reisten.

Nicht nur die Natur war feindselig. Sie waren nicht mehr allein. Dinge bewegten sich im Unterholz, und Raghi spürte die Anwesenheit von Raubtieren.

Unerwartet leuchteten die Laternen seines Vardos auf. Ebenso wie die von Naveens Vardo vor ihm.

«Was habe ich getan?», fragte er alarmiert.

«Nichts. Es ist nur Zeit für eine weitere Lektion über unsere Pflichten. Was auch immer passiert, verhalte dich sanftmütig und verteidige dich nicht.»

Der Wagenzug hielt an.

«Da kommen sie.» Palashs Stimme war düster.

Mit «sie» meinte er maskierte Räuber, gekleidet in Braun, Dunkelgrau und Grün. Eine große Gruppe rannte vorbei in Richtung Ende des Konvois. Zwei hielten neben Raghi. Einer zielte mit einer Armbrust auf seinen Kopf. Der andere hielt ihm die Öffnung eines grob gewobenen Sacks hin.

«Deine Waffen und den Schmuck, Ghitain.»

Raghi zögerte. Sie verhielten sich wie Amateure, und er hätte sie mit Leichtigkeit ausschalten können.

«Gehorche, Raghi!», drängte ihn Palash.

Raghi nahm den Gürtel mit dem silbernen Messer ab, streifte die Armreifen über die Handgelenke und öffnete seine silberne Halskette. Gehorsam steckte er alles in den Sack.

«Da ist noch etwas anderes um deinen Hals. Nimm es ab.»

Raghi zog seinen Schal herunter, um ihnen den Drachen zu zeigen. Im Dämmerlicht war seine Sicht schlecht, und er rechnete damit, dass sie vor der gleichen Herausforderung standen. «Das ist ein entzündeter Tumor, und er ist ansteckend. Viel Spaß mit meinem Schmuck», sagte er mit einem bösen Grinsen.

Sein Kommentar brachte ihm wütende Flüche ein. Für einen Moment schienen sie kurz davor anzugreifen, aber eine weitere Gruppe von Räubern eilte vorbei und lenkte sie ab.

«Beeilen wir uns, sonst werden wir zurückgelassen!», schrie der mit der Armbrust. Sie rannten wie vom Teufel gehetzt los.

«Welches Wort von ‹verhalte dich sanftmütig› hast du nicht verstanden, Raghi?», schrie ihn der Geist an.

«Ich hätte mich mit Leichtigkeit gegen sie verteidigen können!», erwiderte Raghi.

«Das bezweifle ich nicht, aber was, wenn sie Alarm geschlagen hätten? Wie hätte sich Kaea gegen die Räuber verteidigt, die sie bedrohten? Oder Chandana? Oder sogar Naveen? Wir sind in erster Linie eine Gemeinschaft, und als solche passen wir aufeinander auf.»

So ausgedrückt, hatte er alle gefährdet.

«Vielleicht sollte ich einfach gehen», bot Raghi an.

«Das ist unnötig, denn diesmal liegt der Fehler bei uns», erhielt er unerwartete Unterstützung von Naveen. Der Prinz näherte sich, wobei er ihre Umgebung überprüfte. Der dicke Teppich aus Tannennadeln auf dem Waldboden dämpfte seine Schritte, während neblige Wirbel seine Hosenbeine umspielten. «Wir hätten dir erklären sollen, was wahrscheinlich passieren wird, vergaßen es aber wegen all dem anderen, was war.»

Palash wollte nichts davon hören. «Das ändert nichts an der Tatsache, dass dieser Junge nicht zuhört!»

«Dieser Junge hat so lange überlebt, weil er nicht zuhört, Palash. Wenn wir etwas von ihm verlangen, das gegen seine Natur geht, müssen wir ihm unsere Absicht mit liebevoller Achtsamkeit erklären, obwohl wir ihn vielleicht lieber treten würden.»

Wie ein Geist trat die Leitstute der Drachenpferde aus dem bedrohlichen Dickicht und bewegte dabei keinen einzigen Ast und kein Blatt. Ihre glühenden Augen hatten Raghi rechtzeitig auf ihre Anwesenheit aufmerksam gemacht. So erschrak er nicht, aber nie hatte sie für ihn eindrucksvoller ausgesehen.

«Sind sie weg?», wandte sich Naveen an sie.

Sie schnaubte.

«Dann fahren wir weiter. Ich werde Mutter informieren. Was auch immer du zu sehen glaubst, Raghi, folge mir einfach.»

IN DEN DARAUFFOLGENDEN Stunden war Raghi sehr dankbar für Naveens letzte Warnung. Die Straße, die bisher gerade durch den Wald geführt hatte, begann sich zu winden, während das Gelände stetig wilder wurde. Überall lagen Felsbrocken verstreut, die mit majestätischen

Bäumen bewachsen waren. Die Lücken zwischen ihnen wirkten viel zu klein für die Vardos, aber irgendwie kamen sie immer durch.

An einem Punkt konnte Raghi seine Neugier nicht mehr unterdrücken, warf die Zügel zu Palash und sprang vom Vardo. Er eilte seinem Gespann voraus und maß den Durchgang mit den Armen. Seine Handflächen trafen den Fels auf beiden Seiten der Straße, bevor er seine Ellbogen durchgestreckt hatte.

Er eilte aus dem Engpass und machte Platz für den Vardo. Er passte zwischen die Felsblöcke, ohne einmal gegen sie zu kratzen. Das war nicht möglich. Sein Fahrzeug war breiter als die Lücke, und so war Naveens.

Als die Drachenpferde ihn passierten, sprang Raghi wieder auf die Plattform und nahm die Zügel zurück.

«Warum?», fragte er und sah Palash an.

Der schweigsame Geist knurrte, aber er erniedrigte sich zu einer Antwort. Raghi fragte sich, warum er nach ihrer Auseinandersetzung nicht einfach verschwunden war.

«Vor langer Zeit führten die Drachen untereinander Krieg um das Multiversum — ihre eigene Schöpfung —, die ihnen als Schlachtfeld diente. Ganze Welten wurden vernichtet. Andere wurden durch schreckliche Zerstörung dem Tod geweiht. Wenn die Schäden nur isolierte kleine Gebiete betrafen, erholten sich die Welten, nicht aber die Schlachtfelder. Einmal pervertiert, nimmt die Schöpfungskraft ein Eigenleben an. In dieser Gegend ist sie unkontrolliert, aber nicht böse. Um andere Gebiete machen vernünftige Menschen einen weiten Bogen. Wie ich dich kenne, würdest du sie wahrscheinlich absichtlich betreten.»

Raghi rollte die Augen, schwieg aber. Er war sich bei Palashs Einschätzung nicht so sicher. Dieser Wald verursachte ihm Gänsehaut. Er war zu still. Einzig das tropfende Wasser lieferte ein Hintergrundgeräusch.

«Wohin fahren wir?»

«Man sieht es wegen der Bäume nicht, aber die Kluft, der wir folgen, schneidet gerade durch eine tiefe Bergkette. Zwei feindliche Drachen, die sich über die Gipfel und Zinnen gegenüberstanden, sollen sie mit gigantischen Feuerstößen erschaffen haben, die alles im Weg Stehende vernichteten. Tief im Innern der Bergkette, wo sich ihre Feuer in einem Wirbel der Zerstörung trafen, bildete sich eine kreisförmige Lichtung. Es ist ein beängstigender und doch nützlicher Ort. Da der Kampf der gegnerischen Drachen unentschieden endete, blieb die kreative Energie der Lichtung ausgewogen. Die Schlucht auf dieser Seite enthält noch die Restenergie von Jalassar und wird daher Jalassars Schlucht genannt. Er war der Bewahrer, dessen Wahnsinn fast das Multiversum zerriss.»

Die letzte Information kam überraschend. «Ich wusste nicht, dass die Namen der einzelnen Drachen heutzutage noch bekannt sind», sagte Raghi.

«Einige sind es. Die der Besten und Schlimmsten.»

«Du sagst, er *war* der Bewahrer. Heißt das, dass Jalassar tot ist?»

Palash seufzte. «Soweit wir wissen. Die Geschichte der Urdrachen, der nachfolgenden Drachengenerationen und der Drachenfürsten ist geheimnisumwoben und wurde längst zum Mythos. In solchen Fällen kann man es nie sagen.»

Dieses Thema bedurfte später einer eingehenden Diskussion. Was waren die drängenden Fragen? «Werden wir auf weitere Räuber treffen? Oder werden die hinter uns zurückkehren?»

«Gib mir für einen Moment die Zügel, Junge. Mir wird langweilig», lenkte Palash ab.

Raghi gehorchte.

Der Geist spielte mit den langen Lederriemen und zeigte damit einmal mehr seine außergewöhnliche Fähigkeit, Objekte aus der Welt der Lebenden zu manipulieren. Sollte er jemals böse werden, hatten die Sterblichen keine Chance gegen ihn.

Die Berührung der vertrauten Objekte schien Palash zu trösten. «Der Ursprung dieser Räuber ist tragisch und führte zu einer unserer schwierigsten Aufgaben. Alle werden noch heute Abend sterben. Durch unsere Hand, oder — genauer gesagt — durch Kaeas.»

Etwas prallte auf das Dach des Vardos.

Raghi und Palash teilten einen alarmierten Blick.

Raghi signalisierte Palash ruhig zu sein und dass er die Situation überprüfen wollte. Bevor er sich bewegen konnte, schauten zwei bekannte Gesichter über den Rand des Daches auf sie hinab. Zwei

Augenpaare leuchteten in der Dunkelheit, eins orange, das andere blau. Desert Rose.

«Es scheint, als hätte dein Mädchen ihre Magie gefunden. Ohne sie hätte sie die Festung aus Bäumen über und um uns nicht durchdringen können.»

«Ich hoffe es.» Raghi erhob sich und griff nach oben, um ihren Adlerschnabel zu streicheln. «Geht es dir gut?»

Sie atmete Feuer auf ihn, ihre Energie wie eine liebevolle Umarmung.

Raghi setzte sich erleichtert hin. «Erzähl deine Geschichte, Palash. Sie wird uns helfen die Zeit zu vertreiben. Je eher wir aus diesem Höllenwald herauskommen, desto besser. Ich habe Gänsehaut am ganzen Körper. Ich schwöre, ich spüre, wie der eisige Atem der Ewigkeit durch diese Schlucht weht.»

«Das ist möglich. Was die Geschichte betrifft, so schlage ich vor, dass du dich bis heute Abend geduldest. Einige Dinge kann man nicht erzählen, sondern muss sie sehen.»

23

Sie erreichten die Lichtung am frühen Abend. Im einen Moment reisten sie durch den endlosen, sich schlängelnden und klaustrophobischen Tunnel aus Bäumen, im nächsten rollten sie auf das offene Feld.

Raghi atmete erleichtert auf und war dankbar für den Raum und das Licht.

Die Schatten des Tages waren am Verblassen, und der dunstige Himmel brannte rot mit den letzten Strahlen der untergehenden Sonne.

Palash warf die Zügel zu Raghi. «Du fährst. Der Clan hat nichts gegen einen mitreisenden Geist. Sie wissen von mir, seit du mir halfst, Naveen meinen Vardo zu vermachen. Aber das ändert nichts an der Tatsache, dass die meisten keinen visuellen Beweis für meine Existenz wollen. Und in der Luft hängende Zügel sind ein eindeutiges Zeichen.»

Sie fuhren parallel zum linken Rand der Lichtung, bis alle Fahrzeuge ihres Konvois den Wald verlassen hatten. Raghi bemerkte, dass die Vardos vor ihm nach rechts abbogen, was keinen Sinn ergab.

«Warum bilden sie das Lager im Uhrzeigersinn? Das haben sie noch nie zuvor getan. Bringt das nicht den Lauf der Zeit durcheinander?»

«Ah, jemand hat aufgepasst. Normalerweise ja, aber nicht an diesem Ort. Der Kampf der beiden Drachen hat den Fluss der Zeit umgekehrt, und solange wir hierbleiben, werden wir jünger. Ghitains gehen immer mit dem Lauf der Natur. Dieser bestimmt, wie die Dinge sein sollen. Deshalb und nur für heute Abend schlagen wir unser Lager im Uhrzeigersinn auf. Sonst würden wir die Zeit in die Zukunft zurückdrehen. Und sag nichts. Mir wurde klar, wie seltsam das klingt, als die Worte meinen Mund verließen.»

Raghi steckte die Zügel zwischen seinen Oberschenkel und die Plattform des Vardos und versuchte die Erklärung mit seinen Händen und Fingern nachzuvollziehen. Die Drachenpferde trotteten ohne seine Führung weiter. Sie brauchten keine Anleitung auf diesem ebenen Boden. Sie brauchten wahrscheinlich überhaupt keine Anleitung, und er fuhr diesen Vardo zu dekorativen Zwecken — weil es so sein sollte.

Etwas kam ihm in den Sinn. «Bedeutet das, wenn ich die Treppen der Ewigkeit an diesem Ort betrete …?» Er zögerte. Was sein Verstand vorschlug, machte keinen Sinn.

«… würdest du die Zukunft in Stein gemeißelt finden, während die Vergangenheit von den Fäden des Möglichen hinge.» Palash nickte. «Das ist das Spiel der Schöpfungskraft. Ich fand es immer zutiefst beeindruckend. Für Kaea ist es einfacher zu verstehen und zu akzeptieren, weil sie ihre Schränke öffnen und die Dinge genau betrachten kann. Flächen wie diese Lichtung ragen aus dem konventionelleren Gefüge des Multiversums heraus.»

Kurze Zeit später hatten sie die Wagenburg gebildet, und alle hielten an. Rund herum sprangen Ghitains ins Gras und beschäftigten sich mit dem Aufbau des Lagers.

Raghi beherrschte den Prozess mittlerweile im Schlaf, obwohl er sich heute Abend falsch anfühlte. Sein Verstand konnte nicht mit der einfachen Tatsache umgehen, dass die Vardos in die entgegengesetzte Richtung schauten.

In allen früheren Lagern hatten sie ihre linke Seite dem Zentrum der Wagenburg zugewandt. Wenn Raghi vor dem Tiervardo stand und die Luken betrachtete, sah er Naveens Vardo links von sich.

Heute Abend wirkte das Lager, als ob ein Riese es umgedreht hätte. Die ungewohnte rechte Seite des Fahrzeugs zeigte zur Mitte der Wagenburg, und Naveens Vardo stand rechts.

Raghi begriff nicht, warum ihn das so sehr störte. Wie blöd konnte man sein?

Die neue Situation störte nicht einmal das Herauslassen der magischen Tiere. Wie bei den meisten Vardos war der Aufbau symmetrisch und die Luken auf beiden Seiten identisch.

Raghi befestigte die Rampen. Als er bei der Luke des kleinen Elefanten ankam, schaute ihn das Tier mit großen traurigen Augen an.

Raghi versuchte zu verstehen warum und schlug sich gegen die Stirn.

«Verdammt, deine hat diese zusätzlichen Querstäbe, die als Stufen dienen. Es tut mir leid. Ich werde sie für dich holen.»

Wie der Idiot, der er war, hatte er es versäumt, den Prozess zu spiegeln und die Rampe des Elefanten an der Luke der Doggycorns befestigt.

Seinen Fehler zu korrigieren war leichter gesagt als getan. Das Doggycorn-Rudel trieb sich auf der unbekannten Rampe herum und arbeitete daran, sich die süßen kleinen Hälse auf möglichst kreative Weise zu brechen.

Als er sie wegscheuchen wollte, nahmen sie sein Armwedeln als Aufforderung zum Spiel. Raghi wurde von einer pelzigen Lawine erklettert, umgestürzt und begraben.

«Beschäftige sie, während ich die Rampen an den richtigen Luken befestige», hörte er Daakshis Stimme, konnte aber nicht antworten. Konnten sie ihn zu Tode lecken? Diese rauen kleinen Zungen schienen seine Haut abzuraspeln.

Eine große Hand packte ihn im Nacken und zog ihn aus dem Rudel.

«Du wirkst zerzaust», beobachtete Daakshi.

«Lass dich unter diesem Haufen Liebe begraben und schau, wie es dir danach geht», knurrte Raghi. Seine Kleidung reinigte sich von selbst, sobald er sich von den kleinen Biestern befreit hatte. Ghitainmagie war einfach großartig.

Daakshi lächelte nur. Es brauchte viel mehr als ein Rudel Doggycorns, um diesen Berg von einem Mann niederzuringen, und er wusste es. Raghi beneidete ihn. Es musste sich gut anfühlen, nicht immer der Narr zu sein.

«Warum bist du hier und nicht Naveen?», fragte ihn Raghi. «Ist er immer noch sauer auf mich?»

«Das ist er, aber er hat auch königliche Pflichten, die er erfüllen muss. Der heutige Abend wird sich von allem unterscheiden, was du kennst. Heute Abend wird das Ghitaingericht tagen.»

Das erklärte die düstere Stimmung, die sich auf das Lager gesenkt hatte. Sogar die Farben der Vardos wirkten dunkler als sonst. Konnte es sein, dass sie auch ein Bewusstsein hatten und auf die Stimmung ihrer Besitzer reagierten?

Raghi prüfte die Lichtung mit seinem Blick. Einige Familien hatten Kochstellen mit jeweils mehreren Töpfen gebaut. Andere beschäftigten sich mit dem Ausbreiten von Teppichen, Decken und Kissen um einen Kreis aus Gras.

«Es bleibt noch Zeit, den Vardo der Tiere zu reinigen und uns zu waschen, aber wir sollten nicht trödeln», sagte Daakshi.

Raghi ging zuerst in den Vardo und blieb stehen. Vor ihm erstreckten sich die Folgen eines Tornados. Das Innere war ein einziges Durcheinander aus zerrissenen Kissen, zerstörten Bettchen und umgestürzten Hochsitzen. Federn und Fellbüschel drifteten wie Schneeflocken durch die Luft.

Der Kissenhaufen neben ihm zitterte. Raghi bückte sich, grub hinein und fand ein vor Angst erstarrtes Doggycorn. Das Tier quietschte und wand sich vor Schreck, als er es auf seine Arme hob.

«Shh!» Er streichelte es. «Das Schlimmste ist vorbei … denke ich.»

Nach und nach entspannte sich das Doggycorn. Irgendwann fing es an, alle erreichbaren Stellen von Raghis Haut zu lecken, und er wusste, dass es sich erholte.

«Jalassars verdrehte Energie?», fragte er und sah zu Daakshi auf, der stehen geblieben war, um ihn zu beobachten.

«Wir denken ja. Es passiert jedes Mal, wenn wir durch diesen Teil des Waldes reisen. Alle magischen Tiere zeigen eine Reaktion, aber die Doggycorns trifft es am schlimmsten. Aus diesem Grund versuchte Naveen, sie nach dem ersten Mal fortzusenden, aber sie weigerten sich zu gehen. Sich diesem Terror zu stellen scheint zu ihrem Dharma zu gehören.»

Für Daakshi war das eine lange Erklärung.

«Was machen wir jetzt? Alles einsammeln, um es zu nähen und zu reparieren?», konzentrierte sich Raghi auf das anstehende Problem. Er schickte das inzwischen erholte Doggycorn durch die richtige Luke hinaus, damit es draußen spielen konnte.

«Nein. Wir gehen alles durch und legen die noch ganzen Dinge wie üblich zurecht, damit jeder heute Nacht ein Bett hat. Die zerstörten Gegenstände stapeln wir in Haufen, nach ihrer Art sortiert. Morgen Abend, wenn wir durch den anderen Teil des Waldes gereist sind, werden sie wieder ganz sein.»

Raghi dachte über Daakshis Worte nach, während sie arbeiteten. «Warum diese Route? Und warum kommt es nicht in Frage, sie zu ändern?»

«Das wirst du später sehen. Wie alle lebenden Dinge braucht auch das Multiversum liebevolle Achtsamkeit. Und einige Dinge dürfen nie vergessen werden, sonst gewinnen sie wieder an Kraft.»

Als sie ihre Arbeit beendet hatten, schickte Daakshi Raghi sich waschen, dies mit der Ermahnung, bei Einbruch der Dunkelheit bereit zu sein.

Das ließ ihm etwa eine halbe Stunde Zeit. Raghi ging zu Naveens Vardo, weil er nirgendwo sonst hin konnte. Er war unsicher, ob seine Anwesenheit geduldet wurde, doch bis auf die Stinkdrachen war der Wagen leer.

Sie lagen in einem engen Knoten in ihrem Korb beim Ofen. Als keiner von ihnen den Kopf hob, kniete sich Raghi hin, um nach ihnen zu schauen. Wie Babystörche in ihrem Nest stellten sie sich tot. Nur ihre glänzenden Augen bewegten sich, als sie ihn beobachteten.

Brauchen sie etwas?, fragte er in seinem Geist und konzentrierte sich auf Najiras Präsenz.

Der Drache antwortete nicht. Offenbar machte er etwas falsch.

Er wiederholte die Frage, diesmal berührte er ihre warme und samtige Haut mit seinen Fingerspitzen.

Etwas rührte sich in seinem Bewusstsein. Die Energie fühlte sich aufgewühlt an. Er erkannte, dass er eine noch wichtigere Frage hätte stellen sollen.

*Geht es *dir* gut?*

Sie antwortete nicht, obwohl er sich sicher war, dass er sie erreicht hatte. Also ging es ihr nicht gut. Leider konnte er nichts für sie oder die Stinkdrachen tun, außer …

Raghi holte die Decke von seinem Bett und legte sie über den Korb, so dass nur noch eine kleine Öffnung übrig blieb. Nach ein oder zwei Augenblicken verschwand das Funkeln der Augen. Eins der Tiere schnarchte sogar.

Das war vielversprechend.

Raghi zog sich aus, goss Wasser in das Waschbecken und wusch sich. Als er sich wieder anzog, wickelte er seinen Schal besonders umsichtig um den Hals, damit er Najiras schiefen Körper ganz bedeckte.

Eine flüchtige Berührung in seinem Geist — zitternd und schwach. Sie schien dankbar zu sein.

Wenn er nur mehr für sie tun könnte.

Draußen fand Raghi Violet und Daakshi, die auf ihn warteten. Mallika auf Violets Arm krähte vor Freude und streckte ihre dünnen kurzen Armen nach ihm aus.

Violet gab ihm das herumzappelnde Baby. «Darf ich dich auch umarmen?», fragte sie.

Raghi wiegte seine kleine Schwester, erfreut über ihre Anwesenheit und sogar über die schlabberigen Küsse, die sie ihm gab. Violets Bitte erweckte zwiespältige Gefühle. «Vielleicht?» Er hatte ihre seltsamen Blicke nicht vergessen.

«Oh, sei kein Idiot», beschwerte sich Violet.

Als ihre Arme um ihn herumgingen, hätte er sich um ein Haar wie ein kleiner Junge in die Umarmung gestürzt. Die wenigen kurzen Tage, seit sie mit Kaeas Sippe reisten, hatten ihr viel Gutes getan. Ihr wunderbar beruhigender Duft war wieder da, und ihr Körper wirkte nicht mehr so ausgemergelt.

«Wir müssen reden», erinnerte sie ihn eindringlich. «Und das ist keine Bitte. Das ist ein Befehl, dem du aus Respekt vor deiner ehemaligen Nana gehorchen wirst.»

Sie milderte die Wirkung ihrer Worte, indem sie seine Stirn küsste. Da sie größer war als er, konnte sie das mit Leichtigkeit tun.

«Du solltest mich nicht küssen, wenn dein Geliebter direkt neben uns steht. Du willst ihn nicht verscheuchen», mahnte Raghi.

Beide erröteten tief und tauschten heimliche Blicke. Offensichtlich hatten sie sich ihre Gefühle noch nicht gestanden, was angesichts von

Violets Nahtoderfahrung und der Tatsache, dass Daakshi noch stiller schien als sein Bruder Baz, Sinn machte.

Palash materialisierte neben Raghi und beendete die unbehagliche Stille.

«Kaea bat mich, dir das Ghitaingericht zu erklären. Daakshi wird bei uns sitzen. Auf diese Weise kannst du Fragen stellen, und niemand muss merken, dass du mit einem Geist sprichst. Komm schon.»

Palash führte sie zum Kreis aus Decken und Teppichen. Sein Zentrum war nicht mehr leer. Kaea und Naveen standen da in prachtvoller zeremonieller Kleidung, die Raghi noch nie zuvor gesehen hatte — die Königin in ihren Lieblingsschattierungen von Türkis und Blau, Naveen in verschiedenen Nuancen von Smaragdgrün. Sie bewachten eine Box, die wie ein kleiner Schrein aussah — einer mit zwei sich zur Seite öffnenden Türen, um eine Gottheit im Inneren zu enthüllen. Ein kleiner Tisch hielt ein Becken mit Wasser, eine Schöpfkelle und mehrere Schalen mit nicht erkennbarem Inhalt bereit.

Ums Zentrum des Kreises brannten in regelmäßigen Abständen Fackeln, die in die Wiese gesteckt waren und ihr flackerndes Licht auf die Szene warfen.

«Übt Naveen das Handwerk seiner Mutter aus?», fragte Raghi überrascht. Er hatte angenommen, dass sich Naveens Ghitainpflichten auf die Pflege der magischen Tiere beschränkten.

«Das ist noch nicht sicher», sagte Palash. «Das Handwerk der Drachenfürsten ist ein äußerst seltenes Geschenk. Und eine Seherin von Kaeas Fähigkeiten gab es seit Ewigkeiten nicht. Aber die Hinweise sind da. Jetzt setz dich hin.»

Sie nahmen ihre Plätze in der hintersten Reihe der Ghitains ein. Raghi schaute sich um, um zu sehen, ob es irgendwelche Regeln gab, wie man saß. Die Ohrfeigen während des endlosen Kampfkunstunterrichts in der Gilde hatten ihn gelehrt, dass solche Dinge wichtig waren.

Die Ghitains schienen keine Regeln zu kennen. Einige knieten. Eine Mehrzahl saß im Schneidersitz. Einige wenige lümmelten sich in verschiedenen Posen. Raghi schaute genauer hin und suchte nach Anzeichen von Respektlosigkeit, fand aber keine. Drei waren alt und litten unter geschwollenen Gelenken. Ein Mädchen hatte ein steifes Bein. Sie war Raghi schon aufgefallen, als sie durch das Lager humpelte. Und dann war da noch Meeras Mann, der sich an seine Frau lehnte. Offensichtlich waren nicht nur seine Hände von Brandnarben bedeckt.

Als er zur Königin zurückschaute, die ihre Hände mit Wasser säuberte, fiel Raghis Blick auf Naveens Freunde. Er entdeckte einen unerwarteten Ausdruck auf einem Gesicht, der ihn innehalten ließ. War das eine optische Täuschung aufgrund des flackernden Fackellichts? Nein, er irrte sich nicht. Der Ausdruck war echt. Zu Beginn machte er wenig Sinn. Als er seine Erinnerungen an ihre gemeinsam verbrachte Zeit durchging, fügte sich eine Beobachtung zur nächsten.

Er prüfte die beiden anderen jungen Männer. Wie für Freunde normal, beobachteten sie die Vorgänge konzentriert und unterstützend. Dies erforderte Beobachtung.

In diesem Moment drehte Shaiv den Kopf und erwiderte Raghis Blick, als ob er ihn gespürt hätte. Er nickte zum Gruß. Die Bewegung weckte die Aufmerksamkeit von Charu, der begeistert winkte und Ahriman dabei fast gegen den Kopf schlug. Letzterer blickte nur finster und wandte sich wieder den Vorgängen zu.

Naveen hatte auch seine Hände gereinigt. Mutter und Sohn nahmen farbiges Pulver aus den kleinen Schalen und rieben es in ihre nassen Handflächen und Finger. Kaeas Haut wurde blutrot, Naveens hellrosa.

«Das Rot an den Händen der Königin ist ein Symbol für das Blut, das sie gleich vergießen wird. Da Naveens Berufung offen ist, hätte er jede beliebige Farbe wählen können. Dass er sich für Rosa entschied zeigt, dass er in die Fußstapfen seiner Mutter treten will», lieferte Palash die Erklärungen.

Kaea und ihr Sohn nahmen zwei größere Schalen und verteilten ihren Inhalt entlang des von Fackeln gebildeten inneren Kreises, wobei sie darauf achteten, dass keine Lücken entstanden. In der Dunkelheit konnte Raghi nicht sicher sein, was genau ihre Fingern verteilten. Die Objekte sahen aus wie Tausende winziger Blütenblätter.

«In unserer längst vergessenen Vergangenheit sollen diese Vorbereitungen einen Schutzkreis um die Seher gebildet haben. Kaea verwendet Blütenblätter. Ursprünglich wurden dafür die zu Pulver zermahlenen Früchte des legendären Heilerbaumes verwendet. Aber wenn diese Bäume noch existieren, wissen wir nicht wo.»

Raghi lauschte mit Faszination Palashs Kommentaren. Er hatte schon immer nach Wissen gehungert, aber das Lernen war ihm schwergefallen. So blieben seine Fortschritte gering. Um Hilfe zu bitten bedeutete, die anderen Lehrlinge vom Studium abzulenken, entweder weil sie ihm etwas erklären mussten oder weil derjenige, der die Erklärungen gab, es den anderen erschwerte sich zu konzentrieren.

Palash sprach sehr leise und respektierte so die tiefe Stille, die sich über die Versammlung gelegt hatte, obwohl nur wenige Ghitains ihn sehen und hören konnten. Raghi fühlte sich bei ihm sicher.

Kaea nahm ein Messer, schnitt in ihre Handfläche, und reichte es Naveen. Er ahmte sie nach. Blut tropfte ins Gras.

«Das Blut dient als Opfergabe für die Schöpfungskraft des Multiversums. Jetzt werden sie sich verbeugen und einmal klatschen und so um Aufmerksamkeit bitten. Wie du inzwischen erkannt hast, tun wir das, weil wir an die Schöpfungskraft als wohlwollende höhere Macht glauben. Unsere Kultur baut auf dieser Überzeugung auf.»

Kaea und Naveen taten wie beschrieben.

«Und so beginnt das Gericht», sagte Kaea mit klar verständlicher Stimme.

Naveen öffnete die Türen des Schrankes. Das Uhrwerk des Multiversums ersetzte die Wiese. Der Kreis der Ghitains schien im leeren Raum zu sitzen. Die Ewigkeit umgab sie in alle Richtungen.

«Nun rufen wir zurück, was uns zu Unrecht genommen wurde», sagte Kaea.

«Wir rufen zurück, was uns zu Unrecht genommen wurde», wiederholten alle Ghitains.

Die einfachen Worte verursachten einen Energieschub, der Raghi die Haare zu Berge stehen ließ. Er fühlte sich an wie eine riesige Flutwelle, die von seinen Füßen zu seinem Kopf raste.

Kaeas Blick schweifte durch das Uhrwerk. Sie schien zu wissen, wo sie suchen musste, und konzentrierte sich auf einen Bereich hinter Raghi. Als er über seine Schulter schaute, erkannte er hinter der Überlagerung des Uhrwerks den Eingang zu Jalassars Schlucht. Ein Funke goldenen Lichts glühte dort und gewann schnell an Stärke und Größe.

Kaea streckte ihre Hand aus. Der Funke, der zu einer großen Energiekugel geworden war, setzte sich auf ihre Handfläche. Raghi schaute genau hin und versuchte zu verstehen, was er sah.

Die Kugel hatte den Umfang einer großen Melone und schien aus wirbelnden Nebeln und Energieblitzen zu bestehen. Ihre Farben wechselten zwischen Weiß, Silber und Gold. Er glaubte, Bilder in den Wirbeln zu sehen, flüchtig wie Erinnerungen.

Palash seufzte. «Liebevolle Achtsamkeit durchdringt alles, was wir erschaffen, mit positiver Magie. Wenn wir etwas verkaufen oder verschenken, müssen wir den Energiefaden durchtrennen, der den betreffenden Artikel mit uns verbindet. Das passiert nie ganz. Die magisch Begabten unter uns könnten jeden Gegenstand zurückrufen, den Ghitains seit Anbeginn der Zeit geschaffen haben — was wir nicht versuchen werden, denn das wäre falsch. Wird uns etwas gestohlen, verbindet uns ein starker Energiestrang mit dem Gegenstand. Jeder Ghitain kann zurückrufen, was ihm rechtmäßig gehört. Bevor wir dies tun, versuchen viele von uns die Gründe des Diebes zu verstehen, da nur wenige Diebe böse sind. Die meisten handeln aus Verzweiflung. Du wirst das erleben, wenn wir in die ärmeren Städte kommen. Dann kann der Ghitain bestrafen, den Gegenstand zurückrufen und vergeben, oder ihn sogar dem Dieb überlassen, weil jener ihn mehr braucht. Einige Ghitains versuchen auch zu helfen, bevor jemand ein Verbrechen begehen muss. Naveen zum Beispiel ist ein Meister darin, Dinge zu ‹verlieren›, damit die richtige Person sie finden kann.»

Kaea griff mit ihrer freien Hand in die Kugel, ballte die Faust und zog.

Raghi keuchte. Sie hielt ein Bündel sich windender schwarzer Lebensstränge in der Hand. Sie waren kurz und knorrig wie tote Äste.

«Ich gebe uns hiermit zurück, was uns zu Unrecht genommen wurde.» Die Königin bewegte die Kugel in einem anmutigen Bogen. Jene verwandelte sich in Blitze aus silberner und goldener Energie, die auf die Ghitains zurasten.

Ein silberner verschmolz mit Raghi. Gewichte legten sich auf seine Schultern und einige andere Körperteile. Er trug wieder seinen Schmuck und seinen Dolch. Als er sie staunend berührte, fühlten sie sich echt an.

«Wenn ich Diebstahl sage, meine ich damit den Vorgang, uns heimlich etwas wegzunehmen», fuhr Palash mit seinen Erklärungen fort. «Gewalt werden wir niemals dulden. Glücklicherweise ist sie selten. Wenn sie vorkommt, geschieht das.» Er nickte zu seiner Schwester und seinem Neffen hin.

Geschickt pickte Kaea einen sich windenden Lebensstrang aus dem Bündel heraus und wob ihn durch ihre Finger, so dass er nicht entkommen konnte. Sie untersuchte ihn.

«Er hat viele getötet», sagte sie, ihre Stimme traurig.

«Sein Leben endet heute Nacht», antworteten die Ghitains im Einklang.

Kaea durchtrennte den Lebensstrang mit dem Daumen. Er verschwand.

Raghi sog zischend den Atem ein. «Hat sie gerade seine Seele ausgelöscht?», flüsterte er.

«Ja. Im Lager der Diebe fiel sein Körper tot um, eine leere Hülle. Weil seine Seele weg ist, kann er kein Geist werden. Wir können nichts gegen das Leben tun, das er lebte, und die bösen Taten, die er beging, aber wir können sicherstellen, dass alles heute Nacht endet.»

Kaea ging einen Lebensstrang nach dem anderen durch. Viele benötigten einen einzigen Blick. Einige wenige untersuchte sie genauer. Als nur noch einer übrig blieb, betrachtete sie ihn die längste Zeit.

Raghi hatte den Eindruck, dass sie ihn bis zum Schluss behalten hatte, weil sie nicht sicher war, was sie tun sollte.

Eine einzige Träne lief über ihre Wange. «Dieser hier bereut. Er bereut wahrhaftig, aber er hat schon in jungen Jahren den Weg der Gewalt gewählt und seine Seele längst aufgegeben. Er wird morgen wieder töten, voller Selbsthass. Er ist kaum siebzehn Jahre alt.»

Die Ghitains seufzten. «Seine Reise auf dem Weg der Gewalt endet heute Nacht.» Obwohl alle antworteten, klangen ihre Stimmen wie ein Flüstern.

Kaea durchtrennte den Lebensstrang.

Ihr blasses Gesicht und ihre leeren Augen zeigten den Tribut, den das Gericht gefordert hatte.

Mutter und Sohn klatschten noch einmal und verbeugten sich. Dann schloss Naveen die Türen des Schreins, und die Lichtung wurde wieder sichtbar.

Die Ghitains erhoben sich. Familien und Freunde tauschten Umarmungen und gaben sich gegenseitig Kraft und Unterstützung. Chandana hatte einen Arm um Kaea gelegt, den anderen um Naveen.

Raghi erhob sich und ging zu seinen Freunden. Kaea beobachtete ihn über Chandanas Schulter. Als die Heilerin losließ, nahm Raghi ihren Platz ein und umarmte die Königin. Er wusste nicht, woher sein Mut kam. Kaea war niemand, der Vertraulichkeiten einlud. Trotz des Wohlwollens und der Hilfe, die sie ihm zukommen ließ, hatte sie auch stets deutlich gezeigt, dass sie ihre Distanz schätzte.

Nun krallten sich ihre Finger wie Klauen in seinen Rücken.

Die Ereignisse des heutigen Abends erklärten so vieles. Warum sein Beruf sie nicht beeindruckte ... Warum sie ihn durchschaute ... Warum sie seine Freundschaft mit Naveen erlaubte ...

Der Hass seiner Eltern hatte ihm seinen verabscheuten Beruf aufgezwungen. Kaea hatte ihn wegen ihrer Gabe und dem Ghitainkonzept der liebevollen Achtsamkeit ergriffen. Ihr Schicksal erschien viel schlimmer als seins.

Als sie ihren Griff lockerte, ließ er sie los.

Naveen hatte zugesehen. Als Raghi versuchte ihn zu umarmen, trat der Prinz zurück und schüttelte den Kopf. «Oh nein, das tust du nicht. Ich bin immer noch total wütend auf dich. Und ich will nicht, dass du wieder unter meinem Vardo schläfst. Du kannst den Vardo der Tiere haben.»

«Das ist deine Entscheidung, Sohn», sagte Kaea. «Aber das wird später passieren. Jetzt setzen wir uns zusammen hin und essen und gedenken der Seelen, die wir vernichten mussten.»

24

Die erweiterte königliche Familie saß schweigend um ein magisches Feuer. Chandana hatte einen leckeren Kaninchen-eintopf mit Kartoffeln gekocht. Raghi war dankbar für das Essen. Er hatte den ganzen Tag nichts gegessen, und der aktive Lebensstil der Ghitains erforderte viel Kraft.

War es nicht ein Witz, dass er trotz seiner Unsterblichkeit essen musste? Das Schicksal hatte es wirklich auf ihn abgesehen.

Aber um ehrlich zu sein, hatte das Schicksal ihn auch positiv überrascht wie zum Beispiel mit seiner kleinen Schwester. So unwahrscheinlich es auch schien, er liebte den kleinen Wurm inzwischen und bewunderte ihren Mut und unbezwingbaren Geist. Während des Gerichts hatte sie auf seinem Schoß gesessen und auf die bunten Sterne und Lebensstränge gestarrt, die sich in alle Richtungen erstreckten. Nun schlief sie erschöpft von der Aufregung an seiner Brust, eine warme und beruhigende Präsenz in dieser verwirrenden Welt.

Die anderen aßen ohne Appetit. Kaea starrte mit trauriger Miene in die Flammen. Naveen schaffte die Hälfte seiner Schale, bevor er anfing mit seinem Essen zu spielen. Chandana nahm sie ihm weg und aß den Rest, nachdem sie bisher noch gar nichts gegessen hatte.

Die Gelassenheit der Ghitains beeindruckte Raghi. Er bedauerte keinen der indirekten Morde, deren Verursacher er war, hatte sogar mit einem Schulterzucken darüber gelacht. Durch seine Intrigen waren über mehrere Jahre hinweg etwa zwanzig oder fünfundzwanzig Menschen gestorben.

Kaea hatte in weniger als einer Stunde die Existenz von über dreißig Männern und Frauen beendet, zweiunddreißig, wenn Raghi korrekt gezählt hatte.

«Ich weiß nicht, ob ich das als Gast fragen darf, aber kann mir jemand erklären, was heute Abend passiert ist? Ich glaube, ich verstehe die Details, aber der Sinn dahinter entgeht mir.»

Alle schraken zusammen, als Violet sprach.

Kaea drehte den Kopf, um Raghi anzuschauen. «Kannst du die Frage beantworten? Was auch immer passiert, ob du bei uns bleibst oder uns auf der Suche nach deinem Schicksal verlässt, musst du diese Dinge verstehen oder ihre Bedeutung ableiten können.»

Raghi versuchte, seinen plötzlich rasenden Herzschlag zu kontrollieren. Verdammt seien der Meister und das Chaos, das er aus seinem Verstand gemacht hatte!

Und Kaea traute ihm zu viel zu. Wie konnte er diese Welt und die fremde Kultur der Ghitains verstehen? Er kam aus einer anderen Zeit und von einem anderen Ort. Er …

… beobachte mit großer Überraschung, wie sein Verstand das verfügbare Wissen sortierte und Fakten verband, bis ein Bild entstand.

«Was ist, wenn meine Erklärung falsch ist?», fragte er.

«Dann fügen wir die fehlenden Teile hinzu — und lassen dir den Kopf auf den Schultern. Du wirst ihn für den Rest der Ewigkeit brauchen.»

Er schätzte ihren Scherz, obwohl er ihm einen Schauer über die Wirbelsäule jagte. «Nun, wie ich beobachtet habe, versuchen die Ghitains, das Multiversum mit positiver Energie zu erfüllen und negative Einflüsse und Rückstände auszugleichen. Letzteres tut ihr offenbar, wenn ihr durch Jalassars Schlucht reist. Böse Männer und Frauen fühlen sich wahrscheinlich von diesem Ort und seiner dunklen Energie angezogen. Ihr bietet euch selbst als Köder an. Wenn sie euch in die Falle tappen, vernichtet ihr ihre Seelen und macht das Multiversum so zu einem helleren und sichereren Ort für alle. Und bevor ihr mich darauf aufmerksam macht: Ich weiß, dass es meiner Zusammenfassung an Diplomatie mangelt.»

Kaea schien sich nicht an seiner Direktheit zu stören, und keiner der anderen hatte gezischt. Seine Erklärung konnte nicht allzu falsch sein.

«Welche Farbe hat das Multiversum?»

Die scheinbar unzusammenhängende Frage der Königin ließ ihn stutzen. Er nahm an, dass sie damit das Uhrwerk meinte, nicht den Schleier der Realität, in dem sie ihren Alltag lebten.

Raghi keuchte, als er die Antwort erkannte.

Kaea starrte in die magischen Flammen. «Bevor die Urdrachen ihr Schöpfungsspiel begannen, war alles dunkel. Es war eine neutrale Dunkelheit, weder gut noch schlecht. Dann schuf einer oder vielleicht beide von ihnen etwas Außergewöhnliches — Licht. Es enthält all unsere Träume und Sehnsüchte, wärmt unsere Herzen und gibt uns in den dunkelsten Stunden Hoffnung. Licht ist immer gut und zugleich unglaublich stark und schrecklich zerbrechlich. Ein Windhauch kann eine Flamme löschen, aber eine kleine Flamme ist aus großer Entfernung erkennbar. Da nichts ohne Gegengewicht existiert, nahm die Dunkelheit in dem Moment, als das Licht entstand, eine neue Gestalt an. Diese Dunkelheit war nicht mehr neutral. Sie zog alles Finstere und Schlechte an. Und so begann der ewige Kampf.»

Kaea rieb ihre Handflächen gegeneinander. Sie hatte sie gewaschen, aber sie zeigten immer noch die rote Farbe des Rituals. «Eines fernen Tages wird alles, was wir kennen, in die Dunkelheit zurückkehren — in jene neutrale Dunkelheit, bevor alles begann. Bis dahin sind wir gezwungen, den Kampf von Gut gegen Böse zu führen. Und weil die Drachen alles, auch das Licht, aus der Dunkelheit erschufen, ist die Dunkelheit die stärkere Kraft und zum Sieg bestimmt. Wenn wir ihr nicht mit aller Kraft entgegentreten, um sie in Schach zu halten, wird das Multiversum zu einem schrecklichen Ort, wo eine kleine Kaste dunkler Herrscher alle anderen Wesen versklavt und terrorisiert und ihnen ihre Lebenskraft raubt. Ein grausamer Meister hielt dich gefangen, Raghi. Du kannst dir vorstellen, wie es sein wird, wobei es immer noch schlimmer geht.»

• • •

Die Worte hallten noch in Raghis Ohren wider, als er sich ein Bett im Vardo der Tiere machte. Ihre Reaktionen auf seine Anwesenheit reichten von Gleichgültigkeit bis Freude.

Die Doggycorns durchliefen ihre gewohnte Mal-sehen-ob-er-unsere-Zuneigungsattacke-überlebt-Routine, kaum dass er eingetreten war. Die pelzige Heuschrecke starrte ihn an, und die Stacheleule öffnete ein Auge.

Als er am neusten Scheiterhaufen der Phönixratte vorbeikam, stoppte das Tier seine Arbeit und erhob sich auf die Hinterbeine. Raghi kniete nieder und bekam einen freundlichen Nasenkuss.

Er baute ein Bett aus Kissen. Desert Rose, die ihm gefolgt war, legte sich in einem Halbkreis darum herum und bot ihm eine bequeme Lehne. Wie immer in der Nacht erfüllten die magischen Laternen das Innere des Vardos mit diffusem Licht. Da es die Wände und Ecken nicht erreichte, erschien der Raum unendlich, aber sicher. Es war ein guter und gemütlicher Ort zum Schlafen.

Der winzige weiße Elefant und der Katzenpanther kamen kuscheln, als Raghi sich hinlegte. Er presste den winzigen Elefanten an seine Seite und hob den Katzenpanther auf seine Brust.

«Ich hoffe, dass es deinem Freund, dem geflügelten Luchs, gut geht und er bald zurückkehrt», sagte er zu beiden und streichelte ihre Körper.

Die Katze schnurrte. Der Elefant betastete mit seinem Rüssel sanft Raghis Gesicht.

Raghi schlief ein.

Der Traum begann sofort. Es war nicht einer seiner früheren Träume über Najira. Seit Kaea den Drachen gezwungen hatte sich zu offenbaren, hatten diese Träume aufgehört. Er musste sie irgendwann fragen, warum.

Stattdessen befand er sich wieder im verfallenden Zunfthaus, wo alle Lehrlinge lebten. Er nahm die wackelige Treppe hoch zum Flachdach. Die Tür an ihrem Ende stand halb offen und ließ die glühende Hitze in das dunkle Treppenhaus. Stimmen flüsterten draußen — ein

Junge und ein Mädchen. Sie sprachen einen unverständlichen südlichen Dialekt, ihre eigene Geheimsprache.

«Ich bin's — Raghi», kündigte er sich an, als ihr Gespräch abbrach.

Er schlüpfte auf das heiße und grelle Dach hinaus. Die Sonne brannte auf die Steinfliesen nieder. Die Luft kochte vor Hitze und traf Raghi wie ein Feuerstoß.

Ein paar Minuten davon und er würde einen schrecklichen Sonnenbrand haben.

Emilio und Faya, welche die olivbraune Haut aller Südländer besaßen, brauchten sich darum nicht zu kümmern. Sie saßen auf den Bodenfliesen, wo die Sonne am heißesten brannte, und lehnten sich an die hüfthohe Mauer, die das Dach umgab.

Emilio zitterte vor Fieber und seine Zähne klapperten. Er war auch so weiß wie ein Laken.

Obwohl sie sich seit vier Jahren kannten, wusste Raghi immer noch nicht, ob er ihn fürchten, bewundern oder hassen sollte. Emilio war fünf Jahre älter als er, also sechzehn. Trotz seiner Jugend war er ein Meister seines Fachs und führte seit sieben Jahren Auftragsmorde aus. Er war auch der unbestrittene Anführer der Lehrlinge und sehr gut aussehend mit seinen langen schwarzen Haaren und dunklen Mandelaugen — alles, was Raghi nie sein würde.

Castelalto — der Meister — nannte Emilio «seinen liebsten Lehrling» und bestrafte ihn härter als alle anderen.

Emilio hatte die vergangene eisige Wüstennacht nackt auf diesem Dach verbracht.

Der Grund für seine Bestrafung kuschelte sich an Emilios Seite. Faya. Sie war gerade mal neun Jahre alt, ein kleines, dürres Kind, und trotzdem schon so tödlich wie er. Aus unbekannten Gründen verabscheute der Meister sie zutiefst und machte ihr das Leben zur Hölle.

Ohne Emilios Schutz wäre Faya schon längst gestorben. Er hatte sie aufgezogen, seit der Meister sie als Kleinkind in den Schlafsaal geworfen hatte, und ihr alles beigebracht, was er wusste.

Sie liebte ihn genauso innig.

Unter Lebensgefahr hatte sich Faya während seiner Bestrafung zu Emilio hinausgeschlichen, um ihn zu wärmen. Zweimal war sie zurückgekehrt, um zusätzliche Decken zu holen, und brachte beunruhigende

Nachrichten. So perfekt dieser Junge in jeder anderen Hinsicht schien, er konnte die Kälte nicht ertragen.

Raghi an seiner Stelle hätte nichts gespürt.

«Ist er weg?», fragte Faya.

Raghi ging zum einzig verfügbaren Schatten bei der Wand des Ausgangs und kauerte sich hin. Auch hier hatte er nur wenige Minuten Zeit, bis seine Haut sich rötete.

Er nickte. «Die Geister folgten ihm und den Altvorderen zur Stadtmauer. Sie sagen, dass sie durch das Osttor hinausritten.»

Sie alle wussten, dass der bösartige Bastard immer noch umkehren konnte. Und dass Geister nicht immer vertrauenswürdige Zeugen waren.

«Da sie Ghost Singer Meldung erstatteten, müsste das wahr sein. Sie könnten euch oder mich anlügen, aber nicht ihn», fügte Raghi hinzu.

«Bringen wir dich runter in den Schlafsaal, mein Herz», sagte Faya zu Emilio. «Du brauchst Ruhe.»

Er schüttelte den Kopf. «Nur noch einen Moment. Die letzte Nacht war endlos. Ich konnte nichts anderes tun, als mich an all die Fehler erinnern, die ich machte, als ich noch bei meiner Familie lebte.»

«Raghi, kannst du mir helfen?», wandte sich Faya an ihn. «Er ist fast im Fieberwahn.»

Emilio war lang und dünn für sein Alter und würde eines Tages ein hochgewachsener Mann werden. Raghi bezweifelte, dass sie ihn dazu bringen konnten, etwas zu tun, das er nicht wollte.

«Faya macht sich Sorgen, Emilio. Und wir sind zu klein, um dich die Treppe runterzutragen, wenn du ohnmächtig wirst. Bitte tu, was sie verlangt», versuchte Raghi mit ihm zu verhandeln.

Er sagte dies, ohne auf eine Reaktion zu hoffen, nur weil ihm das Mädchen leidtat. Zu seiner Überraschung versuchte Emilio sofort sich zu erheben.

Ihr Weg die steile und schmale Treppe hinunter war schwierig, aber sie schafften es ohne Unfall.

Im Schlafsaal standen für die Auszubildenden schmale Betten, die mit Strohmatratzen, Decken und Kissen ausgestattet waren. Raghi fand sie bequem. Sie halfen Emilio in sein Bett und deckten ihn zu. Faya eilte davon, um Wasser und Medikamente zu holen.

Raghi war nicht in der Lage, die Worte des älteren Jungen zu vergessen. Er setzte sich auf die Bettkante. «Du bist in der Gilde, seit du fünf bist. Was kannst du aus der Zeit davor bereuen?»

Emilio drehte den Kopf, um ihn anzusehen. Mit Fayas Verschwinden war die neutrale Maske von seinem Gesicht gefallen.

Raghi erkannte, wie krank der ältere Junge war. «Kann ich dir etwas bringen?» Er wollte aufspringen.

Emilio packte seinen Unterarm hart. «Nichts wird helfen», zischte er. «Dieses Mal sterbe ich. Versprich mir, dass du dich um Faya kümmerst.»

«Ich?», quietschte Raghi. «Bist du verrückt? Hast du vergessen, dass ich der dümmste Lehrling von allen bin?» Es tat weh, das zu sagen, obwohl es stimmte.

«Du wirst deiner Dummheit entwachsen. Ich habe dich beobachtet. Du versuchst, es zu verbergen, aber deine Empathie ist stark ausgeprägt. Das macht dich einzigartig unter uns. Versprich mir, dass du dich um Faya kümmerst!»

Der kranke Junge wurde unruhig. Hektische Flecken hatten sich auf seinen Wangen gebildet, während der Rest seines Gesichts leichenblass war.

«In Ordnung, ich verspreche es!», presste Raghi hervor. Er hätte alles getan, damit Emilio nicht ohnmächtig wurde.

«Danke», flüsterte Emilio. Sein Kopf sank zurück auf das Kissen. Er sah todtraurig aus. «Du hast mich nach meinem Bedauern gefragt. Ich werde es dir sagen, solange ich noch kann. Ich bin in einer großen und liebevollen Familie aufgewachsen. Wir haben uns die ganze Zeit umarmt und geküsst. Jeden Morgen schickte mich meine Mutter zum Spielen nach draußen. Und jeden Morgen, wenn ich zum ersten Mal die Türschwelle erreichte, drehte ich mich um und rannte zu ihr zurück, um ihr noch eine Umarmung und einen Kuss zu geben. Als ich ungefähr vier Jahre alt war, sah ein Besucher dies und sagte: ‹Du bist jetzt ein großer Junge. Große Jungs kehren nicht für weitere Küsse und Umarmungen zurück.› Ich konnte an ihrer Reaktion erkennen, dass meine Mutter verärgert war. Sie sah den Besucher an und sagte: ‹An meinem Hof ist niemand je zu alt für weitere Küsse und Umarmungen.› Mein Herz freute sich über ihre Aussage, aber leider blieben mir die Worte des Mannes im Kopf hängen. Wenn ich von jenem Tag an nach draußen ging, konzentrierte ich mich auf die Welt hinter der offen stehenden Tür und drehte mich kein einziges Mal um. Ich muss meiner Mutter das Herz gebrochen haben. Und heute bereue ich jede einzelne Umarmung und jeden Kuss, den ich mir nicht holte, solange ich sie noch haben durfte.»

Emilios Stimme war während seiner Erzählung immer schwächer geworden. Nach der letzten Aussage verlor er das Bewusstsein. Als Faya mit Wasser und Medikamenten zurückkam, war er bereits im Delirium.

RAGHI SAẞ HELLWACH in seinem provisorischen Kissenbett, während das Herz ihm fast aus der Brust sprang. Er erinnerte sich an seinen Traum in lebhaften Details.

Aber das war kein Traum gewesen, sondern eine Erinnerung. Diese Ereignisse hatten genau so stattgefunden.

Emilios Leben stand noch Wochen später auf der Kippe. Er überlebte die Krankheit, weil der Meister die besten Heiler von Eterna holte, um ihn zu retten, blieb jedoch lange Zeit geschwächt. Bei dieser Gelegenheit hatte Raghi den Meister das einzige Mal zutiefst besorgt erlebt.

Er wusste, warum sein Unterbewusstsein diese besondere Erinnerung hervorgeholt hatte.

«Verdammt! Unsterblich zu sein ist die Hölle», fluchte er und zögerte. Hatte Desert Rose gerade verärgert die Augen gerollt? «Weißt du, Rosy, ich warte auf den Tag, an dem du anfängst zu reden. Diese Erwartung ist nur grösser geworden, nun da du deine Kräfte gefunden hast.»

Sie knurrte drohend. Sie hasste es, Rosy genannt zu werden.

Raghi seufzte und streichelte das weiche Fell ihrer Seite. «Tut mir leid, das war nicht nett. Ich werde zu Naveen gehen und mich mit ihm versöhnen.»

Er schlüpfte aus dem Vardo. Als er die Wiese betrat, erschien ein Drachenpferd neben ihm und überprüfte seine Anwesenheit. Es war die

Leitstute. Sie und ihre Herde schienen sich in höchster Alarmbereitschaft zu befinden.

Sie begleitete ihn zu Naveens Vardo, wo sie ihm einen Stoß zärtliches Feuer schenkte, bevor sie wieder in der Dunkelheit verschwand.

Raghi stählte sich. Die Tür des Vardos war wie immer unverschlossen. Er trat ein und ging zum Bettpodest. Sein Herz stockte.

Naveen war nicht da.

Er kämpfte seine Panik nieder und versuchte nachzudenken trotz der schrecklichen Bilder, die seine überaktive Fantasie ihm vorgaukelte.

Naveen war nicht so dumm wie er, oder? Er würde nichts Unangemessenes tun.

Das hoffst du.

Zeit, seine Fähigkeiten einzusetzen, selbst die rudimentären, die er nie gemeistert hatte. Raghi öffnete seine Wahrnehmung und versuchte Naveens Energiespur zu finden.

Er war sofort erfolgreich.

Mit einem Seufzen bückte er sich und blickte in den Schrank unter der Plattform, wo er seit seiner Ankunft bei den Ghitains geschlafen hatte. Naveen war da und hielt Raghis Kissen in den Armen. Selbst im Schlaf wirkte sein Gesicht angespannt.

Was habe ich getan!

«He.» Raghi setzte sich in die Tür und berührte Naveens Schulter.

Naveens Atmung veränderte sich. Er öffnete seine Augen einen Spaltbreit, stöhnte und rieb sich das Gesicht. «Was machst du hier um diese Zeit?»

«Wir müssen uns versöhnen, und ich werde nicht gehen, bevor wir das getan haben», erklärte Raghi seine Absicht.

Naveen zischte. «Hoppla, du glaubst nicht ans Vorspiel.» Er stemmte sich in eine sitzende Position, außerhalb von Raghis Reichweite, und starrte ihn an. Ausnahmsweise sah der Prinz nicht fesch aus, sondern zerzaust und verloren. Das änderte nichts an der Tatsache, dass seine Worte wie die Hölle brannten.

«Das war unangebracht, Naveen.»

«Ungefähr so unangebracht, wie wenn du mitten in der Nacht in meinen Vardo stürmst und mich aus dem Schlaf reißt. Du hättest bis zum Morgen warten können.»

«Nein, das konnte ich nicht. Wichtige Dinge dürfen nicht aufgeschoben werden. Du könntest im Schlaf sterben, und ich müsste unsere Meinungsverschiedenheit auf ewig bereuen.»

Naveen zischte wieder, und sein Blick schien sich zu entzünden. «Siehst du, Raghi. Das ist das Problem mit dir. Du interessierst dich nicht für andere oder ihre Gefühle. Es geht immer und ausschließlich um dich. Du bereust dein Fehlverhalten, und deshalb muss ich mich deinen Regeln beugen. Du bist ein arroganter Arsch.»

Naveens Wortwahl war krass und entfachte Raghis Zorn. Aber ein anderer Teil seines Bewusstseins empfing eine andere Botschaft — eine von tiefem Schmerz.

Raghi atmete durch, um sich zu beruhigen. «Naveen, bitte sag mir, was ich dir angetan habe. Ich weiß, wie dumm ich mich benommen habe. Ich weiß, ich hätte auf diese Ahnung von Zweifeln hören sollen. Ich verstehe, dass du mir den Kopf abreißen willst. Aber ich verstehe deine Verheerung nicht.»

Naveen wandte sein Gesicht ab. «Das geht dich nichts an. Du hast bewiesen, dass ich dir nicht vertrauen kann.»

«Was kann ich tun, damit du mir wieder vertraust?» Vielleicht seine Frage mit einer Berührung unterstützen. Er hatte Emilio unzählige Male dabei beobachtet. Er fühlte sich schrecklich unbeholfen, als er seine Hand auf Naveens Schulter legte, erkannte aber etwas, das er vorher nicht bemerkt hatte.

Naveen zitterte, und sein Körper war steif wie ein Brett, weil er es verzweifelt zu verstecken versuchte.

«In der kurzen Zeit, die wir uns kennen, haben wir uns gegenseitig unsere schwärzesten Momente anvertraut. Kannst du mir nicht noch einmal vertrauen? Ich könnte dir auch ein Doggycorn holen, damit du das Kissen nicht erwürgen musst.»

Sein Scherz funktionierte. Naveen schnaubte. Dann begann er zu weinen.

Das verzweifelte Schluchzen riss Raghis Herz in Stücke. Er rutschte näher und umarmte Naveen.

«Es tut mir leid», sagte er gequält. «Was auch immer ich getan habe, es tut mir zutiefst leid.»

Während er darauf wartete, dass sich Naveen beruhigte, fragte er sich, welchen verborgenen Schmerz seine Handlungen freigesetzt hatten. Naveen war normalerweise so ruhig und gelassen.

Kummer war ein Baum, der seine Wurzeln tief in der Vergangenheit hatte und in der Gegenwart blühte. Und wenn man ihn nicht rechtzeitig fällte, wuchs er mit jedem Jahr, bis er seine Schatten auf jeden Lebensaspekt warf.

Er wusste eine ganze Menge über Naveens traurige Vergangenheit. Wie konnte diese mit ihm und ihrer Freundschaft zusammenhängen?

Die Antwort war einfach.

«Naveen, warum musstest du den Fehler machen, mich als deinen Bruder zu betrachten?», flüsterte er.

Naveen erstarrte und hob seinen Kopf von Raghis Schulter. «Warum nicht? Wir sind fast gleich alt. Unsere Vergangenheit gleicht einer Jauchegrube. Wir sind uns sogar ähnlich, obwohl deine Haut weiß und meine dunkel ist.»

Das war alles wahr. «Aber du bist gut und versuchst, diese Welt zu einem besseren Ort zu machen, während ich …»

«Wage nicht, es zu sagen!», forderte Naveen ihn mit lodernden Augen heraus. «Glaubst du wirklich, dass meine Mutter und ich allen so schnell vertrauen? Oder dass jemand anderes Mallika aus dem dunklen Abgrund hätte zurückrufen können? Wir sehen etwas in dir, und wir werden nicht zulassen, dass du es ignorierst.»

«Aber was ist mit meiner Vergangenheit …?»

«Was ist mit *meiner* Vergangenheit?», fuhr ihm Naveen ins Wort. «Ich habe vielleicht nicht herumgeschlafen wie du, aber in den schlimmsten Zeiten habe ich die Abfälle aus Schweineställen und was die Hofhunde liegen ließen gestohlen, damit Mutter und ich etwas zu essen hatten. Und ich fordere dich heraus, Müll schneller zu durchsuchen als ich. Tiere lebten besser als wir, und du willst mir sagen, dass ich besser bin als du?»

Raghi ließ seine Arme von Naveens Schultern fallen. Der Verlust von Berührung und Wärme machte ihn traurig. «Vielleicht bist du es nicht, nicht in diesem Zusammenhang. Aber du kennst Liebe und Freundschaft, und was es bedeutet, eine Familie zu sein. Meine Eltern und Geschwister versuchten mich zu töten. Das ist alles, was ich kenne.»

Naveen überlegte. «Was ist dann mit den anderen Lehrlingen der Gilde? Du hast Chandana und Palash einmal gesagt, dass es einen gab, der auf euch alle aufzupassen versuchte, und einen anderen, der mit Geistern sprechen konnte.»

Raghi seufzte. Die Ghitains und ihr familieninternes Informationssystem! Und mit ihrer Liebe zum Detail erinnerten sie sich an alles.

Eine halb vergessene Erinnerung tauchte auf, geweckt von Naveens Frage.

Raghi hielt sie fest, unwillig sie wieder verschwinden zu lassen. Sie nahm Gestalt an. «Seltsam! Ich dachte gerade an meine erste Nacht in Eterna. Wir kamen lange nach Mitternacht an. Das Zunfthaus sah schrecklich aus, wie ein längst aufgegebener Kerker. Die Stufen der Steintreppe zeigten Risse, und Teile schienen zu fehlen. Ein seltsamer Geruch erfüllte die Luft. Später erfuhr ich, dass er aus altem Pergament, billiger Tinte und den Kräutern und Substanzen meines neuen Berufs bestand. Castelaltos Schläger warfen die Türen des Schlafsaals auf und rissen alle Lehrlinge aus dem Schlaf. Sie zeigten auf ein leeres Bett und gingen. Ich lag im Dunkeln, zu Stein erstarrt durch die völlige Dunkelheit und die Situation. Es war schrecklich, der Atmung der anderen zuzuhören. Ich wusste, dass ich in einem Raum voller Mörder lag, und wartete darauf, dass einer von ihnen zuschlug. Wie erwartet, näherten sich bald fast lautlose Schritte.»

Das Geräusch hatte Erleichterung ausgelöst.

«Ich litt Fieber von der gleißenden Sonne, die meine Haut verbrannt hatte, und dem Wüstenstaub. Die gehetzte Reise hatte mich völlig ausgelaugt. Ich beschloss, den Tod mit offenen Armen zu begrüßen. ‹He›, sagte eine leise Stimme neben meinem Bett. ‹Mein Name ist Ghost Singer. Ich habe ein Kissen und eine Decke für dich. Hier.› Er stieß beide Gegenstände gegen meine Brust. ‹Wenn du deine Nase unter die Decke steckst und die Luft mit deinem Atem erwärmst, solltest du es warm haben. Versuch jetzt zu schlafen und verzweifle nicht. Die erste Nacht ist immer die schlimmste.› Und damit ging er. Bald wurde die Atmung aller wieder tief und gleichmäßig. Ich lag da, während ich darauf lauschte und dachte, dass dieser Schlafsaal der freundlichste Ort war, den ich kannte.»

Er starrte Naveen an und begriff, dass der junge Ghitain ihm gerade ein großes Geschenk gemacht hatte. «Das hatte ich vergessen. Ich danke dir.»

Naveen schnaubte. «Ist das nicht typisch für mich? Hier bin ich, wütend auf dich, und anstatt dich zurechtzustutzen, helfe ich dir. Ich bin erbärmlich.» Er fiel zurück in die Kissen.

Raghi wartete, bis Naveen die Augen fertig gerollt hatte, dann fragte er: «Warum ein Bruder, Naveen?»

Der Ghitain erblasste und verschränkte die Arme vor der Brust. «Weil die Verantwortung so schwer auf meinen Schultern lastete. Es gab Tage, an denen ich kaum atmen konnte und befürchtete zusammenzubrechen. Es gab Nächte, in denen ich für meinen Tod betete, die Gnade, nie wieder aufzuwachen. Und wann immer das passierte, fühlte ich mich schrecklich, weil Mutter mich brauchte. Ich hätte alles getan, um diese Last nicht allein zu tragen.»

Raghi fühlte Naveens Schmerz wie seinen eigenen. «Ich wünschte, ich könnte jemand anderes sein, jemand, der dein Vertrauen und deine Liebe verdient», flüsterte er.

«Ich will nicht, dass du jemand anders bist. Ich fühle eine Verbindung zu dir, die ich nicht mit meinen anderen Freunden teile. Bitte! Kannst du nicht einfach für eine Nacht so tun, als wäre ich dein Bruder und an meiner Seite schlafen, damit ich mich nicht allein fühle?»

Naveens Bitte war so einfach wie problematisch. Es war sinnlos, um das potenzielle Problem herumzureden.

«Mit jemanden im gleichen Bett zu schlafen war für mich bisher gleichbedeutend mit Sex. Ich kenne meine Gefühle für dich, aber was ist, wenn mein Körper mich verrät?» Die Peinlichkeit würde viel mehr wehtun als der Schmerz, den der Meister Raghis Körper so listig zugefügt hatte.

Naveen zuckte die Schultern. «Wir werden es nicht wissen, wenn du es nicht versuchst. Und obwohl ich nicht darauf eingehen werde, wäre es nicht das erste Mal, dass mich ein Junge begehrt.» Er legte sich zurück und machte Platz für Raghi.

Raghi gehorchte und zog Naveen an sich. Seine Wange schmiegte sich an Naveens Scheitel. Naveen roch gut wie immer — nach Kräutern, Gewürzen und dem Licht der Frühlingssonne.

Angsterfüllt wartete Raghi auf die vertraute Welle des Begehrens.

Sie kam immer, wenn er mit jemandem kuschelte, den er mochte. Nichts passierte. Stattdessen entzündete Beschützerinstinkt eine Flamme in seinem Herzen. Die Nähe fühlte sich unglaublich gut an und nährte seine verhungerte Seele.

Er zog Naveen näher an sich. «Kein Verlangen», kommentierte er seine Handlungen. «Nur das Wissen, dass du eines Tages sterben und mir das Herz brechen wirst.»

Naveens Arm ging um seine Taille. «Geschieht dir recht nach der Qual, die du mir bereitet hast», murmelte er, schon im Halbschlaf.

«Das ist so», stimmte Raghi zu.

Er folgte Naveen in einen tiefen, traumlosen Schlaf.

25

Kribbelnde Kälte erfüllte Raghis Arm. Er fuhr hoch. «Igitt, wann wirst du lernen, mich nicht anzufassen», beschwerte er sich und rückte weg von der geisterhaften Berührung.

Palash kauerte in der Öffnung zum Bettschrank. «Zeit zum Aufwachen. Der Clan wird bald das Lager abbrechen.»

«Es fühlt sich an wie mitten in der Nacht», sagte Raghi und versuchte, seinen verwirrten Geist zu klären.

«Nicht mitten in der Nacht, aber sehr früh. Der geflügelte Luchs kehrte zurück und brachte beunruhigende Nachrichten.» Palash blickte zu Naveen, der in Raghis Arm friedlich schlief. «Anjali liegt im Sterben.»

Raghi brauchte einen Moment, um sich zu erinnern, wen Palash meinte. «Naveens Verlobte? Aber ich dachte, der geflügelte Luchs sei zum König der Könige geflogen, um ihn über unsere Situation zu informieren. Reist sie mit seinem Clan?»

Palash nickte, sein Gesichtsausdruck düster. «Sie ist seine Tochter.»

Was? Er muss immer noch träumen. Naveen mit seiner befleckten Vergangenheit hätte der Schwiegersohn des Königs der Könige werden sollen?

«Versuch, es Naveen so sanft wie möglich beizubringen. Wir

brechen in einer Stunde auf. Der andere Clan wartet auf uns auf dem inneren Kreis. Wir sollten sie morgen Mittag erreichen können.»

Palash verschwand.

Raghi bemerkte eine unerwartete Feuchtigkeit auf seinen Wangen. Wann hatte er angefangen zu weinen? Und wie konnte er Naveen das mitteilen?

Sein Freund rührte sich. «Was ist los?», murmelte er und rieb sich wie ein Kind die Augen. Dann wurde er sich Raghis Miene bewusst, konzentrierte sich auf die Aura im Vardo und erblasste. «Palash war hier, nicht wahr? Ist Mutter etwas passiert?»

Raghi schluckte. «Nein, aber der geflügelte Luchs kehrte mit schlechten Nachrichten über Anjali zurück. Palash sagte, dass sie im Sterben liegt. Es tut mir so leid.»

Die restliche Farbe wich aus Naveens Gesicht. Er atmete zitternd ein. «Lass uns mit den Abreisevorbereitungen beginnen», sagte er, seine Stimme wie tot.

Raghi kannte diese Reaktion von sich selbst. Naveens Fassung hing an einem seidenen Faden. Brach dieser Faden, tat er es auch.

«Ich werde dir helfen. Versprich, zu mir zu kommen, wenn deine Kraft dich verlässt.»

Naveen sah ihn mit leeren Augen an. Raghi an seiner Stelle hätte gewütet.

Sein Freund nickte nur.

Sie wuschen sich rasch und machten sich an die Arbeit. Wie vor ihrem Streit arbeiteten sie zusammen und bereiteten erst Naveens, dann den Tiervardo vor.

Während der Vorbereitungen tauchte Ahriman auf.

Die äußere Ähnlichkeit des jungen Mannes mit dem Prinzen verblüffte Raghi wie immer — als hätte ein Bildhauer eine Kopie geschaffen und sie unvollendet gelassen, ohne die rauen Kanten zu polieren. Die bitteren Linien um Ahrimans Mund waren heute besonders tief.

«Shaivs Eltern haben sich bereit erklärt, selbst zu fahren. So kann

Shaiv meinen Vardo fahren, was mir die Freiheit gibt, dir zu helfen, falls ich etwas tun kann.»

Seine Aussage füllte die Atmosphäre mit unangenehmen Spannungen. Naveen wirkte noch zerbrechlicher als zuvor.

«Was ist mit Charu?», fragte Raghi.

Ahriman sah ihn mit verschleierten Augen an. «Charu ist nutzlos in einer Krise. Er sitzt im Vardo seiner Eltern und weint sich die Augen aus.»

Naveen reckte die Schultern und kam zu einer Entscheidung. «Ich wäre dir sehr dankbar, wenn du den Tiervardo fahren würdest. Dann kann Raghi mit mir reisen.»

Ahrimans Gesichtsausdruck verfinsterte sich, aber er nickte. «Die Fahrt durch Tasjars Schlucht ist nicht so schwierig. Das sollte ich schaffen.»

Die drei arbeiteten zusammen, um die Drachenpferde einzuspannen. Die Tiere zeigten weder Zuneigung noch Abneigung für Ahriman und folgten seinen wortlosen Anweisungen.

«Was macht es dir so schwer, diesen Vardo zu fahren?», fragte Raghi, als sie Seite an Seite standen und die Schnallen des Geschirrs schlossen.

Ahriman blickte finster. «Ich bin mir nicht sicher. Wie du weißt, bin ich der Wagenschmied dieses Clans. Das erfordert, dass ich ein guter Fahrer bin. Wie sonst könnte ich erkennen, ob etwas mit einem Fahrzeug nicht stimmt? Bei diesem Vardo bin ich ratlos. Er schlingert und driftet. Ihn zu fahren macht mich verrückt.» Sein Blick suchte den Prinzen, und sein Ausdruck wurde weicher. «Aber für Naveen werde ich es schaffen.»

Es war Zeit, seinen Verdacht zu beweisen. Raghi packte Ahrimans Schulter und senkte seine Stimme. «Ich bin sicher, Naveen schätzt es, wahre Freunde wie dich zu haben.»

Der junge Mann befreite sich aus seinem Griff, als hätte er sich verbrannt. «Nein, tut er nicht», fauchte er. «Und du! Behalte deine Pfoten bei dir!»

Raghi zeigte seine Handflächen in einer beruhigenden Geste. «Tut mir leid! Nichts für ungut.»

Ahriman schnaubte. Er packte die Zügel, setzte sich auf die Plattform des Vardos und wartete auf das Zeichen zur Abreise.

. . .

Die Reise durch Tasjars Schlucht war unspektakulär und einfach. Die Straße war breit, die Stämme der Birken fast weiß, und ihre Kronen luftig. Im laubgefilterten Sonnenlicht gediehen bunte Blumenwiesen, so weit Raghi sehen konnte. Er bemerkte Bärlauch und Veilchen. Es gab auch ein Meer aus flauschigen rosa Blüten, die er nicht erkannte.

Eine Vielzahl von Tieren tummelte sich zwischen den Bäumen. Raghi beobachtete Bienen, Hummeln, wie Metall in verschiedenen Farben leuchtende Käfer, Vögel, Hasen, Kaninchen, Füchse und Rehe, um nur einige zu nennen. Alle Tiere schienen in perfekter Harmonie miteinander zu leben. Alles schien so erfüllt von Liebe und Glück, dass die Szene trotz ihrer Pracht gruselig wirkte.

Naveen saß mit verschränkten Armen neben ihm und starrte ins Leere. Raghi beobachtete mit einem Auge Desert Rose, die hoch über ihnen am Himmel kreiste.

Hinter ihnen fluchte Ahriman, immer wenn der Tiervardo sich unerwartet verhielt.

So viele Ebenen der Wahrheit! Abgesehen von den Herausforderungen, die mit dem Gewicht des Fahrzeugs verbunden waren, hatte Raghi nie Probleme beim Fahren gehabt.

Gegen Einbruch der Nacht und nach einer ereignislosen Reise hielt der Clan in den Ausläufern eines spärlich mit Bäumen bewachsenen Graslands an, ohne die Wagenburg zu bilden.

Kaea kam zu ihnen. «Normalerweise würde ich das nicht erlauben, aber willst du die Nacht durchfahren, Naveen? Die Familien müssen jetzt rasten, und ich tue das auch, denn sie alleinzulassen kommt nicht in Frage. Shaiv hat die Erlaubnis seiner Eltern, morgen wieder Ahrimans Vardo zu fahren. Somit steht es dir frei weiterzureisen. Mit Raghi, Desert Rose, Palash und zwei Drachenpferden als Wachen solltest du trotz der Dunkelheit sicher sein.»

Naveen zögerte.

«Ich weiß, dass ein allein reisender Ghitain einen einmaligen Fall darstellt, Sohn. Aber ich bin bereit, dem König der Könige für dich zu trotzen. Versprich mir nur, den Energielinien der Kreise mit absoluter Präzision zu folgen.»

Naveen fuhr sich mit beiden Händen durch die Haare. Er wirkte zerrissen. «Was ist mit der Zeit? Wird dieses Verhalten nicht zu Störungen führen?»

Kaea nickte ernst. «Das ist wahrscheinlich, aber ich bin bereit, es zu riskieren. Die Dunkelheit verbreitet sich trotz unserer Anwesenheit im Multiversum. Nach den Regeln zu spielen hat sie nicht in Schach gehalten und wird es auch nicht tun. Ich kann wieder unter Vardos schlafen, wenn ich muss. Wenn du weiterreisen willst, dann tu es, Sohn.»

Naveen sprang zu Boden und umarmte sie. «Danke, Mutter!» Als er zurücktrat, schaute er Raghi an, eine stille Frage in seinen Augen.

«Ich bin dabei», bestätigte Raghi, der immer noch die Zügel hielt. «Ohne die meisten eurer Überlegungen verstanden zu haben, nehme ich an, dass wir trotz der schnelleren Geschwindigkeit nicht reiten dürfen?»

Kaea nickte. «Ein Ghitain, der seinen Vardo zurücklässt, egal ob er einen eigenen besitzt oder noch bei seinen Eltern lebt, verliert einen Teil seiner Seele. Selbst wenn Naveen das überlebt, würde der König der Könige euch nie in seinen Clan lassen. Und selbst wenn ihr mit dem Vardo eintrefft, wird er wahrscheinlich fuchsteufelswild reagieren.»

Großartig! Ein wütender Schwiegervater war genau das, was Naveen im Moment brauchte.

«Ghitains vom Clan der Seher, ich habe Naveen und Raghi die Erlaubnis erteilt allein weiterzufahren. Kommt her und verabschiedet euch!», rief Kaea mit einer Stimme, die zum entferntesten Vardo trug.

Die Familien versammelten sich, ihre Bewegungen zögerlich. Raghi sah Bedenken in vielen Mienen.

Chandana näherte sich, eine Steingutschale mit magischem Feuer in den Händen. «Ich schenke dir hiermit deine eigene Herdflamme, Naveen, Prinz vom Clan der Seher. Durch sie wirst du zu deinem eigenen Clan. Möge sie dich auf deiner Reise beschützen.»

Naveen nahm das Geschenk mit einem schweren Seufzen an. «Danke für deinen Segen», antwortete er und verbeugte sich. Dann drehte er sich um, kletterte auf die Plattform seines Vardos und trug die Flamme hinein.

Raghi, der um den Türrahmen herum schaute, beobachtete, wie der

Prinz die Flamme in den Ofen goss. Er kehrte mit der leeren Schale zurück und übergab sie der Heilerin feierlich.

Chandana reichte sie an Violet weiter, die neben ihr stand. Dann warf sie ihre Arme um Naveen und erwürgte ihn fast mit ihrer Umarmung. «Versprich mir, dass du auf dich aufpasst!», bat sie.

Weitere Menschen umarmten Naveen oder schüttelten seine Hand. Raghi fand die ganze Szene quälend, zwang sich aber zuzuschauen. Dies war seine einzige Chance, jeden im Clan zu beobachten, ohne die Aufmerksamkeit auf sich zu ziehen.

Da ihm nicht gefiel, was er sah, ließ er die Zügel fallen und ging zu Kaea. «Wer wird dich beschützen, meine Königin?», fragte er tonlos.

Sie beobachtete ihn aus dem Augenwinkel. «Meine Fähigkeiten, meine Erfahrung und Menschen, die ihr Leben für mich geben würden», antwortete sie, ihre Stimme ebenso leise. «Pass auf Naveen auf, Raghi. Versprochen?»

Er nickte.

Verdammt seien die Machenschaften des Schicksals! Obwohl niemand in dieser Zeit und an diesem Ort die Treppen der Ewigkeit um Hilfe gebeten hatte, hatten sie ihn dorthin gesandt, wo seine Fähigkeiten am meisten gebraucht wurden.

Sie kletterten auf die Plattform des Vardos und fuhren mit einem letzten Winken weiter. Das Restlicht war noch stark genug, um ihnen den Weg zu weisen. Was würde nach Einbruch der Dunkelheit passieren? Am späten Nachmittag hatte sich der Himmel mit Regenwolken überzogen. Ohne das Licht des Mondes und der Sterne waren sie blind.

Und vor Furcht erstarrt, gab Raghi sich selbst gegenüber zu. Die Dunkelheit in geschlossenen Räumen machte ihm Angst. Die Dunkelheit der Wildnis war fast genauso schlimm.

«Soll ich Desert Rose vom Himmel herabrufen?», fragte er besorgt.

«Wenn es dir dadurch besser geht. Nach unserem Wissen sollte sie da oben sicherer sein als hier unten.»

Die letzten Spuren des Tageslichts verblassten. Naveen erhob sich. «Jetzt pass auf. Ich hoffe, ich kann das ohne Hilfe.» Er faltete die Hände vor der Brust und neigte für einige Augenblicke den Kopf. Dann warf er seine Arme in einer schwungvollen Geste nach vorne, als ob er eine Taube fliegen ließe.

Raghi keuchte.

Ein Netzwerk aus silbernen Linien breitete sich über den Boden in alle Richtungen aus. Wo sich die Linien kreuzten, strahlten hellere Lichtpunkte. Gemeinsam reproduzierten sie die Landschaft wie ein zweidimensionales Gemälde auf schwarzem Pergament. Jeder Hügel wurde durch die Linien definiert, die über ihn führten und am Kamm abzubrechen schienen. Die Bäume zeigten sich als schwarze Schatten, sichtbar, weil sie das leuchtende Netzwerk hinter sich verdunkelten.

Naveens Blick schweifte über die Magie, die er erschaffen hatte. Raghi bemerkte es, weil die Augen des Prinzen die silbernen Lichter reflektierten. Abgesehen davon sah er nur einen menschlichen Schatten vor dem leuchtenden Hintergrund.

«Das Uhrwerk des Multiversums visualisiert den Lauf der Zeit und die Lebensstränge aller fühlenden Wesen, die sind, waren oder sein werden. Im Gegensatz dazu zeichnen die Spuren der Ewigkeit den Lebensweg dieser Wesen seit Anbeginn der Zeit auf. Wenn du hinter uns schaust, siehst du die Spuren, die wir gerade hinzugefügt haben. Der leuchtende Pfad, der sich vor den Drachenpferden erstreckt, stellt die Energielinien des äußeren Kreises dar. Das ist die Route, welche die Ghitainsippen seit Menschengedenken bereisen.»

Raghi schüttelte den Kopf und versuchte, seine Sicht anzupassen. «Es fühlt sich an, als wären das Firmament und die Erde auf den Kopf gestellt. Meine Augen sagen mir, dass ich über den Sternenhimmel und seine verschiedenen Konstellationen fahre. Ich habe nie gefragt: Habt ihr auch Namen für sie?»

Vielleicht eine dumme Frage. Raghi hatte den ersten Gedanken geäußert, der ihm in den Sinn kam, um sich von der sie erdrückenden Schwärze abzulenken.

Kleidung knisterte, als Naveen sich hinsetzte, und noch einmal, als er die Schultern zuckte.

«Da die Sterne überall unterschiedlich sind, hängt das davon ab, auf welcher Welt des Multiversums man lebt und wen man fragt. Ghitains konzentrieren sich nicht auf Konstellationen, sondern auf Leitsterne. Alle sieben Blütenblätter des äußeren Kreises haben Namen, die aus einer magischen Silbe bestehen, auch Mantra genannt. Man sagt, dass die Drachen jedes dieser sieben Mantras während der Schöpfung sangen. Es gibt zwei Leitsterne zu jedem Blütenblatt — einer markiert das Ende des aktuellen Blütenblattes und den Beginn des nächsten, der andere den Wendepunkt, an dem wir wieder zum inneren Kreis zurückkehren müssen.»

Raghi runzelte die Stirn. Selbst mit seiner sehr skizzenhaften astronomischen Ausbildung wusste er, dass das nicht funktionierte. «Aber die Sterne bewegen sich.»

«Das tun sie auch. Und früher brauchten Ghitains starke mathematische Fähigkeiten, um ihren Reiseweg aus der jeweiligen Position der verschiedenen Leitsterne abzuleiten. Heutzutage folgen wir einfach den Spuren der Ewigkeit. Nicht jeder von uns kann sie sichtbar machen, wie ich es gerade tat, aber jeder Ghitain fühlt sie und kann ihnen fehlerfrei folgen.»

Sie ratterten über das tintenschwarze Grasland. Raghi konnte sich nicht mehr an der Faszination festhalten. An ihre Stelle trat eine vertraute Furcht. Die Dunkelheit, die sie umgab, war absolut. Er fühlte sich in einem dunklen Abgrund gefangen, und die unwirklich gemalte Landschaft, die zwar aus sich selbst leuchtete, aber kein Licht abstrahlte, machte die Sache nur noch schlimmer.

«Naveen, können wir eine Laterne anzünden?»

«Berühr die Wand hinter dir und denk an das magische Feuer, das Chandana mir gegeben hat.» Naveens Stimme klang bedrückt.

Raghi gehorchte. Die Umrisse des Vardos flammten mit goldenen Lichtern auf, wie wenn die Ghitains spätabends einen neuen Lagerplatz erreichten.

«Versuch, das Licht etwas zu dämpfen. Das ist zu hell.»

Raghi stellte sich ein sanfteres Licht vor. Es dauerte ein paar Versuche, bis die Straße des äußeren Kreises wieder sichtbar wurde. «Das sollte Rose helfen uns zu folgen.»

Naveen wackelte mit dem Kopf. «Ich bezweifle, dass sie dazu Licht braucht. Mit ihrem Drachenblut sollte sie Sinne haben, die über unsere Vorstellungskraft hinausgehen.»

Danach sprachen sie nicht mehr.

Als sie immer weiter durch die surreale Landschaft fuhren, regten sich Zweifel in Raghi, dass die Nacht jemals enden würde. Trotz der glühenden Energielinien und der sanften Beleuchtung des Vardos waren sie blind, gefangen in einem schimmernden Kokon, der etwa beim Hintern der Drachenpferde endete. Der Schimmer erreichte nicht einmal ihre stacheligen Mähnen oder Ohren.

Das Schlimmste waren die fehlenden Umgebungsgeräusche. Durch seine anfängliche Faszination war es ihm entgangen, aber sie waren die Einzigen, die Lärm machten. Das Schnauben der Pferde, das laute Trappeln ihrer Hufe, das Klingeln der Glöckchen und das Knarren und Ächzen des Vardos erreichte seine Ohren. Abgesehen davon — nichts.

Raghi erinnerte sich an die nächtliche Wüste um Eterna, als er weit und breit herumgezogen war, um nicht wahnsinnig zu werden. Selbst die kältesten Nächte in der trockensten Jahreszeit waren erfüllt von Geräuschen. Die Winde wisperten und wehten durch die ausgetrockneten Büsche. Insekten zirpten, wobei die Wüstenzikaden eher wie metallene Frösche klangen. Eine Fülle von Lebewesen wie Schlangen, Eidechsen und kleine mausähnliche Säugetiere verschiedener Arten gingen ihrem Lebensunterhalt nach. Jedes Insekt und Tier bewegte ein paar Sandkörner, das Rieseln hörbar für Raghi und die Eulen und Fledermäuse auf der Jagd. In mondhellen Nächten wurden ihre Silhouetten zu scharfen Konturen gegen das sternengesprenkelte Firmament. Der ewige Tanz von Leben und Tod hatte ihn schon immer fasziniert.

Die Landschaft veränderte sich. Runde Hügel erhoben sich aus dem welligen Grasland. Die Energielinien des äußeren Kreises begannen sich um ihre Ausläufer zu winden.

«Wir werden bald den inneren Kreis erreichen. Wenn der Clan der Lichtträger dort angehalten hat, wo sie es immer tun, sollten wir sie innerhalb einer Stunde erreichen», sagte Naveen mit hohler Stimme. «Ich wünschte, diese Reise würde nie enden!»

Denn wenn sie ankamen, endete die Hoffnung, und Gewissheit trat an ihre Stelle.

«Ich verstehe deine Gefühle, aber ich kann es kaum erwarten, das Licht des Vardos zu löschen. Wir befinden uns schon viel zu lange auf dem Präsentierteller für jeden in Sichtweite. Zwei Pfeile, und wir sind Geschichte.»

«Wollte jemand dort draußen uns verletzen, hätte er längst gehandelt. Und nur wenige Fahrzeuge sind so klar als Ghitainvardo erkennbar wie dieser hier. Verletzt du einen von uns, verwirkst du dein

Leben. Du musst bemerkt haben, dass sogar die Schergen des Reisenden uns mit Respekt behandelten.»

Raghi runzelte die Stirn. Naveen hatte recht. «Nicht aber der Reisende. Er rannte mich um, und es war ihm egal.» Oder vielleicht doch nicht? Der Bastard hatte Raghi und Mallika erst als Ghitains identifiziert, nachdem er sie in den Dreck geschleudert hatte.

«Eins nach dem anderen.» Naveen reckte den Hals. «Siehst du die breite Straße aus Energielinien, die da vorne von rechts auf uns zuführt? Das ist der innere Kreis. Sobald wir ihn erreichen, musst du nach links abbiegen.»

Raghi spürte den fast unwiderstehlichen Drang nach rechts abzubiegen, nur um zu sehen, was passieren würde. Ein Blick auf Naveens Gesicht erstickte diesen Impuls.

Die zweidimensionale Landschaft änderte sich erneut. Die meisten Spuren verschwanden. Nur die Energielinien des inneren Kreises blieben bestehen. Das Klingeln der Glöckchen schien lauter zu werden. Echos mischten sich unter das Hufgetrappel der Drachenpferde.

«Fahren wir in eine Schlucht hinein?»

«Die Ausläufer einer hohen Hügelkette. Die einzelnen Hügel haben einen schmalen Fuß und erheben sich fast senkrecht, ähnlich gezackten Zähnen. Einige nennen die Hügelkette das Rückgrat des Drachen. Trotz des Namens ist das Gebiet unproblematisch. Die Hügel sind aus sehr hartem Stein, daher besteht keine Gefahr eines Steinschlags. Und es gibt keine Restmagie.»

Hoffentlich hatte Naveen recht.

Als er seinen Blick auf den dunklen Stellen verweilen ließ, bemerkte Raghi etwas. Bei einem Kontrollblick auf die menschlichen Spuren des Kreises konnte er es sogar dort erkennen: Ein zweites, matteres und dichteres Netzwerk lag unter den hellen Spuren der Ewigkeit. Wenn er sich darauf konzentrierte, rückte es in den Vordergrund. Der Effekt fühlte sich an, als würde er gegen eine Wand laufen.

Sein Stöhnen erregte Naveens Aufmerksamkeit. «Du kannst die Schichten sehen, die unter den menschlichen Spuren liegen, nicht wahr? Unzählige Millionen von Energielinien, verursacht durch Tiere, Pflanzen und alles, was existiert.»

Raghi schluckte ein paar Mal, um seine plötzliche Übelkeit zu vertreiben. «Das ist keine Fähigkeit, die ich mag und fördern möchte.»

«Vielleicht nicht, aber wir können nicht bekämpfen, was wir sind.» Naveens Gesichtsausdruck wurde düster.

Raghi, nicht in der Stimmung für philosophische Diskussionen, konzentrierte sich auf die anstehenden Entscheidungen. «Nicht mehr lange und wir erreichen den Lagerplatz, wo du den anderen Clan zu finden glaubst. Wir müssen unser Vorgehen planen. Wird das andere Lager bewacht? Und wie machen wir auf uns aufmerksam?»

«Sie werden unsere Annäherung spüren und hören. Und sobald wir den Energiekreis sehen, die durch die Bildung der Wagenburg entstand, werde ich unsere Anwesenheit offiziell bekannt geben. Du hast den Ruf gehört, als wir Aeriels Quellen erreichten.»

«Ah, du meinst den Raubvogel im Drogenrausch.»

Naveen schnaubte vor Überraschung. «So klingt der uralte Erkennungsruf der Ghitains für dich? Er soll Freude und Licht ausdrücken.»

Ihr Weg führte sie um eine Kurve. In der Ferne sah Raghi einen weiten Kreis aus Energielinien. Die schwarzen Schatten, die ihn unterbrachen, zeigten die Umrisse von Vardos.

Der Lagerplatz des anderen Clans.

Naveen stieß das jauchzende Trällern aus, an das sich Raghi erinnerte, aber ganz leise. Er winkte einmal mit der Hand, und die Spuren der Ewigkeit verschwanden.

Als wäre ein Damm zerborsten, stürzten die Geräusche der Nacht und des Lagers auf sie ein. Auch seine anderen Sinne kehrten zurück. Raghi roch Pferde und die Asche erloschener Kochfeuer, vermischt mit dem Duft von Feldblumen. Er sah nirgendwo Lichter. Schliefen alle?

«Halt jetzt an, Raghi», flüsterte Naveen. «Es ist absolut verboten, einen Vardo in das Lager eines anderen Clans zu fahren. Wir müssen warten und sehen, ob sie uns einladen. Wenn nicht, bleibst du hier, während ich zu Anjalis Vardo gehe. Damit beweise ich immer noch ganz schlechte Manieren, aber die Höflichkeit sei verdammt!»

Zwei Männer mit Fackeln erschienen still wie Geister. Sie standen im Eingang der Wagenburg. Ihre Fackeln warfen ein flackerndes Licht auf die sie umgebenden Fahrzeuge. Der größere Mann winkte ihnen näherzukommen.

Naveen berührte die Wand hinter seiner Schulter.

Raghi presste die Augenlider zusammen, als die Lichter des Vardos aufflammten. Der Schein war nicht stark, aber nachdem er Stunden damit verbracht hatte, in eine scheinbar unendliche Schwärze zu starren, brauchten seine Augen lange Momente der Anpassung.

Immer noch schielend, erhob er sich, um ihren Weg auf Hindernisse zu überprüfen. Die Straße war frei. Er trieb die Drachenpferde an. «Warum schützen sie die Öffnung des Lagers nicht, indem sie wie dein Clan natürliche Felsformationen nutzen? Jeder könnte eindringen.»

Auch Naveen erhob sich. «Lichtträger haben Zugang zu anderer Magie als wir. Betrachte ihr Lager nicht als ungeschützt, nur weil du ihre Verteidigungsmaßnahmen nicht siehst. Halt an, wenn die Drachenpferde den König der Könige erreichen. Höchstwahrscheinlich wird er sie am Zaum festhalten.»

Sie meisterten das Treffen ohne Missgeschick.

Naveen sprang vom Vardo und ging zum größeren der beiden Männer.

Raghi versuchte, den Fremden einzuschätzen, und fand es schwierig. Nun, da Naveen vor ihm stand, traten die Gemeinsamkeiten und Unterschiede deutlich hervor. Der König der Könige war durch und durch Ghitain. Seine Ausstrahlung und Gesichtszüge, sein volles und welliges schwarzes Haar, sogar seine Haltung waren typisch für sein Volk. Trotz seines Alters von vielleicht fünfzig Jahren war er gut aussehend und schlank — bis auf Naveens Freund Charu hatte Raghi noch keinen fetten Ghitain getroffen — und wirkte in seiner lilafarbenen Tunika und dunkelvioletten Hose und der gleichfarbigen, mit silberner Stickerei verzierten Weste äußerst attraktiv. Als er sich bewegte, funkelte eine ganze Menge Silberschmuck. Raghi bemerkte seine eleganten Hände. An jeder trug er mehrere Ringe.

Aber dort endeten die Gemeinsamkeiten.

Zum einen war er größer als jeder Ghitain, dem Raghi bisher begegnet war. Seine Haut hatte fast die Farbe von Walnüssen, während Naveens einen bronzenen Farbton zeigte.

«Naveen», sagte der König der Könige und umarmte ihn. Der Ghitainprinz schien in seinen Armen zu verschwinden.

Raghi versuchte, die Stimmung des Mannes einzuschätzen. Er

schien beunruhigt mit einem Hauch von Missbilligung, aber nicht sauer, wie Kaea es vorhergesagt hatte.

Naveen befreite sich. «Parth. Ist Anjali … Ist sie …?»

Der König der Könige nickte. «Sie ist noch am Leben, aber nicht mehr lange.»

«Ich muss sie sehen. Bitte!»

Parth seufzte. «Sie will dich nicht sehen. Sie hat mir verboten, in meiner Nachricht an deine Mutter etwas über ihren Zustand zu schreiben.»

«Warum hast du ihrem Wunsch nicht entsprochen? Ich dachte, du würdest alles für deine Tochter tun», fragte Naveen hilflos. Er klang wie ein kleiner Junge.

Der andere Mann trat zu ihnen und berührte Naveens Schulter zur Begrüßung. Die Ähnlichkeit zwischen ihm und Parth war so stark, dass er der jüngere Bruder des Königs der Könige sein musste.

«Dafür bin ich verantwortlich. Parth tat gut daran, Anjalis Wünsche zu befolgen, aber jetzt liegt sie im Sterben. Sie schuldet dir eine Erklärung oder zumindest ein paar letzte Momente. Alles andere würde gegen das Konzept der liebevollen Achtsamkeit verstoßen und einen Schatten auf ihr Leben nach dem Tod werfen.»

Parths durchdringender Blick richtete sich auf Raghi. «Wer ist dein Freund, Naveen? Ich erkenne ihn nicht.»

Naveen drehte sich um. «Das ist Raghi. Er und seine Familie leben seit Kurzem beim Clan meiner Mutter. Da Chandana mir mein eigenes Herdfeuer gab, damit ich weiterreisen konnte, gehört er jetzt zu meinem Clan … zumindest glaube ich das.»

Der König der Könige zischte leise. «Kaea war immer eine mutige Königin, die nie nach den Regeln spielte. Komm her, Raghi.»

Raghi sprang ins Gras und gehorchte. Er fragte sich, auf welche Tatsache sich der Mann bezüglich der Regeln bezog — dass Kaea Fremde in ihren Clan aufgenommen oder dass sie Naveen erlaubt hatte, durch die Nacht zu reisen. Wahrscheinlich beides.

«Mein Name ist Parth. Ich bin der König der Könige der Ghitains.» Parth bot Raghi die Handfläche seiner linken Hand an.

Raghi schaute zu Naveen, der fast vor Ungeduld aus der Haut fuhr.

«Leg deine linke Handfläche auf seine. Stell dich vor», befahl ihm der Prinz.

Raghi tat, wie geheißen. «Ich bin Raghi der Schatten. Ich bin ein Auftragsmörder.»

Beide Männer hoben überrascht die Augenbrauen.

Der zweite Ghitain bot seine Handfläche an. «Ich bin Arjun, der jüngere Bruder und Nachfolgers des Königs der Könige.»

Raghi wiederholte die Geste und seine Worte. Diesmal kribbelte seine Hand, als ob Energie von ihm zu Arjun fließen würde. Der Ghitain musste durch den Kontakt Informationen gewonnen haben, denn er starrte Raghi mit großem Interesse an.

«Kann ich zu Anjali gehen?», fragte Naveen, seine Geduld zu Ende.

«Ja, aber ich bitte dich geduldig und respektvoll zu sein trotz ihres feindlichen Verhaltens. Mit deiner Erlaubnis werden Arjun und ich deinen Vardo ins Lager fahren und die Drachenpferde abschirren.»

Naveen nickte. «Danke. Zwei weitere Drachenpferde und eine Chimäre begleiten uns. Habt keine Angst, wenn sie sich zeigen.»

Damit eilte er zum einzigen beleuchteten Vardo auf der anderen Seite der umschlossenen Wiese.

Raghi starrte ihm nach und fragte sich, wie sein Freund in einer so schrecklichen Situation an all diese Details denken konnte und wie Naveen sich auf der tintenschwarzen Wiese zurechtfinden wollte, ohne in eines der kalten Kochfeuer zu stolpern. Durfte er folgen? Er warf einen fragenden Blick auf die Ghitainbrüder.

Parth nickte. «Bleib bei ihm.»

Raghi rannte Naveen hinterher. Als er die stille Wagenburg betrat, entzündeten sich unter jedem Vardo Lichtschalen, die ihren weichen Schein über die Wiese warfen. Offensichtlich verbarg ein Zauber das Licht vor Beobachtern außerhalb des Lagers. Kein Wunder, dass Naveen so schnell laufen konnte.

Raghi folgte mit Vorsicht und achtete fortlaufend auf seine Umgebung. Sein erster Eindruck vom Lager war gemischt. Die Atmosphäre fühlte sich nicht freundlich an. Dann erkannte er, dass die Vardos größer waren als die, die er kannte, und ihre Farben viel gedämpfter. Anstelle der hellen Farbtöne, die der Clan der Seher bevorzugte, bemerkte er dunkelrot, moosgrün und blauschwarz. Im diffusen Licht wirkten die Farben wie verschiedene Schwarztöne.

Der beleuchtete Vardo schien die einzige Ausnahme von dieser Regel zu sein. Es war klein, weiß und silbern lackiert und — anders als die anderen geparkten Fahrzeuge — ein Zweispänner.

Naveen stand erstarrt am Fuß der Stufen, die zur Plattform hinaufführten. Raghi holte ihn ein.

«Ich habe Angst», sagte Naveen tonlos. «Kannst du zuerst reingehen und zu vermitteln versuchen? Letztes Mal fing sie an zu schreien, bevor ich die Schwelle überschritten hatte. Wenn sie mich sieht und an dem Schock stirbt, kann ich es mir nie verzeihen.»

Raghi berührte mitfühlend seinen Ellenbogen. «Du bist zu gut für diese Welt, Naveen. Das weißt du, ja?»

Naveen zuckte die Schultern. «Ich liebe sie. Obwohl sie mich mehr verletzt hat als jeder andere, sogar du.»

Raghi schlich die Treppe hinauf und klopfte leise. Als er die Erlaubnis erhielt, öffnete er die Tür und trat einen Schritt weit ins Fahrzeug. Alle Versuche, sich mit seiner Umgebung vertraut zu machen, scheiterten, als sein Blick auf die ältere Frau fiel, die auf der Bank vor dem Bettpodest saß.

Sie war die exotischste Frau, die er je gesehen hatte. Die Kapuze ihres kastanienbraunen Samtumhangs rahmte ein scharf geschnittenes, dunkelhäutiges Gesicht ein, das mit schwarzen Wirbeln und Ornamenten tätowiert war. Ihre hypnotisierenden Mandelaugen hielten ihn gefangen, bis ihre sanfte Stimme ihn von dem Zauber befreite.

«Wer bist du?», fragte sie ohne Angst.

«Mein Name ist Raghi. Ich bin ein Freund von Naveen.»

Bettwäsche knisterte. «Naveen ist hier?», hörte Raghi eine ähnlich schöne, aber sehr schwache Stimme.

«Er wartet draußen, nicht sicher, ob er willkommen ist. Er ist die ganze Nacht gefahren, um bei dir zu sein.»

Ein Schluchzen. «Naveen, mein Herz und meine Liebe …»

Raghi hörte die verzweifelte Sehnsucht in ihrer Stimme. «Soll ich ihn rufen?»

«Nein!» Heftige Bewegungen begleiteten den herzzerreißenden Schrei. Hatte sie sich gerade die Decke über den Kopf gezogen?

Raghi blickte zurück zur Tür, die er absichtlich offen gelassen hatte. Naveen blickte durch den Spalt, sein Gesicht leichenblass. Raghis Herz zog sich zusammen.

Hier gab es nichts zu verhandeln. Anjali würde Naveen nie hineinlassen. Es sei denn …

Es sei denn, er äußerte seinen Verdacht.

26

Panik überflutete Raghis Bewusstsein. Er konnte das nicht. Er war und würde immer ein Versager bleiben. Alles, was er berührte, zerfiel zu Asche in seinen Händen. Jede Hoffnung, die er nährte, starb. Seine Freundschaft mit Naveen konnte nicht von Dauer sein. Er hatte sie bereits einmal zerbrochen und durch schieres Glück gekittet.

Das änderte nichts an der Tatsache, dass Naveen das Beste darstellte, was ihm je passiert war. Und dass Naveen seine Hilfe und bedingungslose Freundschaft verdiente.

Verzweiflung strömte durch Raghis Adern wie flüssiges Feuer. Wenn er nur ein besserer und weiserer Mensch wäre! Er war schon immer ein Meister im Davonlaufen und niemals Zurückschauen gewesen. Und jetzt war er der Einzige, der helfen konnte. Was für eine dämliche Zwickmühle!

Und seine Hilfe würde zunächst nur noch schlimmere Schmerzen verursachen.

Soll er ins Wespennest stechen? Der Zeitpunkt war schrecklich, er hatte immer noch keine Beweise, und Anjali stand an der Pforte des Jenseits. Ihr Vater konnte sich nicht irren. Liebevolle Väter wussten so etwas. Aber vielleicht gab es einen Weg, Anjali mit neuer Kraft zu versorgen, bis Chandana ankam … wenn er zu ihr durchdrang.

«Was geht in deinem Kopf vor, junger Mann? Ich kann dich fast denken hören», sprach die ältere Frau. «Ich bin Devi, Anjalis Mutter.»

Anstatt der Königin zu antworten, konzentrierte sich Raghi auf den kleinen Körper um seinen Hals. *Najira, kannst du heilendes Feuer erzeugen?*

Widerwillen überflutete seinen Geist. *Kann ich, aber mein Entführer wird es spüren und hierher eilen. Dann muss ich fliehen.*

Hilfst du mir, wenn mir keine andere Lösung einfällt? Ich werde mit dir fliehen.

Ihr Bewusstsein wand sich durch seins. *Ja.* Mit diesem Versprechen verblasste ihre Anwesenheit.

Raghi richtete seine Aufmerksamkeit auf Devi. «Darf ich mich nähern, meine Königin?», zwang er sich zu fragen, obwohl ihre Schönheit ihn fast sprachlos machte.

Sie nickte.

Raghi ging zum Bettpodest. «Anjali, würdest du mich ansehen?», sprach er den Haufen Decken an.

Die Falten bewegten sich, bis ein Auge in einer Öffnung erschien. Sein glasiger, fieberhafter Glanz gefiel Raghi ganz und gar nicht.

«Mein voller Name ist Raghi der Schatten. Ich bin von Beruf ein Auftragsmörder, und als solcher bemerke ich Details, die andere Leute nicht beachten. Ich weiß auch viel darüber, wie man Attentate wie Unfälle aussehen lässt.»

Diese Aussage trug ihm die volle Aufmerksamkeit beider Frauen ein. Er konnte nur hoffen, dass Anjali noch verstand, was er ihr zu sagen versuchte.

«Als ich von eurem sogenannten Unfall erfuhr, verspürte ich erste Zweifel. Später, als ich Naveens Narben sah, wusste ich, dass eure Annahme nicht stimmen konnte. Jemand versuchte, euch beide mit einer im Feuer platzierten Splitterbombe zu töten.»

Seine Aussage erzeugte ein tiefes Schweigen. Raghi konnte Anjalis Reaktion nicht einschätzen, aber die Königin schien über seine Offenbarung nachzudenken.

Er blickte zu Naveen zurück. Sein Freund stand versteinert in der nun offenen Tür, eine Hand erhoben. Parth und Arjun standen hinter ihm, ebenfalls erstarrt.

Devi war die Erste, die sich wieder rührte. «Anjali und Naveen hatten den Ehrenplatz. Das Fest sollte zu einem bestimmten Zeitpunkt beginnen. Das Feuer in der Mitte des Kreises wird immer etwa eine halbe Stunde im Voraus entzündet. Kann eine Bombe so präzise ausgerichtet und detoniert werden?»

Raghi nickte. «Wenn du möchtest, kann ich es dir erklären.»

Wie lange noch, bis sie explodierten und auf ihn losgingen?

Er nutzte die kurze Galgenfrist, um zu Naveens Gunsten zu flehen. «Anjali, ich habe Naveens Narben gesehen, und sie sind schlimm. Ich kann nur annehmen, dass du noch schlimmer getroffen wurdest. Solche Bomben sind die Waffe von Feiglingen und Verschwörern. Lass euren Feind nicht gewinnen. Bitte erlaube einem Heiler deine Verletzungen zu untersuchen. Und bitte — bitte! — schick Naveen nicht länger weg. Du weißt am besten, dass er das nicht verdient.»

Unglaublich, aber seine Worte zeigten Wirkung. Die Decken bewegten sich, und das Gesicht einer jungen Frau erschien. Verbände bedeckten seine rechte Hälfte. Obwohl sie sich noch bewegen konnte, waren die Anzeichen ihres bevorstehenden Todes unverkennbar. Ihre Atmung war zu schnell und schwer, ihre Lungen mit Flüssigkeit gefüllt, wodurch ein Rasseln jeden Atemzug begleitete. Zwar roch er keinen Wundbrand, doch zeigte die kränkliche Farbe ihrer Haut an, dass die Bombensplitter in ihrem Körper eiterten.

«Ich fürchte, es ist zu spät», sagte Anjali mit stiller Würde.

Etwas traf Raghi und stieß ihn gegen die Wand des Vardos, glücklicherweise weg von der Königin. Er richtete sich auf und suchte nach seinem Angreifer. Naveen. Der Prinz griff nach Anjalis Händen, Tränen strömten über seine Wangen.

Anjali nahm seine Berührung an, obwohl sie sich vor Scham krümmte und ihr Gesicht abwandte.

«Vielleicht können wir dir etwas mehr Zeit verschaffen», sagte Raghi. «Hat dein Clan einen Heiler oder sollen wir auf Chandanas Ankunft warten?»

Parth trat ein. Seine stillen Schritte verursachten Vibrationen, die durch Raghis Füße aufstiegen. «Chandana ist die begabteste Heilerin von allen. Aber wie können wir auf sie warten? Ein sterbender Lichtträger bleibt stark, lange nachdem andere das Bewusstsein verlieren, nur um dann sofort zu sterben, wenn die innere Flamme erlischt. Anjali hat höchstens noch eine Stunde Zeit.»

Jedes Wort zeugte von der Verzweiflung des Königs der Könige. Die Königin stand auf und trat vor ihren Mann. Das Paar teilte eine intensive Umarmung.

Raghi legte seine Hand auf Naveens Schulter. «Kannst du Anjali nach draußen tragen?», fragte er mit einem sanften Schütteln, um die Aufmerksamkeit seines Freundes zu erregen.

Naveen hob den Kopf und schien Raghis Absicht zu erkennen. «Wer?», fragte er.

«Rose. Wenn das nicht funktioniert, die andere Option. Die andere Option wird funktionieren, aber sie zwingt mich zu fliehen.»

«Das würdest du für mich tun?», fragte Naveen entgeistert.

«Ja. Jetzt bring Anjali ins Freie.»

Raghi ging nach draußen und fragte sich, wie lange er warten musste. Niemand akzeptierte ungewöhnliche Befehle einfach so. Eine hitzige Diskussion musste folgen. Sie würden Zeit verschwenden, bis es zu spät war.

Nicht die Ghitains.

Wieder einmal überraschten sie ihn mit ihrer Offenheit und Effizienz. Devi kam zuerst mit einem Arm voller Decken an. Sie breitete sie auf dem Gras aus. Die Männer brachten magische Lichter. Als Naveen mit Anjali auf den Armen erschien, war alles bereit.

Sie schien so groß wie er und musste schwer sein, aber er trug sie wie die größte Kostbarkeit des Multiversums.

«Setz dich einfach mit ihr in den Armen hin», befahl Raghi. Jetzt musste er Desert Rose finden.

Sie musste in der Nähe sein. Das war sie immer, wenn er sie brauchte — weshalb es so schwer gewesen war zu akzeptieren, dass sie ihn verlassen hatte.

Ihr nervös schlagender Drachenschwanz ragte unter Naveens Vardo hervor.

«Rose?», lockte er.

Sie schlich herbei, ihr Bauch fast am Boden, und warf wachsame Blicke auf die unbekannten Menschen. Wie Raghi schien sie sich bewusst zu sein, dass dies eine andere Art von Ghitains war.

«Ich wunderte mich bereits, als du eine Chimäre erwähntest, Naveen», sprach Parth mit Ehrfurcht. «Das habe ich nicht erwartet. Deine Fähigkeiten sind außergewöhnlich. Nur du kannst ein ausgestorbenes magisches Tier finden.»

«Sie gehört zu Raghi und nur zu ihm», korrigierte Naveen die falsche Annahme, ohne aufzusehen. Er hielt Anjali, seine Wange an ihre gesunde geschmiegt. Ihre tiefe Liebe füreinander schien einen Kokon aus Licht um ihre Körper herum zu erzeugen.

Raghi ertappte sich dabei, wie er starrte, und musste seinen Blick gewaltsam abwenden. Er griff nach Roses Drachenhals. «Würdest du Anjali dein heilendes Feuer schenken? Ihr läuft die Zeit davon.»

Rose schlich zu dem sitzenden Paar und berührte mit ihrer Drachennase Anjalis Stirn. Ihr Schwanz schlug vor Aufregung. Etwas verwirrte sie.

Naveen hob den Kopf. Aus dieser Nähe musste die Chimäre furchterregend wirken, aber er wich nicht zurück. «Bitte?», flehte er.

Desert Rose holte tief Luft. Ihr Rücken wölbte sich und ihr ganzer Körper dehnte sich aus. Die kleine Flamme, die sie in Anjalis Gesicht blies, war golden mit orangefarbenen Rändern. Sie erinnerte Raghi an die Lava, die aus den Vulkanen seiner Heimatinsel strömte.

Allmählich wuchs die Flamme.

Raghi blickte in Parths Gesicht hoch und musste zusehen, wie sich seine Miene verfinsterte. Warum half das heilende Feuer nicht? Die Wirkung der Drachenmagie drang bis zu ihm.

«Es ist zu spät», schluchzte Devi. «Es gibt einen Moment, nach dem das Sterben eines Lichtträgers nicht mehr durch Heilung, sondern nur noch durch Veränderung des Schicksals abgewandt werden kann.»

Parth griff nach ihrer Hand, sein Gesicht von Leid verzerrt.

Sie hat recht, Raghi, sprach Najira in seinem Kopf. *Die Lebenskraft des Menschenkindes nimmt schneller ab, als die Chimäre sie auffüllen kann. Somit bleibe nur ich übrig.*

Was bedeutete, dass sie fliehen mussten.

Warum ist mein Herz plötzlich so schwer? Ich bin der Meister des Mich-Abwendens und Davonlaufens.

Raghi stählte sich. «Naveen?»

Sein Freund erkannte seine Absicht sofort. «Versprich mir, dass du nicht fliehen wirst, bis Mutter kommt! Selbst wenn der Reisende die Drachenmagie spürt, gibt es keine Möglichkeit für ihn, so schnell hierher zu kommen. Er kann nicht fliegen.»

Raghi fühlte, wie Najira zusammenzuckte, und ein flüchtiger Eindruck blitzte durch sein Bewusstsein. «Leider kann er fliegen. Er ...» Konnte das sein? «Er stahl die Essenz eines Drachens und absorbierte sie.» Was auch immer das bedeutete, abgesehen davon, dass der Mann ein kranker Bastard war.

Parth, der ihrem Austausch aufmerksam zugehört hatte, räusperte sich. «Vergiss nicht, was du weißt, Naveen. Zaubersprüche schützen unser Lager, die alle Magie innerhalb der Wagenburg halten. Sollten Spuren besonders heftiger Magie entkommen, werden sie verschlüsselt und ihre Herkunft verschleiert. Ich kann dir nicht versprechen, dass der Reisende die Drachenmagie nicht spürt, aber er sollte erhebliche Schwierigkeiten haben, sie zu orten.»

Anjali begann nach Luft zu schnappen. Ihre Hände verkrümmten sich zu Klauen.

Die Zeit läuft ab, Raghi. Fass Desert Rose mit beiden Händen an. Jetzt!

Raghi wurde wie von einem Tritt zwischen den Schulterblättern nach vorne getrieben. Er fiel hart auf den Rücken der Chimäre und war bereit, Najira gründlich die Meinung zu sagen. Bevor er ein Geräusch machen konnte, raste ein Energieschub durch seine Venen, der ihm die Haare zu Berge stehen ließ.

Vernunft gewann gegen den Zorn. Obwohl sie viel gröber als nötig gewesen war, hatte Najira die Führung übernommen. Wer hätte gedacht, dass Missy Waschlappen so energisch sein konnte?

Die Magie intensivierte sich. Ihre Strömung war so stark, dass sich sein Körper wie gelähmt anfühlte. Mit äußerster Willenskraft zwang er sich, an Roses Hals vorbei auf das zu schauen, was geschah. Im Treibsand zu schwimmen konnte nicht schwieriger sein.

Die heilende Flamme hatte sich nicht verändert, aber orangefarbene Lichter tanzten um Naveen und Anjali herum und bildeten sich kräuselnde Muster. Raghi glaubte, Bilder in ihnen zu erkennen, oder hörte er Musik?

*Drachenmagie besteht aus Liedern. Wenn ich aufhöre, wird das

Mädchen wieder einen Tag und eine Nacht lang Zeit haben. Sag ihr das!*

Die Magie brach ab. Desert Rose sackte auf den Bauch. Wie eine Lumpenpuppe fiel Raghi auf ihren Rücken. Sie drehte den Adlerkopf und starrte ihn an.

«Es tut mir leid», sagte Raghi. «Ich wusste nicht, was sie vorhat.»

Er stemmte sich auf die Knie, dann auf die wackeligen Füße. Er fühlte sich tief beeindruckt. Von allen Wesen im Multiversum hatte das Schicksal Rose und ihn — die ewigen Außenseiter — auserwählt, Drachenmagie zu erfahren. Die Chimäre wirkte ebenfalls betroffen und nachdenklich.

Es blieb keine Zeit für philosophische Überlegungen. «Ist Magie entwichen?», fragte er den König der Könige.

Parth nickte ernst. «Nur verschlüsselte Spuren, aber sie haben seine Aufmerksamkeit erregt.»

«Muss ich fliehen?»

Der König von König wog seine Worte ab. «Nicht gleich, aber du solltest die verbleibende Zeit für die Vorbereitung nutzen. Kaea hatte recht. Die Dunkelheit gewinnt an Macht, und sie wird sich auf dich konzentrieren. Wenn du verlierst, verlieren wir alle. Es liegt an dir, den Krieg zu führen, aber es liegt an uns allen, das Licht zu bewahren.»

Das klang bedrohlich und spiegelte die Angst wider, die Raghi in den Knochen saß. «Und das weißt du, weil ...?»

Devi trat auf Raghi zu. «So wie Kaea die Lebensstränge aller Wesen aller Zeiten sieht, können Lichtträger erkennen, wie das Gleichgewicht von Licht und Dunkelheit beeinflusst wird. Und wie Kaea schauen wir nicht, wenn wir nicht müssen. Die Drachenmagie öffnete die Türen unserer Wahrnehmung, und wir sahen, ohne es zu wollen. Wir werden uns nun um unsere Tochter kümmern. Später, wenn Kaea angekommen ist, werden wir uns um dich kümmern.»

DAS AUFLODERN der alten Magie hatte alle im Lager geweckt. Fenster und Türen erstrahlten mit weichem Licht. Raghi hörte fragende Stimmen. Dann verließen die ersten Ghitains ihre Vardos.

Arjun machte die Runde und sprach kurz mit allen. Eine Viertelstunde später versammelte sich der Clan der Lichtträger auf der Wiese im fahlen Licht der Morgendämmerung. Arjun informierte die Familien über das Geschehene und zeigte gelegentlich auf Raghi, der auf den Stufen von Anjalis Vardo saß, Desert Rose wie ein riesiger Wachhund an seiner Seite.

Im Mittelpunkt zu stehen fühlte sich schrecklich an, aber es gab keine Alternative. Sie mussten von ihm und der Chimäre wissen.

Arjun erzählte eine bearbeitete Version der Wahrheit, die sie spontan erfunden hatten — dass Desert Rose Anjali durch alte Magie Zeit gegeben hatte und die Aufmerksamkeit eines gefährlichen Feindes erregte.

In Eterna hätte eine solche Offenbarung Empörung und Massenpanik ausgelöst, gefolgt von einer Hexenjagd nach einem Sündenbock. Die Familien hörten zu, nickten, stellten ein paar Fragen und gingen zurück zu ihren Vardos.

Als Arjun kurze Zeit später zu Raghi kam, fragte er den Ghitain danach. Wie er es wagte, wusste er nicht. Nicht jeder Ghitain konnte so aufgeschlossen gegenüber Narren sein wie Kaea. Aber Arjun wirkte viel weniger einschüchternd als Parth und schien einen Hauch von Schelmenhaftigkeit in seiner Seele zu verbergen.

Arjun setzte sich neben Raghi und rieb sich erschöpft das Gesicht. All die Wochen der Sorge um Anjali hatten einen schweren Tribut gefordert, der sich in den hängenden Schultern des Mannes und dem vorzeitig zerklüfteten Gesicht zeigte. «Als du hier ankamst, spürtest du einen Unterschied zwischen unserem Clan und Kaeas?»

Raghi rieb sich die Arme. Im Morgengrauen war es immer am kältesten, und er fühlte sich verwirrt von allem, was passiert war. «Ja, ihr wirkt viel beängstigender.» Dies war weder der Ort noch die Zeit für Höflichkeit.

«Das sind wir. Die Lichtträger sind ein wahrer Clan. Als solcher teilen wir alle die gleiche grundlegende Fähigkeit. Außerdem hat jeder von uns Zugang zu verschiedenen Aspekten der Magie. Ich kann viel über Menschen lernen, indem ich sie berühre. Ein anderer Mann in unserem Clan besitzt Heilkräfte, wenn auch nicht so außergewöhnliche wie Chandana. Ein Drittel kann das Wetter für die kommenden Wochen bestimmen. Wir sind wie eine Gilde oder eine Sekte. Wir widmen unser

Leben dem Licht, und wenn einer von uns in unserem Kampf gegen die Dunkelheit stirbt, dann hat er sein Dharma erfüllt. Kaea leitet einen von drei zusammengewürfelten Ghitainclans. Einige ihrer Familien haben Magie, andere nicht. Sie haben also keine gemeinsame Existenzberechtigung und mussten ihren Zweck selbst definieren.»

«Das Leben von sesshaften Menschen mit Freude zu erfüllen», flüsterte Raghi.

Arjun nickte. «Es ist ein schwieriger Weg, der außerordentlichen Mut erfordert. Nur ein großer Anführer kann die wild gemischten Familien zusammenhalten. Ich verbeuge mich vor ihr.» Er rotierte seine rechte Hand mehrmals nach vorne und beendete die Geste mit zum Himmel gerichteter Handfläche.

«Aber was ist mit der Gefahr, die ich in eure Mitte getragen habe?», hakte Raghi nach.

«Die Ghitains sind die Hüter des Multiversums, und die Gefahr wird zu uns kommen, ob wir sie fürchten oder nicht. Wenn du sie nicht mitgebracht hättest, wären wir zu einem späteren Zeitpunkt darüber gestolpert — vielleicht zu spät. Was dieser Mann getan hat geht gegen alles, was uns heilig ist. Wir können nicht zulassen, dass er mit uns koexistiert, und müssen ihn aufhalten, auch wenn der Kampf das Leben jedes einzelnen Ghitains kostet.»

Dieser Aussage war nichts hinzuzufügen. Raghi hoffte nur, dass jeder Lichtträger die Haltung von Arjun teilte.

Er konnte sich kaum noch wach halten, obwohl er es mit aller Willenskraft versuchte. Als sein Kopf zum zweiten Mal auf seine Brust fiel, berührte Arjun sein Knie. «Du musst einen Platz zum Schlafen finden, Raghi. Warum gehst du nicht in Naveens Vardo und ruhst dich aus?»

Raghi sah das gelbe Fahrzeug vielleicht dreißig Schritte entfernt. Das war viel zu weit. «Ich werde einfach unter diesen Vardo schlüpfen. Versprichst du mich zu wecken, wenn Kaea und ihr Clan ankommen oder wenn etwas nicht stimmt?»

«Ja.»

Mit einem müden Winken rutschte Raghi von der Treppe und zog sich in sein Versteck zurück. Rose folgte ihm und wickelte sich besitzergreifend um ihn. Sie war immer noch wütend. Ihre Augen blitzten und ihr Schwanz schlug wie der einer Katze. Raghi wusste, warum.

Desert Rose kochte vor Eifersucht.

Najira hatte nicht nur Anjali Zeit gegeben, sondern auch ihn geheilt. Das Problem mit Raghis Lungen war Geschichte. Seine Narben waren verschwunden, als hätten sie nie existiert. All die tausend kleinen Schmerzen von alten Wunden und Knochenbrüchen, die Teil seines Lebens waren — weg. Der Drache hatte sogar den schwersten Schaden, den der Meister ihm zugefügt hatte, rückgängig gemacht.

Er sollte ihr wahrscheinlich danken, wieder stark und gesund zu sein.

Doch er fühlte sich, als hätte sie ihm seine Identität gestohlen. Der Verstand war vergesslich und leicht zu täuschen. Der Körper erinnerte sich an jeden Bruch, jede Wunde und jede Krankheit.

Wer war er ohne die Warnung vor allem, was er erlitten hatte? Nur ein größerer Narr.

Ich hätte die Missy dem Reisenden vor die Füße werfen sollen.

Mit diesem letzten bitteren Gedanken driftete Raghi weg.

ER ERWACHTE VON HUFSCHLÄGEN, klingelnden Glöckchen und dem Knarren von Metall und Holz. Als er die Augen öffnete, tauchte heller Sonnenschein das Lager in ein warmes und freundliches Licht. Durch die Öffnung der Wagenburg sah er die Schlucht im Rückgrat des Drachen und auf der Straße in der Schlucht die bekannten Vardos von Kaeas Clan.

Sie waren da. Aber wo konnten sie ihr Lager aufschlagen?

Raghi blickte durch den Raum unter den Vardos, folgte der Richtung, in die der Clan fuhr, und erkannte, dass sich die Wiese bis weit hinter das Lager der Lichtträger erstreckte.

Es dauerte nicht lange, bis Kaea und Chandana eintrafen. Die Heilerin eilte in Anjalis Vardo. Kaea hielt an, um darunter zu schauen.

«Raghi?»

Er bekämpfte den fast unwiderstehlichen Drang, sich wie ein Kind in ihre Arme zu werfen. «Schön, dass ihr es sicher geschafft habt», sagte er stattdessen.

Kaeas Blick durchdrang seine Seele. «Ich sah im Uhrwerk des Multiversums, was passiert ist. Der Reisende kann die Quelle der Drachenmagie noch nicht lokalisieren. Wir haben etwas Zeit. Danke, dass du das Risiko eingegangen bist, Naveen zu helfen.»

Raghi zuckte die Schultern. «Obwohl ich definitiv ein dummer Freund bin, bin ich kein lausiger.»

Die Königin lächelte. «Ich weiß. Jetzt komm da raus. Sonst bricht mein Rücken.»

Raghi gehorchte. Desert Rose folgte ihm auf der Ferse. Sie würde ihm für lange Zeit nicht von der Seite weichen.

«Was passiert jetzt? Wird Chandana Anjali retten können?»

«Das hoffe ich bald zu erfahren.»

Parth und Arjun schlossen sich ihrem stillen Warten an. Nach kurzer Zeit eilte Devi aus dem Vardo und gab Anweisungen an eine Gruppe von Frauen, die in der Nähe warteten.

Chandana folgte ihnen. Sie sah ernst aus. «Es sollte mir möglich sein, Anjali zu heilen, aber das Auge kann ich nicht retten», sagte sie zu Parth. «Wenn sie mir erlaubt hätte, ihr gleich nach dem Unfall zu helfen, hätte es vielleicht eine Chance gegeben. Jetzt werden wir es nie erfahren. Die Heilung ist ein gefährlicher Prozess. Möchtet ihr euch verabschieden, nur für alle Fälle?»

Parth und Arjun schauten sich an, seufzten und nickten. Sie gingen in den Vardo.

«War das die ganze Wahrheit, Chandana?», fragte Kaea.

Die Heilerin nickte. «Das Mädchen hatte unglaubliches Glück. Ich verstehe nicht, warum sie nach all der Zeit nicht an Wundbrand leidet.»

«Das Feuer erhitzte die Splitter weißglühend, bevor die Bombe explodierte. So brannten sie die verursachten Wunden gleich aus. Deshalb sind Brandbomben keine sichere Methode, jemanden zu töten», lieferte Raghi die fehlende Erklärung.

Beide Frauen starrten ihn schockiert an. Er erkannte, dass ihnen niemand von seiner Offenbarung erzählt hatte. Beide erholten sich sofort.

«Also sagst du …?», fragte Chandana mit verengten Augen.

«Dass es ein Attentat war. Ich vermutete dies, seit ich die Geschichte von Naveen gehört hatte. Als ich seine Narben sah, wusste ich es sicher. Such nicht nach Holz in Anjalis alten Wunden, Chandana. Du musst dich mit verdrehtem und rasiermesserscharfem Metall auseinandersetzen.»

Die Heilerin zischte. «Deshalb ergab die Aura der Verletzungen keinen Sinn. Hast du eine Ahnung, wie groß die Teile sind, nach denen ich suchen muss?»

«Ich würde sagen, sie sollten recht groß sein, aber das könnte ein weiteres Problem verursachen. Einige Legierungen verändern ihre Form, wenn sie abkühlen. Wenn solche Stücke im Knochen stecken bleiben, sind sie fast unmöglich zu entfernen. Ich hoffe, der Attentäter war nicht so raffiniert.»

Chandana drehte sich auf der Ferse um und eilte zurück in den Vardo.

«Warum hast du mir nichts von deinem Verdacht erzählt, Raghi?»

Raghi wich Kaeas nachdenklichem Blick aus. «Weil ich ein Meister der Manipulation bin und die Gefahren falscher Informationen kenne. Ungeprüfte Gerüchte in geschlossenen Gemeinschaften sind ein sicheres Mittel, um das Vertrauen und den sozialen Zusammenhalt zu zerstören. Und ich wollte dich nicht beunruhigen.»

«Schau mich an, Raghi.» Er fühlte ihre Hand auf seiner Schulter und gehorchte. Ihr Gesicht war sehr ernst, aber nicht missbilligend. «Ich bin die Königin, und es ist meine Pflicht mir Sorgen zu machen. Ich dachte, das wäre dir klar.»

«Das ist es auch, aber ...» Soll er es ihr sagen? Sie war immer brutal ehrlich zu ihm gewesen. «Weil du auf den dunkelsten Pfaden des Lebens gewandert bist, nahm ich an, dass anderen zu vertrauen ein ständiger Kampf für dich ist. Ich wollte dieses Vertrauen nicht ohne absolute Notwendigkeit erschüttern.»

Sie presste seine Schulter und ließ sie dann los. «Das war rücksichtsvoll, und du hast recht. Vertrauen ist harte Arbeit für mich. Aber die Zeit meine Gefühle zu schonen ist vorbei. Wir müssen uns der Gefahr direkt stellen. Gibt es sonst noch etwas, was du mir nicht sagst?»

Raghi atmete aus. «Ja, du denkst, dein Bruder wurde ermordet. Palash denkt das auch. Er vermutete, dass jemand etwas in seinen Tee getan hat, und bat mich eine Probe zu überprüfen, die er versteckt hatte, aber ich fand kein Gift. Und da alle von Palashs beseelten Besitztümern nach seinem Tod zerstört wurden, war es uns nicht möglich, die Untersuchung weiterzuverfolgen.»

Jetzt sah die Königin traurig aus. «Mein Bruder, mein Sohn, seine Geliebte. Ich mag das sich abzeichnende Muster nicht.»

«Ich auch nicht. Deshalb will ich nicht weglaufen, aber ich versprach es Najira, bevor … bevor die selbstherrliche Missy mein Leben verändert hat, ohne mich um Erlaubnis zu bitten.»

Kaea sah auf seinen Schal und schien auf Najiras Anwesenheit zu horchen. Raghi spürte sie nicht, was bedeutete, dass sie nicht lauschte.

«Dieser Drache wurde durch den langen Missbrauch des Reisenden geformt, ähnlich wie du durch die Grausamkeit deines Meisters. Hab Geduld.»

«Warum?», schnaubte Raghi. «Ich hätte sie ihm zum Fraß vorwerfen sollen, als ich die Gelegenheit dazu hatte.»

Kaea wackelte mit dem Kopf. «Das sind die Worte deiner verletzten Seele, und du hast jedes Recht wütend zu sein. Aber wenn du die Situation aus einer neutraleren Perspektive betrachtest, wirst du feststellen, dass dieses Drachenmädchen überraschend nett und vernünftig ist angesichts von allem, was sie erleiden musste. Niemand hat seit Menschengedenken einen Drachen gesehen. Wir haben fast alles über sie vergessen. Stell dir vor, sie wird böse und verwüstet das Multiversum.»

Und er trug dieses Zerstörungspotential mit sich herum. Ja, das Schicksal hasste ihn wirklich.

27

Die Stunden verflossen mit der Trägheit von Honig. Raghi versuchte sich zu beschäftigen. Er schaute nach den magischen Tieren, öffnete ihre Luken und räumte ihren Vardo auf.

Palash hatte recht gehabt. Nach der Passage durch Tasjars Schlucht waren alle Kissen wieder ganz. Die Magie dieses Zeitalters war einfach verrückt.

Irgendwann kam Ahriman, um ihm zu helfen. Der junge Mann sah kläglich und verbittert aus. Raghi akzeptierte seine Anwesenheit ohne Kommentar. Während sie schweigend arbeiteten, beobachtete er seine Interaktion mit den Tieren und erkannte, dass Ahriman einst ein häufiger Gast gewesen sein musste.

Die Stacheleule, meist ein mürrischer Zeitgenosse, stieß einen Ruf aus, schlug mit den Flügeln und flog dem jungen Mann auf die Schulter. Das Ereignis gab Raghi die Antwort auf eine seit langem offene Frage. Das seltsame kleine Tier konnte fliegen.

Auch die anderen reagierten mit Zuneigung, obwohl Raghi bemerkte, dass die Doggycorns ihre Rennen-wir-ihn-über-den-Haufen-und-lecken-ihn-zu-Tode-Routine nicht durchführten.

Ahriman wurde sich Raghis ungläubigem Blick bewusst und schnaubte. «Du bist zu nachsichtig. Deshalb respektieren sie dich nicht. Genauso wenig, wie deine Chimäre es tut.» Er nickte zu Desert Rose, die in der Nähe des Eingangs kauerte und jede Bewegung von Raghi beobachtete.

Die Bemerkung ärgerte Raghi. «Und das ist weshalb ein Problem?»

«Wenn du nicht der Chef bist, entscheiden die Tiere nach eigenem Ermessen für dich. Du magst die Chimäre als dein Haustier betrachten, doch ist sie ein gefährliches Fabelwesen mit unbekannten Kräften. Wenn du diesen Aspekt von ihr ignorierst, wirst du eines Tages einen grausamen Tod sterben.»

Nicht wahrscheinlich, aber Ahriman brauchte das nicht zu wissen.

Raghi beschloss, die Weisheit der Ghitains zu nutzen, die er zu schätzen gelernt hatte. «Also denkst du, dass man mit Tieren nicht befreundet sein kann?»

Ahriman zögerte. «Ich glaube nicht. Ein Zugpferd, das deinen Befehlen nicht gehorcht, ist eine Gefahr für deinen Vardo und die der anderen. Ein untrainierter Hund wird beißen oder dort herumtollen, wo er nicht sollte, und überfahren werden.»

Ahriman hatte recht, was diese Beispiele betraf, aber was war mit einer Chimäre, die wahrscheinlich intelligenter war als ihr menschlicher Hüter? Und Raghi hatte den Machtkampf um Respekt mit den Drachenpferden geführt und gewonnen. War er zu nachsichtig? Er sah die Doggycorns an, die an einem Kissen zerrten.

«Lass dich nicht von ihrer Niedlichkeit täuschen, Raghi», sagte Ahriman. «In vielerlei Hinsicht sind sie wie Vampire, die sich vom Elend der Menschen ernähren. Dass sie dieselben Menschen glücklich machen, ändert nichts an der Tatsache, dass sie Raubtiere sind.»

Raghi erinnerte sich an seine eigene Beobachtung — dass atemberaubende Schönheit die größte Schlechtheit verbarg. Er schüttelte den Kopf. So viel zu lernen! Würde er jemals hinter den Schleier des Multiversums sehen, der die wahre Essenz von allem verbarg?

GEGEN ABEND BAUTE der Clan der Lichtträger einen kreisförmigen Besprechungsort aus Kissen und Teppichen, ähnlich dem Ghitaingericht. Arjun überwachte das Verfahren und ganz besonders den Aufbau eines Kreises aus kleinen Feuern. Das Misstrauen hatte sich bereits ausgebreitet. War das die Absicht des Feindes? Die Verbundenheit der Ghitains zu zerstören? Oder war Kaeas Familie das Ziel?

Es war bereits dunkel, als Chandana aus Anjalis Vardo trat. Die Heilerin wirkte völlig erschöpft, aber siegreich. Sie ging, um mit Parth und Kaea zu sprechen. Palash, der sich seit der Reise durch Jalassars Schlucht rar gemacht hatte, materialisierte ebenfalls. Alle schauten in Raghis Richtung. Der König der Könige winkte ihm.

Raghi ging mit einem flauen Gefühl im Magen hin. Hatte er recht gehabt? Er hoffte nicht. Dann musste er sich nur für den unnötigen Schmerz entschuldigen, den sein Verdacht verursacht hatte.

Chandana hielt ihm eine kleine Schüssel zur Überprüfung hin. Als er hineinblickte, wurde sein Herz schwer. Die Schale enthielt gebogene und verdrehte Metallteile.

«Kannst du daraus etwas lernen? Ich habe sie auf Restenergie überprüft. Leider war da nichts.»

«Restenergie?»

Die Heilerin nickte. «Ich spüre, wem etwas gehört oder wer einen Gegenstand berührt hat. Die Spur verblasst mit der Zeit.»

Raghi nahm einen der matt glänzenden Metallsplitter, die Chandana von Blut und anderen Flüssigkeiten gereinigt hatte. Seine Kanten waren messerscharf. Die ersten paar Splitter enthüllten keine neuen Informationen. Der letzte und größte überraschte Raghi. Da war ein Siegel drauf — ein Siegel, das er kannte.

«Was?», fragte Kaea, die seine Mimik mit Adleraugen beobachtet hatte.

Raghi zeigte ihnen das Siegel.

Chandana runzelte die Stirn. «Ist das nicht nur Ruß, den die Hitze ins Metall eingebrannt hat?»

«Nein. Dieses Siegel ist ein Vorläufer dessen, das der Meister in meiner Zeit benutzt. Wisst ihr, wie sich Wappen durch die Leistungen und Heiratsstrategien der jeweiligen Familie entwickeln?»

Alle nickten.

«Diese Bombe wurde von einem Profi auf Bestellung angefertigt. Sie war von guter Qualität und damit teuer, ohne komplex zu sein. Ihr sucht einen Laien mit Geld, den ihr kennt, da diese Person dem

Bombenbauer Informationen über die nötige Reichweite und Streuung geben musste.»

Seine distanzierte Analyse ließ alle blinzeln.

«Wird so ein Siegel dem Bombenbauer nicht zum Verhängnis?», fragte der König der Könige.

Das war ein Berufsgeheimnis, das er nicht teilen sollte. «Nein, obwohl das der allgemeine Glaube ist. Doch argumentierten Gesetzgeber und Anwälte erfolgreich, dass, wenn du den Fachmann verhaftest, der eine Bombe baut, ohne die Absicht sie zu benutzen, du auch jeden Waffenschmied und Bogenbauer einsperren musst. So kann ein Bombenbauer seine Kreationen signieren, wie es jeder Künstler tut. Nach erfolgreichen Attentaten wird die Information über den Bombenbauer in den richtigen Kreisen verbreitet, und er gewinnt neue Kunden.»

Chandana erzeugte ein Geräusch des Ekels. «Das ist krank.»

Raghi zuckte eine Schulter. «Der Tod ist ein Geschäft wie jedes andere.»

Parth ließ seinen durchdringenden Blick über das Zwillingslager schweifen. «Also haben wir unter uns einen oder mehrere Verräter, die nicht vor Mord zurückscheuen. Und da das Attentat stattfand, als sich unsere beiden Clans trafen, können wir nicht sagen, ob diese Person — oder Familie — zum Clan der Lichtträger oder zum Clan der Seher gehört, oder ob sich das Gift des Verrats durch beide ausgebreitet hat. Nicht alle waren einverstanden, als ich Naveen als meinen Schwiegersohn akzeptierte.»

«Und als wäre das nicht schon schlimm genug, streift ein Verrückter durch das Multiversum und sucht nach einem entflohenen Drachen, der ihm nie gehörte», fügte Kaea hinzu. «Nicht zu vergessen der Drache selbst, der erste, den jemand seit Tausenden von Jahren zu Gesicht bekommen hat. Sie wirkt freundlich, kann sich aber immer noch der Dunkelheit zuwenden und die Schöpfung ihrer Vorfahren vernichten.»

Und nicht zu vergessen, dass sich dieser verdammte Drache um seinen Hals gewickelt hatte. Sobald der Reisende ihr Versteck lokalisierte, führte sie den Bastard wie ein Leuchtfeuer zu Raghi.

Seine Chancen standen einfach nur schlecht.

Der König der Könige warf mit einer trotzigen Geste sein langes

Haar zurück. «Jeder weiß, was das bedeutet. Als Ghitains sind wir die Hüter des Multiversums und werden diejenigen herausfordern, die es zu zerstören drohen. Als König und Königin sind wir die Herrscher unserer Clans und werden diejenigen vor Gericht bringen, die das verraten, was uns heilig ist. In unserer Zukunft warten zwei Kriege, die wir kämpfen müssen — zwei Kriege, die uns alles kosten können, was wir seit Urzeiten in unseren Herzen tragen und bewahren.»

Er griff nach Kaeas Hand und nahm sie sanft in seine. «Diese Kriege werden nicht heute Abend ausgetragen. Heute Abend rufen wir unsere Clans zusammen und sagen ihnen die Wahrheit. Und dann fahren wir weiter nach Eterna und informieren die anderen. Es ist an der Zeit, dass sich unser Volk vereint. Der Prozess selbst wird bereits zeigen, was vor uns liegt. Wir können nicht wissen, wer sich uns anschließen wird. Einige werden sagen, dass dies keine Ghitainangelegenheit ist. Andere haben den Glauben an unsere Kräfte verloren oder warten auf eine Chance, ihre eigenen Ziele zu verfolgen. Egal, ob viele zu mir stehen oder ob ich alleine kämpfen muss, ich werde nicht aufgeben. Als das Schicksal mich zum Ghitain machte, gab es mir das bestmögliche Leben, und ich werde dieses Geschenk bis zu meinem letzten Atemzug ehren.»

«Du musst nicht allein kämpfen, Parth, denn ich werde an deiner Seite sein. Ich hoffe, du weißt das», sagte Kaea.

Er lächelte sie an. «Ich weiß.»

Der lange Blick, den sie teilten, enthielt viel mehr als nur Freundschaft.

Raghi sah Chandana fragend an.

«Es gibt Ghitains, die verlangen, dass wir aufhören zu reisen. Sie wollen sesshaft werden», erklärte sie tonlos.

«Was geschieht dann mit der Zeit?»

«Wenn du den Glauben verlierst, verlierst du deine Macht. Das Multiversum wird sich anpassen. Das tat es immer schon.»

Raghi stampfte beinahe mit dem Fuß. Diese verfluchten Treppen der Ewigkeit! Warum mussten sie ausgerechnet ihn wählen?

Dies war einer der wichtigsten Wendepunkte der Geschichte. Und er von allen Auftragsmördern — der dümmste Lehrling, den es je gab — fand sich mitten im Geschehen wieder. Wenn er nur seinen Rücktritt einreichen, seine Freiheit kaufen oder den kleinen Drachen den Wölfen zum Fraß vorwerfen könnte, was auch immer!

Jemand schnaubte ihm den Nacken hinab und erstickte seinen Wutanfall im Keim. Er erhielt einen unsanften Knuff zwischen die Schulterblätter. Zwei Köpfe erschienen in seinem Blickfeld, einer von jeder Seite.

Desert Rose.

Sie starrte ihn vorwurfsvoll an. Dann schaute sie bedeutungsschwer zu Anjalis Vardo.

Naveen trat heraus, vor Müdigkeit taumelnd. Als er ihre Versammlung bemerkte, winkte er, stolperte die Stufen herab und umarmte Raghi mit einem Schluchzen, seine Arme stärker als ein Schraubstock.

«Anjali hat die längste Zeit gebraucht, um einzuschlafen, aber alles sieht gut aus. Sie wird leben, Raghi! Sie wird leben. Danke, dass du mit mir durch die Nacht gereist bist und deinen Verdacht ausgesprochen hast. Ich danke dir vielmals!»

Naveen hatte kaum das letzte Wort ausgesprochen, als die Kraft ihn verließ. Sein Kopf sank auf Raghis Schulter, und er schlief im Stehen ein.

«Ich stecke ihn in Anjalis Vardo. Ich erwarte, dass es unter ihrem Bett den üblichen Bettschrank gibt», sagte Raghi und packte Naveen, damit er nicht hinfiel. Er hätte den Prinzen auch in sein eigenes Zuhause bringen können, da niemand das Fahrzeug von seinem Parkplatz mitten im Lager der Lichtträger weggefahren hatte, aber er wollte nicht, dass die wiedervereinigten Liebenden getrennt und unbewacht waren. «Ich werde Rose und die Leitstute der Drachenpferde bitten sie zu bewachen.»

«Tu das», sagte Kaea. «Dann komm zur Versammlung. Palash, ich brauche dich auch. Ihr beide sollt die Reaktion aller beobachten. Jetzt geh schon!»

Palash half, Naveen zu tragen. Selbst als der Geist ihn aus Versehen berührte, beschwerte sich Raghi nicht.

«Was geht in deinem Kopf vor, Junge?», fragte Palash, während sie Naveen die Stufen hinaufhoben.

«Zu viel, um es zu beschreiben. Es fühlt sich an, als ob sämtliche Gefühle, die ich je erlebt habe, kollidieren — Gefahr, Bitterkeit, Angst,

Unzulänglichkeit, was auch immer. Aber als Naveen aus dem Vardo trat, erfüllte mich ein einziger Gedanke.»

Palash lächelte. «Dass er den Kampf wert ist, egal wie schwer es wird.»

Raghi seufzte. Zu spät zum Lügen.

«Ja», sagte er.

Raghis und Naveens Abenteuer gehen bald weiter.

DANKSAGUNG

Als Independent Autorin mache ich alles selbst und freue mich, dabei auf tolle Unterstützung zählen zu dürfen.

An dieser Stelle deshalb ein herzliches Dankeschön an meine Vorableser von **Isa Days Gilde**, die mich beim Release von «Raghi der Schatten» mit ihren Rezensionen und Beiträgen so tatkräftig unterstützt haben. Es ist wunderbar, dass es euch gibt, und ich freue mich schon auf die nächste Veröffentlichung!

Auch als normale Leserin/normaler Leser kannst du mich unterstützen. Wenn dir mein Roman gefallen hat, schreib bitte eine Rezension bei LovelyBooks, Goodreads oder auf der Website deines Buchhändlers. Damit hilfst du mit, meine Bücher bei einem großen Leserkreis bekannt zu machen.

Ich wünsche euch allen viele spannende Buchentdeckungen und Lesestunden.

Isa

WIE ALLES BEGANN

«WOLF DES SÜDENS»

Band 1 der Serie «Die Treppen der Ewigkeit»

Mörder, nutze die Treppen der Ewigkeit für eine zweite Chance. Erweist du dich jedoch als unwürdig, vernichten wir deine Seele, als ob du nie existiert hättest.

Um der Hinrichtung zu entgehen, steigt Emilio, der Wolf des Südens, die Treppen der Ewigkeit hinab und findet sich in einem eisigen, kriegszerrissenen Königreich der Vorzeit wieder. Es ist ein furchtbarer Ort mit schrecklichen Bewohnern, und Morayn, ihre junge, rotzfreche und jähzornige Königin, scheint die schlimmste von allen.

Widerwillig schließt Emilio sich Morayns Kampf um ihr Königreich an, und erkennt bald, dass die Erfüllung seiner geheimsten Träume zum Greifen nah ist. Aber reichen die Intelligenz und Fähigkeiten eines Mörders aus, um das Land, seine neue Familie und die Frau, die er liebt, zu retten?

Leseprobe und weitere Informationen unter

https://isaday.net/fantasy-serie-die-treppen-der-ewigkeit

AUCH VON ISA DAY

Zwei Brüder mit außergewöhnlichen Fähigkeiten,
eine verlorene Generation von Drachenkindern
und eine große Bestimmung.

FANTASY-SERIE «DER WEG DES HEILERS»

In einer magischen Welt voller Rätsel stellen sich die Brüder Joshi und Marcin dem Vergessen, das wie ein Schleier über der Geschichte ihres Volkes liegt. Es ist ein gefährliches Spiel, das ihnen beträchtliche Opfer abverlangt. Doch aufgeben dürfen sie nicht, denn nur zu bald scheint es, als wäre ihr Schicksal mit der Zukunft und den tiefsten Geheimnissen des gesamten Weltengefüges verknüpft.

Leseproben und weitere Informationen unter
https://isaday.net/fantasy-serie-der-weg-des-heilers

CPSIA information can be obtained
at www.ICGtesting.com
Printed in the USA
BVHW042312280719
554530BV00014B/1189/P

9 783743 181489